Gayle Sutton

264-08-5593

PETE GODFR
49 Cottag
520 446 3797

Con concdancia
un courtsi
nombre

R. Naybor

REPASO

ORAL

Francesca Colecchia *Duquesne University*

WOODCUTS BY MICHAEL M. MILAN

REPASO

ORAL

D. C. Heath and Company

BOSTON   ENGLEWOOD   CHICAGO   SAN FRANCISCO

ATLANTA   DALLAS

COPYRIGHT © 1967 BY D. C. HEATH AND COMPANY

No part of the material covered by this copyright
may be reproduced in any form without written
permission of the publisher. Printed in the United
States of America. Printed December 1966

LIBRARY OF CONGRESS CATALOG CARD NUMBER: 67–10147

PREFACIO

Repaso oral se dirige al estudiante de español que ha terminado con éxito un curso elemental audio-lingual. El propósito de este texto es doble: repasar y reforzar los conocimientos ya adquiridos en el primer curso, y perfeccionar la habilidad del estudiante para entender y expresarse con facilidad en español.

Esta gramática consta de seis secciones de desigual extensión, cada una de las cuales concentra la atención en una área de énfasis gramatical. Las dos partes de cada lección son introducidas por un breve diálogo informal, seguido éste de unos « Ejercicios modelo ». La sección de los « Ejercicios modelo extensos », que sigue a los « Ejercicios modelo », le ofrece al estudiante la oportunidad de practicar en forma más intensa los principios básicos del español. Un corto « Apunte cultural » y un grupo de « Ejercicios suplementarios » concluyen la lección.

En este texto nos hemos apartado del procedimiento usual — la presentación de la regla gramatical seguida de una explicación y unos ejemplos de aquélla — prefiriendo más bien el método inductivo. En vez de repasar primero la regla abstracta y tratar de aplicarla después, el estudiante, siguiendo las direcciones presentadas, repasa la regla en cuestión a través de su uso en un « Ejercicio modelo extenso ». Se emplea la misma técnica para indicar las excepciones a las reglas fundamentales y algunos otros principios gramaticales en las secciones tituladas « Estudie y note » y « Estudie y compare ». El único trabajo que exige exclusivamente la traducción es el último ejercicio de los « Ejercicios suplementarios ».

Quisiera agradecerle al Dr. Reyes Carbonell, Director del Departamento de Español de Duquesne University, su lectura cuidadosa del manuscrito de *Repaso oral*. Sobre todo quisiera dar las gracias más sinceras al Dr. Vincenzo Cioffari, Editor de Lenguas Modernas de D. C. Heath and Company, al Sr. Douglas Hinkle de Eastern Kentucky State College y a la Srta. Maureen A. Cunningham de D. C. Heath and Company cuyos comentarios y consejos me han sido de inestimable valor.

F. C.

v

TABLA

DE

MATERIAS

SECCIÓN PRIMERA

LECCIÓN 1 Pronombres personales sujeto; pronombres pre-   2
posicionales
APUNTES CULTURALES: ¿ *Latinoamérica o Iberoamé-*
rica ?

LECCIÓN 2 Pronombres complemento directo; la *a* personal;   11
pronombres complemento indirecto
APUNTES CULTURALES: *Los refranes y los dichos popu-*
lares

SECCIÓN SEGUNDA

LECCIÓN 1 Artículos; plural; género; contracciones   24
APUNTES CULTURALES: *Los vascos*

LECCIÓN 2 Adjetivos; apócope; comparación; superlativo   37
APUNTES CULTURALES: *La Dama de Elche*

LECCIÓN 3 Posesivos; la posesión expresada con *de;* demostra-   50
tivos; el artículo definido para expresar el demostrativo; *éste . . . aquél*
APUNTES CULTURALES: *La reina que se volvió loca*
por amor

SECCIÓN TERCERA

LECCIÓN 1 Presente de indicativo; imperfecto; pretérito   66
APUNTES CULTURALES: « *Como decíamos ayer* . . . »

LECCIÓN 2 Futuro; condicional; *ir a* para expresar acción   80
futura; negación; adverbios que terminan en
mente
APUNTES CULTURALES: *El Greco*

LECCIÓN 3 Participio pasado; tiempos compuestos; *acabar*   94
de; usos idiomáticos de *haber*
APUNTES CULTURALES: *Dos caras de la misma moneda*

LECCIÓN 4 *Ser* y *estar;* la hora; verbos reflexivos; verbos re-   109
cíprocos
APUNTES CULTURALES: « *El monstruo de la naturaleza* »

LECCIÓN 5 Verbos que diptongan la vocal de la raíz; verbos   124
con cambios ortográficos; *hacer* en expresiones de
tiempo
APUNTES CULTURALES: *La Celestina — bruja simpática*

SECCIÓN CUARTA

LECCIÓN 1 Participio presente; progresivo; *hacer* en expresiones   140
temporales
APUNTES CULTURALES: *Los Quintero*

LECCIÓN 2 Presente de subjuntivo; imperativo directo; impe-   153
rativo indirecto; el subjuntivo después de expresiones impersonales; el subjuntivo en cláusulas
nominales
APUNTES CULTURALES: *Don Juan*

LECCIÓN 3 El subjuntivo en cláusulas adjetivas; el subjuntivo   168
en cláusulas adverbiales
APUNTES CULTURALES: *El poeta del amor y del dolor*

LECCIÓN 4 Imperfecto de subjuntivo; *quizás* y *tal vez;* frases   180
condicionales; *como si;* correlación de los tiempos
APUNTES CULTURALES: *El Real Monasterio de San
Lorenzo del Escorial*

LECCIÓN 5 Voz pasiva; *la hora, el tiempo, la vez, el plazo;* verbos 194
que se parecen pero que no son idénticos: *tomar,
quitar, llevar*
APUNTES CULTURALES: *Goya — Don Francisco de
los Toros*

LECCIÓN 6 Infinitivo; *gustar* y verbos semejantes; *tener* para 206
traducir « to be »
APUNTES CULTURALES: *La Alhambra*

SECCIÓN QUINTA

LECCIÓN   *Para* y *por;* pronombres y adjetivos indefinidos; 222
ÚNICA   *pero, sino, sino que; e* por *y, u* por *o*
APUNTES CULTURALES: *Don Juan de Austria*

SECCIÓN SEXTA

LECCIÓN 1 Interrogativos; usos idiomáticos de *dar; preguntar,* 240
preguntar por, pedir, hacer una pregunta
APUNTES CULTURALES: *El camino de Santiago de Compostela*

LECCIÓN 2 Relativos; números; *ante, antes de, delante de*   255
APUNTES CULTURALES: *Teresa de Ávila — una mujer
moderna del siglo XVI*

APÉNDICES

A   Tabla de verbos que suelen ser seguidos de preposiciones 272
B   Tabla de verbos   273
    Los verbos regulares
    Los verbos irregulares
C   Los verbos que diptongan la vocal de la raíz   287
    Conjugación de verbos típicos
D   Los verbos con cambios ortográficos   291
E   Los países   295

VOCABULARIO

Español-Inglés   298
Inglés-Español   345

ÍNDICE   357

MAPAS

La América del Sur   8
España   64
Méjico, la América Central y el Caribe   220

SECCIÓN

———

PRIMERA

LECCIÓN

1

PRONOMBRES PERSONALES SUJETO

SINGULAR		PLURAL	
yo	*I*	nosotros, −as	*we*
tú	*you (fam.)*	vosotros, −as	*you (fam.)*
Vd.	*you*	Vds.	*you*
él	*he*	ellos	*they (m.)*
ella	*she*	ellas	*they (f.)*

Con la excepción de **Vd.** y **Vds.** los pronombres personales sujeto suelen usarse para indicar énfasis o claridad.

DIÁLOGO

ANTONIO: Hola, ¿ qué tal, Guillermo?

GUILLERMO: ¡ Antonio ! ¿ Cómo andan las cosas?

ANTONIO: Pues regular, hombre. ¿ Y la familia?

GUILLERMO: Todos andan bien excepto Luisa.

ANTONIO: ¿ Su hija mayor?

GUILLERMO: Sí.

ANTONIO: Pero, ¿ no es cosa grave, verdad?

GUILLERMO: No, sólo algo de gripe.

ANTONIO: Eso no tiene importancia. En dos o tres días, . . . como si nada.

2

EJERCICIOS MODELO

a / Respuesta sugerida y reemplazo de construcción

1. ¿Cómo anda María?
                    Ella anda bien.
2. ¿Cómo anda tu mamá?
3. ¿Cómo anda Enrique?
4. ¿Cómo andan vuestros hermanos?
5. ¿Cómo andan sus primas?
6. ¿Cómo andan Paco y Cristóbal?

b / Respuesta sugerida

1. ¿Es grave la cosa?
                    Sí es grave.
2. ¿Es grave el asunto?
3. ¿Es grave su condición?
4. ¿Son graves las noticias?
5. ¿Son graves las consecuencias?
6. ¿Son graves las operaciones?

c / Reemplazo de construcción

1. ¿Dónde anda Luis?
                    ¿Dónde anda él?
2. ¿Dónde andamos Marta y yo?
3. ¿Dónde andan Paco y Pepe?
4. ¿Dónde andan Alicia y su amiga?
5. ¿Dónde anda tu hermano?
6. ¿Dónde andan tus tíos?

d / Sustitución numérica

1. Él anda mal.
                    Ellos andan mal.
2. Ella anda mal.
3. Yo ando mal.
4. Vd. anda mal.
5. Tú andas mal.

EJERCICIO MODELO EXTENSO (I)

En las frases que siguen, reemplace Vd. el sustantivo en cursiva por el pronombre personal sujeto cuando sea necesario.

1. *Juan* estudia la lección.

   Él estudia la lección.
2. *Roberto* compró el auto.
3. *El señor Smith* vende la casa.
4. *El doctor Álvarez* llegó ayer.
5. *El profesor* corrige los exámenes. *corrects*

6. *Luisa* preparó la comida.
7. *La señora de Gómez* murió anteayer.
8. *La enfermera* ayuda al médico.
9. *La secretaria* contesta el teléfono.
10. *La señorita* lee el periódico.

11. *Ricardo y Antonio* van a clase.
12. *Los señores Moreno* están en Nueva York.
13. *Luisa y Alberto* estaban en casa.
14. *Los soldados* lucharon. *fought*
15. *Los estudiantes* bailarán.

16. *Isabel y yo* fuimos al centro.
17. *Roberto y yo* no entendemos la frase. *understand*
18. *Papá y yo* vamos allá.
19. *Mi hermano y yo* lo hicimos.
20. *El profesor y yo* preparamos la clase.

21. *El libro* me costó cinco dólares.

    Me costó cinco dólares.
22. *La caja* es grande.
23. *El reloj* anda atrasado. *slow*
24. *La ventana* estaba abierta.
25. *La silla* pertenecía a mi abuela. *would belong*

         3rd person singular

26. *Las tazas* estaban en la mesa.

    Estaban en la mesa.
27. *Los lápices* tienen borradores. *erasers*
28. *Los zapatos* no me caen bien.
29. *Las manchas* desaparecerán. *spots*
30. *Las estrellas* brillan en el cielo.

   stars shine

         3rd person plural

Nótese que cuando *it* es el sujeto de una oración (21–25), este sujeto no se expresa, usándose solamente la tercera persona singular del verbo. Cuando se usa *they* en el mismo sentido, como sujeto de una oración (26–30), se traduce con la tercera persona plural del verbo.

PRONOMBRES PREPOSICIONALES

Con la excepción de la primera y la segunda personas singulares, los pronombres personales sujeto se usan como pronombres preposicionales, es decir, después de una preposición. En la primera persona del singular se usa **mí,** y en la segunda persona, **ti.** Cuando estos pronombres se usan con la preposición **con,** se convierten en **conmigo** y **contigo** respectivamente.[1]

DIÁLOGO

ALICIA: ¿ Para quién son estas rosas, papá ?
PAPÁ: Son para ti. Creo que son de Luis.
ALICIA: Sí, son de él. Es muy bueno conmigo.
PAPÁ: Siempre piensa en ti. Debes tratarle mejor.
ALICIA: Lo sé. El pobre no puede vivir sin mí.
PAPÁ: Pero tú, ¡ bien puedes vivir sin él !
ALICIA: Lo siento mucho, pero así es la vida.

EJERCICIOS MODELO

a / Respuesta sugerida y reemplazo de construcción

1. ¿ Para quién son estos paquetes ? (Luisa)
                    Son para ella.
2. ¿ Para quién son estos paquetes ? (Pepe)

---

[1] A veces los pronombres preposicionales en la primera y segunda personas se usan de una manera reflexiva. En la tercera persona el pronombre preposicional reflexivo es **sí.** Usado con la preposición **con,** se escribe **consigo.**
Entre, *between,* exige el pronombre personal sujeto en todos los casos:
entre tú y él *between you and him*
entre él y yo *between him and me*

3. ¿ Para quién son estos paquetes? (los estudiantes)
4. ¿ Para quién son estos paquetes? (las criadas)
5. ¿ Para quién son estos paquetes? (Vd. y Paco)

b / Respuesta sugerida

1. Pensamos en él, ¿ y Vd. ?
                              Pienso en él.
2. Pensamos en ella, ¿ y Vd. ?
3. Pensamos en Vds., ¿ y Vd. ?
4. Pensamos en nosotros, ¿ y Vd. ?
5. Pensamos en ellos, ¿ y Vd. ?
6. Pensamos en ellas, ¿ y Vd. ?

c / Reemplazo de construcción

1. Puedo vivir sin Isabel.
                              Puedo vivir sin ella.
2. Puedo vivir sin Jaime.
3. Puedo vivir sin Ruth y Alicia.
4. Puedo vivir sin Vd. y Concha.
5. Puedo vivir sin Alberto y Lorenzo.
6. Puedo vivir sin ti y Pablo.

d / Sustitución de un elemento variable

1. Martín nos presentará a ella.
2. _____ ellos.
3. _____ Vd.
4. _____ ellas.
5. _____ Vds.

EJERCICIO MODELO EXTENSO (II)

Conteste Vd. a las preguntas que siguen, según el modelo
sugerido, sustituyendo el sustantivo entre paréntesis por el pronombre preposicional.

1. Yo voy con (Lorenzo), ¿ y Juan?
                              Juan va con él.
2. Vienen con (Hernán), ¿ y María?
3. Roberto fue con (su primo), ¿ y Anselmo?
4. Yo votaré por (Miguel), ¿ y mamá?

5. Papá lo hace por (mamá), ¿ y el tío Paco?
6. Vds. lo compraron para (su hermano), ¿ y Anita?
7. Fue sin (su hija), ¿ y Vds.?
8. Estuve cerca de (Inés), ¿ y ellos?

9. El profesor estuvo delante de (los estudiantes), ¿ y la profesora?
10. Recibí una carta de (Rita e Irene), ¿ y Norma?
11. Vivía al lado de (mis tías), ¿ y José?
12. Pensamos ir sin (los parientes), ¿ y Vds.?

13. El pobre se acercó a (papá), ¿ y su mujer?
14. El niño viene a (su abuelo), ¿ y su hermanito?
15. Marta se dirigió al (policía), ¿ y Ana?
16. El perro viene a (su amo), ¿ y el gato?

17. Corrimos a (mamá), ¿ y los otros?
18. Iré a (mi tía), ¿ y Roberto?
19. Pedro corrió a (la profesora), ¿ y tú?
20. Vinieron a (Alicia) con el problema, ¿ y Vd.?

21. Nos presentaron al (presidente), ¿ y Vd.?
22. Me describió a (Carmen), ¿ y Ricardo?
23. Juan te entregó al (capitán), ¿ y Paco?
24. Margarita me presentó a (su novio), ¿ y Ana?

Los pronombres preposicionales se usan también con los verbos de movimiento (13–20), y para reemplazar el pronombre complemento indirecto cuando lo usamos con un pronombre complemento directo de la primera o segunda persona (21–24).

LA AMÉRICA DEL SUR

APUNTES CULTURALES

¿ Latinoamérica o Iberoamérica ?

NOSOTROS los norteamericanos solemos referirnos al continente que está al sur del nuestro como Latinoamérica o Hispanoamérica, y a sus habitantes como latinoamericanos o hispanoamericanos. El primero de estos nombres se deriva del hecho de que los dos idiomas básicos de este continente,   5
el español y el portugués, vienen del latín. Sin embargo, es éste un concepto erróneo porque, por ejemplo, en unas secciones del Canadá se habla francés, también una lengua latina, y nunca se nos ocurre denominar al Canadá, Latinoamérica. Tampoco es apropiado el nombre de Hispanoamérica porque excluye al Brasil,   10
país de habla y cultura portuguesas. Puesto que los que descubrieron y colonizaron este continente vinieron de España y de Portugal, esto es, de la Península Ibérica, ¿ no sería más lógico llamarlo Iberoamérica ?

EJERCICIOS SUPLEMENTARIOS

A. Repita Vd. las oraciones siguientes, cambiando el sustantivo en cursiva por el pronombre preposicional.

1. Todos van menos *Juan*. 2. Lo hace por *su vecina*. 3. Se dirige a *Elena*. 4. Nos presentó al *rector*. 5. Fueron al *gerente* con el *asunto*. 6. Viajará con *su amigo*. 7. Entre *Marcos y Alicia* no hay gran amor. 8. Se sentaron delante de *Eduardo y Ricardo*. 9. Charló con *los asistentes*. 10. Marcharon detrás de *los soldados*. 11. Entre *Luis y yo* tal cosa nunca existió. 12. No tenemos nada en contra de *Miguel e Irene*.

B. Lea Vd. las oraciones que siguen, cambiando el pronombre personal sujeto del singular al plural.

1. Yo no entendí la lectura. 2. Vd. debe vendérselo. 3. Él saldrá para Manizales. 4. Tú piensas publicar ese estudio. 5. Ella irá

habéis

conmigo.   6. Tú has de saberlo.   7. Vd. tenía que estar allá.
8. Ella se enfermó.   9. Yo no lo pensé mucho.   10. Él lo rehusa
todo.   *enfermaron*

C. Repita Vd. las frases que siguen, usando las palabras indi-
cadas y haciendo los cambios correspondientes.

1. Rita y yo fuimos al centro con él.
2. _____ ella.
3.   Yo *fui* _____.
4.   _____ de tiendas ____.
5. _____ ellos.
6.   Vds. *fueron* _____.

1. Pedro no tenía por qué quejarse de nosotros.
2. _____ ti.
3. Jaime y él *no tenían* _____.
4. _____ nada en contra de _____.
5. _____ mí.
6. Vds. _____.

D. Traduzca Vd. al español.

1. He said that he would not leave it for her.   2. On entering the
hotel, Albert always asks if there are letters for him or for his wife.
3. Dr. Álvarez sat behind us during the concert.   4. Although her
brother came to the party, Margaret did not introduce us to him.
5. I know that we will arrive before them.   6. She and Isabel
plan to go without him.   7. Between you and me, I doubt it very
much.   8. Everyone except me received an invitation.

LECCIÓN

2

PRONOMBRES COMPLEMENTO DIRECTO

Un sustantivo que recibe la acción de un verbo se llama complemento de dicho verbo o sustantivo complemento. Una palabra como *it*, o *her*, o *him*, etc. que reemplaza el sustantivo se llama el pronombre complemento.

En español los pronombres complemento directo son:

	SINGULAR		PLURAL	
Referente a las cosas:	lo	*it (m.)*	los	*them (m.)*
	la	*it (f.)*	las	*them (f.)*
Referente a las personas:	me	*me*	nos	*us*
	te	*you (fam.)*	os	*you (fam.)*
	le (lo)	*him, you (m.)*	los	*them, you (m.)* [1]
	la	*her, you (f.)*	las	*them, you (f.)*

DIÁLOGO

DOÑA INÉS: Ah, Lupe. ¡Por fin! Hace quince minutos que te llamo.

LUPE: Dispénseme señora, pero no la oí llamarme.

DOÑA INÉS: ¿Me preparaste el té? Es ya la hora de servirlo.

LUPE: Aquí lo tiene, señora.

DOÑA INÉS: ¿Y el azúcar y el limón? ¡Lupe! Te olvidaste otra vez.

[1] **Les** se usa también en este libro como pronombre complemento directo.

11

LUPE : Perdóneme señora, pero aquí tiene el azúcar.
DOÑA INÉS : ¿ Y el limón? Ve a la cocina y tráelo inmediatamente.
LUPE : Sí señora. En un momento lo tendrá todo.

EJERCICIOS MODELO

a / Reemplazo de construcción

1. Aquí tiene el libro.
                        Aquí lo tiene.
2. Aquí tiene el lápiz.
3. Aquí tiene el billete.
4. Aquí tiene la plata.
5. Aquí tiene la camisa.
6. Aquí tiene la corbata.

b / Sustitución numérica

1. No la oyó.
                        No las oyó.
2. No me oyó.
3. No lo oyó.
4. No te oyó.

c / Respuesta sugerida

1. ¿ Quién la oyó llamarnos?
                        Yo la oí llamarnos.
2. ¿ Quién lo oyó llamarnos?
3. ¿ Quién los oyó llamarnos?
4. ¿ Quién las oyó llamarnos?
5. ¿ Quién te oyó llamarnos?
6. ¿ Quién os oyó llamarnos?

EJERCICIO MODELO EXTENSO (I)

Repita Vd. las frases que siguen, reemplazando el complemento en cursiva por el pronombre complemento directo.

1. Roberto lee *el periódico*.
                        Roberto lo lee.

2. El señor Campo compró *el bolígrafo*.
3. Mi primo vendió *el escritorio*.
4. ¿ Toma Luis *café* ?

5. Los estudiantes presentaron *la tesis*.
>   Los estudiantes la presentaron.
6. Eduardo necesita *la camisa*.
7. La criada lavó *la taza*.
8. Vimos *la película*.

9. ¿ Perdieron *las tarjetas* ?
>   ¿ Las perdieron ?
10. ¿ Comió el niño *las galletas* ?
11. María tiene *las invitaciones*.
12. Luisa comprará *las carteras*.

13. No recibí *los paquetes*.
>   No los recibí.
14. ¿ Quién mandó *los telegramas* ?
15. Roberto estudia *los mapas*.
16. No pedimos *los exámenes*.

Repita Vd. los imperativos que siguen, sustituyendo el complemento en cursiva por el pronombre complemento directo.

17. Compre Vd. *el diccionario*.
>   Cómprelo Vd.
18. Coma Vd. *el sándwich*.
19. Preparen Vds. *la ensalada*.
20. Paguen Vds. *los boletos*.
21. Aprenda Vd. *las palabras*.

22. No abra Vd. *la puerta*.
>   No la abra Vd.
23. No use Vd. *el bolígrafo*.
24. No reciten Vds. *el poema*.
25. No vendan Vds. *las sillas*.
26. No pierdan Vds. *los temas*.

Conteste Vd. a las preguntas que siguen, cambiando el complemento entre paréntesis por el pronombre complemento directo.

27. ¿ Quiere Pepe comprar (el auto) ?
>   Sí, quiere comprarlo.

28. ¿ Quiere Pepe relatar (el cuento)?
29. ¿ Quiere Pepe ver (la película)?
30. ¿ Quiere Pepe guardar (la plata)?

31. ¿ Quiere Pepe recitar (los poemas)?
32. ¿ Quiere Pepe visitar (a sus amigos)?
33. ¿ Quiere Pepe presentar (a las niñas)?
34. ¿ Quiere Pepe explicar (las frases)?

Nótese que todos los pronombres complemento directo suelen preceder al verbo conjugado (1–16) y a los imperativos negativos (22–26). Siguen y se unen al imperativo afirmativo (17–21) y al infinitivo (27–34).

Estudie y compare (la **a** personal)

1. (a) ¿ Vio Vd. el programa?
   (b) ¿ Vio Vd. a Lupe?
2. (a) No conocemos ese sitio.
   (b) No conocemos a esa mujer.
3. (a) No pienso llevar nada conmigo.
   (b) No pienso llevar a nadie conmigo.
4. (a) ¿ Cuál prefieres, el rojo o el amarillo?
   (b) ¿ A quién prefieres, a Inés o a Concha?

Si el complemento directo del verbo es una persona determinada, una cosa personificada, o un pronombre indefinido o interrogativo referente a personas, va precedido de la preposición **a**. Esta **a** no se traduce.

También si el complemento directo del verbo es un animal inteligente específico, un sustantivo propio, o si es un sustantivo que es objeto referente a una cosa cuando el sujeto también es una cosa, para evitar la ambigüedad generalmente va precedido de la preposición **a:**

1. (a) No conozco este libro.
   (b) No conozco a su perrito.
2. (a) Marta quiere ver el edificio de las Naciones Unidas.
   (b) Jorge quiere ver a Nueva York.
3. (a) Silvia sigue el curso de ruso.
   (b) La paz sigue a la guerra.

PRONOMBRES COMPLEMENTO INDIRECTO

Los pronombres complemento indirecto son:

SINGULAR		PLURAL	
me	*to me*	nos	*to us*
te	*to you (fam.)*	os	*to you (fam.)*
le	*to him, to her,*	les	*to them, to you*
	to you, to it		

DIÁLOGO

JAIME: ¡ Hombre, qué auto tan estupendo ! ¿ Dónde lo compró?

LUIS: En Lizardi y Cía. Me lo dieron a buen precio.

JAIME: ¿ Se lo compró a ellos? Son muy buenas personas. ¿ Y el auto viejo?

LUIS: Me lo compró Alberto.

JAIME: ¡ Alberto ! ¿ Para qué le compró el auto si tiene uno nuevo?

LUIS: Me dijo que quería regalárselo a su mujer.

JAIME: Pero, ¡ si ella no sabe conducir !

LUIS: Su intención era dárselo a ella para que no le estropease el suyo.

EJERCICIOS MODELO

a / Reemplazo de construcción

1. Regaló el auto a Jorge.
                    Le regaló el auto.
2. Regaló el disco a Luis.
3. Regaló el piano a su esposa.
4. Regaló una blusa a su tía.
5. Regaló una corbata a su abuelo.

b / Respuesta y sustitución

1. ¿ Lo compró a Juan?
                    Sí, se lo compró.
2. ¿ Lo compró a su hermano?
3. ¿ Lo compró a su hija?

4. ¿ Lo compró a Elisa?
5. ¿ Lo compró a Antonio?
6. ¿ Lo compró a su prima?

c / Reemplazo de construcción

1. Piensa darme la blusa.
                              Piensa dármela.
2. Piensa darte el auto.
3. Piensa darnos el disco.
4. Piensa daros su permiso.
5. Piensa darme las fotos.
6. Piensa darte los ejercicios.
7. Piensa darnos las flores.
8. Piensa daros las tarjetas.

d / Sustitución de un elemento variable

1. Me dijo que quería regalárselo a Anita.
2. _____ pedírselo _____.
3. _____ entregárselo _____.
4. _____ dejárselo _____.
5. _____ vendérselo _____.
6. _____ concedérselo _____.

EJERCICIO MODELO EXTENSO (II)

Repita Vd. las frases que siguen, usando el pronombre complemento indirecto en vez del complemento en cursiva.

1. Doy el billete *a Roberto.*
                              Le doy el billete.
2. Prestaron la plata *a su tío.*
3. Dicen la verdad *a su padre.*
4. Marcos prometió el auto *a Pepe.*

5. Regalaron las rosas *a su prima.*
6. Mandaron la invitación *a Elena.*
7. Prestó su paraguas *a su abuela.*
8. Entregó los recibos *a la taquígrafa.*

9. Mandé un regalo *a mis amigos.*

      Les mandé un regalo.

10. Explicará la tesis *a Pepe y a Agustín.*
11. Entregó los objetos *a los policías.*
12. Leyó la leyenda *a los niños.*

13. Regalé la foto *a mis compañeras.*

      Les regalé la foto.

14. Indicó el error *a las secretarias.*
15. Concederán ese privilegio *a las enfermeras.*
16. Dieron su permiso *a Ruth e Isabel.*

17. Pablo quitó los dulces *al niño.*

      Pablo le quitó los dulces.

18. Compraron el sofá *a su cuñado.*
19. El ladrón robó las joyas *a las señoras.*
20. Anita quitó los fósforos *a sus sobrinos.*

21. El señor Suárez abrió la puerta *para mí.*

      El señor Suárez me abrió la puerta.

22. El mecánico arregló el auto *para José.*
23. La criada barrió la sala *para Laura.*
24. La criada preparó el té *para las viejas.*

Conteste Vd. a las preguntas que siguen, empleando la forma sugerida.

25. ¿ Intenta Reyes pedir un favor a Andrés ?

      Sí, intenta pedirle un favor.

26. ¿ Intenta Reyes prestar el dinero a Enrique ?
27. ¿ Intenta Reyes relatar eso a su padre ?
28. ¿ Intenta Reyes dar las flores a Alicia ?

29. ¿ Intenta Reyes vender su hacienda a los Pérez ?
30. ¿ Intenta Reyes pagar los billetes a sus hermanos ?
31. ¿ Intenta Reyes presentar el plan a los estudiantes ?
32. ¿ Intenta Reyes hablar a los decanos ?

Repita Vd. los siguientes imperativos, cambiando el complemento entre paréntesis por el pronombre complemento indirecto.

33. Digan Vds. la verdad (a papá).

      Díganle Vds. la verdad.

34. Dé Vd. el cheque (a sus tíos).
35. Mande Vd. la carta (a Ana).
36. Lea Vd. el cuento (a sus sobrinos).
37. No venda Vd. su finca (a los López).
            No les venda Vd. su finca.
38. No compren Vds. las frutas (a los González).
39. No explique Vd. el asunto (al profesor).
40. No pidan Vds. los boletos (a Concha).

Obsérvese que lo mismo que los pronombres complemento
directo, los pronombres complemento indirecto preceden al verbo
conjugado (1–24) y a los imperativos negativos (37–40). Suelen
seguir e ir unidos al imperativo afirmativo (33–36) y al infinitivo
(25–32). El pronombre complemento indirecto también expresa
separación (17–20) e interés (21–24).[1]

EJERCICIO MODELO EXTENSO (III)

En las frases que siguen, cambie Vd. el complemento en cursiva
por el pronombre complemento, según el modelo presentado.

1. Me da *los sobres.*
            Me los da.
2. Nos entregaron *el diploma.*
3. ¿ Te explicaron *el problema?*
4. Me regalarán *el escritorio.*

5. Piensa mandarnos *los discos.*
6. Queremos contarte *el cuento.*
7. Dénos Vd. *las pruebas.*
8. No me facture Vd. *las maletas.*

9. Les mandamos *las cartas.*
            Se las mandamos.
10. Les diré *la verdad.*
11. Le explican *el asunto.*
12. Le vendieron *los caballos.*

---

[1] Cuando el complemento indirecto es una persona expresada, muchas
veces se expresa también el pronombre complemento indirecto, p. ej.: **Le
mandaron la invitación a Elena.**

13. ¿ Pueden prestarles *la batidora eléctrica?*
14. Pensábamos comunicarle *esas noticias.*
15. Déles Vd. *el recibo.*
16. No les expliquen Vds. *la lección.*

17. Espero mandarle *las fotos.*
                Espero mandárselas a él.
18. Le comprará *el anillo.*
19. Préstele Vd. *los discos.*
20. Le entregará *el paquete.*

Cuando, en la misma oración, aparecen el complemento directo e indirecto a la vez, el complemento indirecto precede siempre al directo (1–20). Si **le** o **les** precede a **lo, le, la, los,** o **las,** es decir, cuando ambos pronombres son tercera persona, el pronombre complemento indirecto se convierte en **se** (9–20). Para evitar ambigüedad en el uso de **se,** que puede tener cinco significados, podemos poner **a él, a ella, a Vd.,** etc., después del verbo (17–20). No obstante hay que recordar que esta construcción no reemplaza al pronombre. Se usa juntamente con el pronombre.

APUNTES CULTURALES

Los refranes y los dichos populares

CADA nación tiene sus refranes y sus dichos populares. No son éstos más que el sentir común de una verdad basada en la experiencia de un pueblo. Aunque la experiencia descrita es común a todos los pueblos del mundo, la manera de expresarla no lo es. La expresión del refrán o del dicho revela pequeños detalles o aspectos de la personalidad de un pueblo. A veces toman la forma de una copla. Con frecuencia aparecen en la literatura de una nación.

Un estudio detenido de los refranes y dichos castellanos pondrá de manifiesto un aspecto inesperado de la idiosincracia española — el aspecto práctico. Noten Vds., por ejemplo, los dichos y refranes que siguen.

Es tan sano como una manzana.	*He's as fit as a fiddle.*
Es tan bueno como el pan.	*He's as good as gold.*
Aunque la mona se vista de seda,	*You can't make a silk purse out*
mona se queda.	*of a sow's ear.*
El mundo es un pañuelo.	*The world's a small place.*

EJERCICIOS SUPLEMENTARIOS

A. Cambie Vd. las preguntas siguientes en frases declarativas, cambiando el sustantivo complemento por el pronombre complemento.

1. ¿Te arregló Roberto el reloj? 2. ¿Les quité yo los dulces? 3. ¿Me robó el ladrón el dinero? 4. ¿Nos preparó Luisa la comida? 5. ¿Le cortó el barbero el pelo? 6. ¿Me abrirá Antonio la puerta? 7. ¿Le lavó Vd. las manos? 8. ¿Nos arreglará el mecánico el auto?

B. Repita Vd. las frases que siguen, haciendo los cambios indicados.

1. ¿ Podrá Vd. arreglarme el reloj?
2. ¿ _____ Ricardo _____?
3. ¿ _____ prestarme _____?
4. ¿ _____ el auto?
5. ¿ Querrá _____?
6. ¿ _____ sus hermanos _____?
7. ¿ _____ el dinero?
8. ¿ _____ tú _____?

1. No le diga Vd. nada al jefe del departamento.
2. _____ eso _____.
3. _____ Vds. _____.
4. _____ gerente de la compañía.
5. _____ propongan _____.
6. _____ presidente.
7. _____ revelen _____.
8. _____ la verdad _____.

C. Traduzca Vd. al español.

1. Tell him not to travel with them, but with me. 2. They asked James for the money, but he did not give it to them. 3. After studying it for more than two hours, they still did not know it. 4. The secretary told us it would be impossible to see the rector today. 5. Ask him if he knows why the students did not like it. 6. Although Paul intended to buy them from us, he bought them from Louise. 7. Please introduce us to him. 8. He promised to send it to you as soon as possible. 9. Will your mechanic know how to fix the motor for me? 10. Don't give Concha the receipts, give them to me.

SECCIÓN

—

SEGUNDA

LECCIÓN

1

ARTÍCULOS

Los artículos definidos, traducidos al inglés por *the*, son:

SINGULAR	PLURAL
el (*m.*)	los (*m.*)
la (*f.*)	las (*f.*)

El artículo definido neutro se expresa con **lo.**
Los artículos indefinidos, *a* o *an*, son:

SINGULAR	PLURAL
un (*m.*)	unos (*m.*)
una (*f.*)	unas (*f.*) [1]

DIÁLOGO

RITA: ¿ Todavía no ha llegado el señor Ramírez?

RICARDO: ¿ El doctor Ramírez?

RITA: ¡ Precisamente !

RICARDO: Todavía no, señorita.

RITA: Me dijo el lunes que vendría hoy a las dos para examinar a don Carlos.

[1] Note Vd. que **un, una** también quiere decir *one* y que en el plural se traduce *some* o *a few*.

RICARDO: ¿ Le avisó a don Carlos que vendría el médico?

RITA: No, puesto que no le gustan los médicos.

RICARDO: ¿ Y si lo hubiera sabido don Carlos?

RITA: Seguramente ya se habría marchado.

RICARDO: ¿ Tanto temor les tiene a los médicos?

RITA: Sí, todo el mundo teme a los médicos. Yo también, ¿ y Vd.?

RICARDO: Yo no. Lo único que me asusta es la cuenta del médico.

EJERCICIOS MODELO

a / Adición fija

1. Es profesor. (culto)
          Es un profesor culto.
2. Es pianista. (célebre) *famous*
3. Es abogado. (importante)
4. Es estudiante. (dotado) *gifted*
5. Es soldado. (jubilado) *retired*
6. Es ingeniero. (famoso)

b / Sustitución numérica

1. No le gusta el auto.
          No le gustan los autos.
2. No le gusta el programa.
3. No le gusta el estudio.
4. No le gusta la galleta.
5. No le gusta la película.
6. No le gusta la revista.

c / Sustitución numérica

1. Tengo un panecillo. *rolls*
          Tengo unos panecillos.
2. Tengo un bolígrafo. *ball-point pen*
3. Tengo un compañero.
4. Tengo una blusa.
5. Tengo una cartera.
6. Tengo una cesta.

d / Respuesta sugerida

1. ¿Todavía no ha llegado el señor Pérez?
   El señor Pérez no ha llegado todavía.
2. ¿Todavía no ha llegado la señorita Ramos?
3. ¿Todavía no ha llegado el teniente Muñoz?
4. ¿Todavía no ha llegado el padre Aguirre?
5. ¿Todavía no ha llegado la profesora Campos?

EJERCICIO MODELO EXTENSO (I)

Cambie Vd. las preguntas que siguen según el modelo presentado.

1. ¿Cómo está Vd., señora González?
   ¿Cómo está la señora González?
2. ¿Adónde llegará Vd., doctora Palacios?
3. ¿Cuándo salió Vd., señorita Valencia?
4. ¿Cómo anda Vd., profesora Guzmán?

5. ¿Qué quiere Vd., señor Paez?
6. ¿Cuándo vendrá Vd., doctor Pelayo?
7. ¿Quiere Vd. el auto, general Ortega?
8. ¿Compró Vd. los billetes, profesor Guerrero?

9. ¿La escribió Vd., don Pablo?
   ¿La escribió don Pablo?
10. ¿Cuándo irá Vd. al centro, don Jorge?
11. ¿Dónde lo puso Vd., doña Clemencia?
12. ¿Las arregló Vd., doña Inés?

Complete Vd. las frases que siguen con el artículo definido apropiado.

13. _____ oro es un metal.
    El oro es un metal.
14. _____ avaricia es un vicio.
15. _____ hombres desean la paz.
16. _____ flores son lindas.

17. Vivo en _____ calle Collins.
18. Ese edificio se halla en _____ Plaza Colón.
19. _____ Tercera Avenida es muy angosta.
20. _____ Carretera Junín no está cerca de aquí.

natura - definite art.

21. Pagaron cincuenta centavos _la_ libra.
22. Nos costó tres pesetas _el_ ejemplar.
23. Me pidió un peso _la_ docena.
24. Se vende a treinta centavos _el_ galón.

25. _los_ martes fuimos a Laredo.
26. Se casará _el_ dos de mayo.
27. Nos gusta _la_ primavera.
28. Tenemos clase _los_ sábados.[1]

29. No les gusta _el_ alemán.
30. Les parecía difícil _el_ inglés.
31. _el_ ruso es importante. *Russian*
32. _el_ vasco es una lengua antigua. *Basque* *ancient*
33. Me lavo _la_ cara.
34. Gloria se pone _el_ abrigo. *(su)*
35. Se quitó _sus_ guantes. *(los)*
36. Le lavé _las_ manos. *(sus)*

Cambie Vd. las frases siguientes según los modelos presentados.

37. Viaja con un compañero.
    Viaja sin compañero.
38. Inés se quedó con una amiga.
39. Pedro lo observó con un microscopio.
40. Lo hizo con un asistente. *sin asistente*
41. Hay una cura para el cáncer.
    No hay cura para el cáncer.
42. Llevaba un paquete.
43. Tenía un lapicero. *mechanical pencil*
44. Necesitará un escritorio. *desk*

45. Era un autor ilustre.
    Era autor.
46. Es un demócrata importante.
47. Soy un católico converso. *Converted*
48. Eres un americano rico.

[1] Cuando se usa el artículo definido con los días de la semana, se traduce al inglés regularmente por *on*. Sin embargo, compare:
Mañana es viernes.
Mañana es el Viernes Santo.

El artículo definido se usa con títulos cuando se refiere a una persona. Nunca se emplea cuando uno habla directamente a la persona (1–8). Tampoco se usa con **don** o **doña** (9–12). Suele emplearse el artículo definido: con sustantivos usados en un sentido general (13–16); con los nombres de calles, avenidas y plazas (17–20); en vez del artículo indefinido en expresiones de medida (21–24); con las fechas, las estaciones del año y los días de la semana (25–28); y con nombres de idiomas (29–32).[1] A veces se sustituye por el posesivo (33–36).

Se omite el artículo indefinido después de verbos usados negativamente y preposiciones negativas (37–44). Tampoco se usa el artículo indefinido cuando el predicado es un sustantivo sin modificar que denota profesión, nacionalidad, o afiliación religiosa o política, precedido por el verbo **ser** (45–48).

EJERCICIO MODELO EXTENSO (II)

Conteste Vd. a las preguntas que siguen, empleando el modelo sugerido.

1. ¿ Fue interesante el final del cuento?
    Lo interesante del cuento fue el final.
2. ¿ Era difícil defenderse?
3. ¿ Era moderna la chimenea de la casa?
4. ¿ Será bueno el papel de Luisa?

5. ¿ Canta bien Marcos?
    Sé lo bien que canta.
6. ¿ Es famoso ese escritor?
7. ¿ Eran pobres aquellas personas?
8. ¿ Se portaron mal los jóvenes?

9. ¿ Sabía Vd. la historia de Carlos?
    Sabía lo de Carlos.
10. ¿ Entendió Vd. la teoría de la relatividad?
11. ¿ Comprendió Vd. la comparación de los adverbios?
12. ¿ Pensaba Vd. en la acusación de Luis?

[1] Sin embargo, puede omitirse después de los verbos **aprender, escribir, estudiar, hablar** y **saber,** y después de las preposiciones **de** y **en.**

El artículo neutro **lo** no se refiere a cosas concretas. Suele emplearse con la forma masculina singular del adjetivo para formar un sustantivo abstracto traducido al inglés por las palabras *thing* o *part* (1–4). Usado con el adjetivo que concuerda en género y número con el sustantivo, o con el adverbio, se traduce *how* (5–8). Con la preposición **de** el artículo neutro expresa la idea de *that business of*, etc. (9–12).

PLURAL

DIÁLOGO

PABLO: Mario, ¿ adónde vas después del examen?
MARIO: Al hospital, Pablo.
PABLO: ¿ Por qué? A ti no te gustan los hospitales.
MARIO: ¿ No oíste lo de Enrique? Tuvo un accidente.
PABLO: No. ¿ Fue una cosa grave?
MARIO: Pues se quebró dos costillas y el brazo derecho.
PABLO: ¡ Ay, hombre! ¿ Y cómo lo hizo?
MARIO: Se cayó jugando al béisbol con sus hermanitos.
PABLO: Pobre Enrique. Dos veces en el hospital en seis meses.
MARIO: Y cada vez por haberse creído tan joven como sus hermanos.

EJERCICIOS MODELO

a / Sustitución de un elemento variable

1. Se cayó jugando al béisbol.
2. _____ tenis.
3. _____ fútbol.
4. _____ básquetbol.
5. _____ polo.

b / Sustitución numérica

1. Se quebró la costilla.
                    Se quebró las costillas.
2. Se quebró la pierna.
3. Se quebró la muñeca.
4. Se quebró el brazo.

5. Se quebró el dedo.
6. Se quebró el tobillo. ankle

c / Sustitución de un elemento variable

1. ¿ Oíste lo del niño ?
2. ¿ —————— soldado ?
3. ¿ —————— profesor ?
4. ¿ —————— doctor Jiménez ?
5. ¿ —————— general Salas ?

EJERCICIO MODELO EXTENSO (III)

Repita Vd. las frases que siguen, cambiando el sustantivo en cursiva del singular al plural.

1. Le compró *el sombrero*.
        Le compró los sombreros.
2. Prefiere *el vino*. wine
3. Habla con *el cliente*.
4. Preparó *el desayuno*.

5. Limpió *la pizarra*.
6. Me regaló *la camisa*.
7. Comí *la manzana*. apple
8. Perdieron *la llave*.

9. Pintaron *la pared*.
        Pintaron las paredes.
10. Le regaló *la flor*.
11. Practicó *la virtud*. virtue
12. Visitamos *la catedral*.

13. Plantaron *el árbol*. tree
14. Voy con *el director*.
15. Planchó *el mantel*. tablecloth
16. Comprará *el motor*.

17. Comeré *la nuez*. nut
        Comeré las nueces.
18. Tendrá *la cruz* de oro. cross
19. ¿ Perdiste *el lápiz?*
20. Mató *la raíz* del árbol. root

21. Tenemos clase *el martes.*

     ~~Survived~~   Tenemos clase los martes.

22. Sobrevivió *la crisis.*

23. Trabajan *el lunes.*

24. No aceptaron *la tesis.*

Nótese que las palabras que terminan en una vocal forman el plural agregando **s** (1–8), y las que terminan en una consonante, agregando **es** (9–16). Cuando la palabra acaba en **z** hay que cambiar la **z** por una **c** antes de añadir la terminación **es** (17–20). Las palabras que terminan en **es** o **is** cuya última sílaba no lleva acento escrito, no cambian en el plural (21–24).[1]

Estudie y compare

1. (a) Viajará por esa nación.
   (b) Viajará por esas naciones.
2. (a) Suelo dar un paseo por el jardín.
   (b) Suelo dar un paseo por los jardines.
3. (a) Ese dependiente es muy cortés.
   (b) Esos dependientes son muy corteses.
4. (a) Prefieren el vino francés.
   (b) Prefieren los vinos franceses.

Las palabras que terminan en **s** o **n** cuya última sílaba lleva acento escrito, suprimen el acento en el plural.[2]

En este ejercicio cambie Vd. los sustantivos entre paréntesis según el modelo presentado.

25. (El niño y la niña) fueron al cine.

               Los niños fueron al cine.

26. (Mi tío y mi tía) están en Lima.

27. (Su padre y su madre) eran de Chile.

28. (El señor y la señora de Ruiz) llegaron tarde.

29. (El rey y la reina) lo proclamaron.

30. (Tu hijo y tu hija) son inteligentes.

---

[1] Las palabras compuestas que terminan en **s** no cambian en el plural, p. ej.: **el cortaplumas, los cortaplumas; el rascacielos, los rascacielos.**

[2] Los sustantivos cuya sílaba final termina en **n** y no lleva acento escrito, añaden un acento escrito en el plural para conservar el acento pronunciado en el singular, p. ej.: **la orden, las órdenes; el joven, los jóvenes.**

nephew   *neice*

31. (Mi sobrino y mi sobrina) se graduaron ayer.
32. (El abuelo y la abuela) de Pepa nacieron en Italia.

A veces el español emplea la forma plural del masculino para incluir el femenino también (25–32).

Estudie y compare

1. (a) el agua fría
   (b) las aguas frías
2. (a) el alma del pueblo
   (b) las almas del pueblo
3. (a) el hacha vieja *hatchets*
   (b) las hachas viejas
4. (a) el ala del pollo
   (b) las alas del pollo
5. (a) el haca negra
   (b) las hacas negras

Un nombre femenino singular que empieza con **a** o **ha** acentuada, lleva el artículo definido masculino sin cambiar su género.

CONTRACCIONES

En español hay dos contracciones: **a + el = al; de + el = del.**

EJERCICIO MODELO EXTENSO (IV)

Repita Vd. las frases siguientes, cambiándolas según el modelo presentado.

1. Hablaron a los profesores.
              Hablaron al profesor.
2. Me presentó a los decanos. *dean*
3. Lo enseñará a los estudiantes.
4. Me senté junto a los médicos.

5. Era de los señores Ortiz.
              Era del señor Ortiz.
6. Los puso detrás de los escritorios.
7. Nos dimos cuenta de los problemas.
8. Vivían al lado de los señores Velasco.

9. Lo compró a las señoras Alonso.
   Lo compró a la señora Alonso.
10. Escribiré a las tías de Paco.
11. Su tienda da a las oficinas municipales.
12. Invitó a las muchachas mejicanas.
13. Los recibí de las enfermeras.
    Los recibí de la enfermera.
14. Ponga Vd. la mesa cerca de las sillas.
15. Olvidó lo de las tesis.
16. Serán de las amigas de Concha.

17. Visitó al cura.
    Visitó a los curas.
18. Se lo quitamos al niño.
19. La mandó a la señorita García.
20. ¿ Lo pediste a la moza?

21. Era de la maestra.
    Era de las maestras.
22. Estaba detrás de la ventana.
23. Recuerdo lo del discurso.
24. Se dieron cuenta del problema.

Estas contracciones existen sólo cuando las preposiciones **a** o **de** preceden al artículo definido masculino singular (1–8). No hay contracción cuando el artículo es femenino (9–16) o plural (17–24).

APUNTES CULTURALES

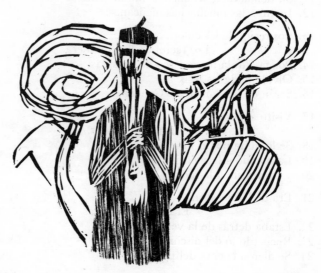

Los vascos

L OS VASCOS fueron uno de los varios pueblos que habitaron
la Península Ibérica en tiempos lejanos — una raza que ha
perdurado hasta nuestros días. Aunque pueden hallarse por
toda España, la mayoría vive en las tres provincias fronterizas con
5 Francia. Es éste un pueblo de misterio — de misterio porque sus
orígenes quedan perdidos en la historia remota de Iberia. De
hecho en las Vascongadas y en ciertas partes de Navarra la
lengua nativa es el vasco. El vasco no tiene relación alguna con
las lenguas latinas. Varios investigadores lingüísticos consideran
10 el vasco como evolución de uno de los antiguos idiomas ibéricos.
Los vascos tienen un gran talento para la industria y el comercio.
De índole amable e industriosa, son intensamente individualistas.
Se empeñan en mantener su personalidad tradicional, su lengua
y sus costumbres propias. La fuerza de este individualismo se
15 revela en el refrán que se les atribuye: « Más vale ser cabeza de
ratón que cola de león. »

EJERCICIOS SUPLEMENTARIOS

A. Forme Vd. el plural de estas palabras.

1. la raíz 2. la nobleza 3. el orden 4. el español 5. la nariz
6. el sillón 7. la fresa 8. la luz 9. la tesis 10. el miércoles 11. la
tentación 12. el tocino 13. el abanico 14. el comedor

B. Lea Vd. completamente en español las siguientes frases.
1. (*His aunt and uncle*) son mejicanos. 2. ¿ Vio Vd. (*how well*) pinta
Pancho? 3. No hay (*cure*) para el cáncer. 4. (*My son and daughter*)
están en Chicago. 5. Fué (*to Equador*). 6. (*Men*) desean (*peace*).
7. Nació (*on Friday*). 8. (*Virtue*) es rara. 9. (*In the spring*) viajamos.
10. No habla (*German*). 11. Les gusta (*bread*). 12. (*Dr. Prieto*)
vendrá a curarla.

C. Repita Vd. las frases que siguen, haciendo los cambios indicados.

1. ¿ Piensas devolverle el diccionario a la bibliotecaria?
2. ¿ _____ Pepe?
3. ¿ _____ prestarle _____?
4. ¿ _____ el catálogo _____?
5. ¿ _____ el profesor?
6. ¿ _____ quejarte de _____?

1. Acabamos de venir de la estación.
2. _____ el aeropuerto.
3. Tenemos que _____.
4. _____ ir a _____.
5. _____ el hospital.
6. _____ la oficina.

1. El profesorado les concedió un favor.
2. El rector _____.
3. _____ privilegios.
4. _____ merecía _____.
5. Jaime _____.
6. _____ condecoración.

D. Traduzca Vd. al español.

1. We sold the new ones at ten cents a copy, and the old ones at eight cents a copy. 2. Can they distinguish the good from the bad? 3. Father Smith told us that his parents are coming to visit him on January 12. 4. On Mondays, Wednesdays, and Fridays we have French class. 5. Albert, who speaks German, is also learning to speak English and Russian. 6. Mr. Aguirre has never told anyone how poor he is. 7. You will find your penknife and your pencils on the chair near the bookcase. 8. When they discovered that business of the deficits, Mr. Salas was left without a client. 9. The sad part of it is that he did not approve our theses. 10. The Smiths promised us that they would tell us about the most interesting part of their trip.

LECCIÓN

2

ADJETIVOS

DIÁLOGO

JOSEFINA: ¡ Paca ! Cuánto gusto en verte.

PACA: ¡ Josefina ! ¡ Qué placer ! ¿ De dónde vienes ?

JOSEFINA: Del cine.

PACA: ¿ Viste algo interesante ?

JOSEFINA: ¡ No ! Vi « Amor Eterno ».

PACA: ¿ La película nueva de Rosita López ? Dicen que es estupenda.

JOSEFINA: No vale la pena. Su asunto es de los más pesados, y los actores son terribles.

PACA: Pero la estrella, Rosita López, es una actriz muy buena, y también muy famosa.

JOSEFINA: Quizás. Pero en esta película no muestra mucho talento dramático.

PACA: Siento mucho que no te gustase esa película, pero me aprovecharé de tu experiencia.

JOSEFINA: ¡ Cómo ! ¿ Quieres decir que no perderás el tiempo con esa película ?

PACA: ¡ Pues, claro !

EJERCICIOS MODELO

a / Sustitución numérica

1. Tiene mucho talento.
                          Tiene muchos talentos.
2. Tiene mucho honor.
3. Tiene mucho dolor.
4. Tiene mucha responsabilidad.
5. Tiene mucha esperanza. hope
6. Tiene mucha habilidad. skill

b / Respuesta fija

1. ¿ Cómo es la trama? plot
                          No vale la pena.
2. ¿ Cómo es la novela?
3. ¿ Cómo es la película?
4. ¿ Cómo es el programa?
5. ¿ Cómo es el drama?

c / Adición fija
    publish
1. Publicó un libro interesante.
                          Publicó un libro muy interesante.
2. Llevaba un vestido elegante.
3. Es un hombre inteligente.
4. Preparaste una comida deliciosa.
5. Le regalé una blusa bonita.
6. Recibieron una carta triste.

d / Sustitución de un elemento variable

1. Prefiere la camisa azul.
2. _____ la flor _____.
3. _____ la gorra _____.
4. _____ el teléfono ___.
5. _____ el tocadiscos _.
6. _____ el lapicero ___.

EJERCICIO MODELO EXTENSO (I)

Repita Vd. las frases que aparecen en la página siguiente, agregando el adjetivo entre paréntesis, según el modelo sugerido.

1. (rico) Nos preparó un postre.

    Nos preparó un postre rico.

2. (franco) Recibieron un informe.
3. (antiguo) Ostentan un linaje.
4. (magnífico) Pintó un retrato.

5. (rica) Me comí una naranja.
6. (franca) Escribió una carta.
7. (antigua) Llevaba una mantilla.
8. (magnífica) Dictó una conferencia.

9. (ricos) Nos presentó a unos americanos.
10. (francas) Me gustan las personas.
11. (antiguos) Buscan muebles.
12. (magníficas) Sacaste unas fotos.

13. (célebre) Conoce a una actriz.
14. (grande) Vivían en un hotel.
15. (verde) Perdió su cuaderno.
16. (pobre) Ayudamos a una familia.

17. (feliz) Recibió una noticia.
18. (capaz) Tengo un director.
19. (gris) ¿ Vas a llevar esa cartera?
20. (fácil) Les preparó un examen.

21. (felices) Cantaron unas canciones.
22. (capaces) Le dieron dos asistentes.
23. (grises) Llevé unos guantes.
24. (fáciles) ¿ Aprendiste esas palabras?

25. (mucho) Perdieron dinero.

    Perdieron mucho dinero.

26. (poca) Alfredo tiene paciencia.
27. (unas) Hay sillas en la sala.
28. (medio) Comieron pan.

En las frases siguientes sustituya Vd. la palabra en cursiva por la palabra entre paréntesis, haciendo al mismo tiempo el cambio correspondiente en el adjetivo.

29. Tenía *un estudio* francés. (revista)

    Tenía una revista francesa.

30. ¿ Te compraste *el coche* inglés? (porcelana)

31. Se casó con *un señor* portugués. (señorita)
32. Vimos *un drama* alemán. (película)

33. Le gustan *los licores* españoles. (danzas)
    Le gustan las danzas españolas.
34. Prefería *los dramas* franceses. (poesías)
35. Os encantarán *los paisajes* holandeses. (flores) *[landscape]*
36. Conocemos a *unos bailarines* irlandeses. (bailarinas)

37. *Un criado* holgazán no vale nada. (criada)
    Una criada holgazana no vale nada. *[lazy]*
38. Tengo *un colega* preguntón. (compañera) *[college]*
39. Nos recibió *un joven* hablador. (secretaria)
40. Se casó con *un señor* emprendedor. (mujer)

[noun] [adjective]
El adjetivo y el sustantivo concuerdan siempre en número y en
género (1–40). Los adjetivos que terminan en **o** pueden indicar
tanto el género como el número (1–12). Los que no terminan
en **o** sólo indican el número (13–24). Las únicas excepciones a
esta regla son los adjetivos de nacionalidad y los que terminan
en **án, or** u **ón** (29–40).[1] Los adjetivos descriptivos siguen al
sustantivo (1–24, 29–40); los de cantidad lo preceden (25–28).[2]

Cambie Vd. las frases siguientes según el modelo sugerido.

41. Perdí un reloj. (oro) *[gold]*
    Perdí un reloj de oro.
42. Compraron una casa nueva. (piedra) *[stone]*
43. Prefiere una blusa. (algodón) *[cotton]*
44. Se hizo un traje. (lana) *[wool]*
45. Te mandó una cafetera. (plata) *[coffeepot silver]*
46. Se puso un vestido elegante. (seda) *[silk]*
47. Nos hacen falta dos sillas. (madera)
48. Los niños llevaban sombreros. (papel)·

Nótese que aunque en inglés se puede modificar un nombre
con otro, en español tenemos que emplear una frase introducida
por **de** (41–48).

---

[1] Los comparativos como **peor, mejor, mayor, menor, exterior, inferior,**
etc., no tienen una forma femenina distinta.

[2] Cuando un adjetivo descriptivo expresa una característica esencial,
precede al sustantivo. Compare Vd.: **la verde hierba — la corbata verde.**

Estudie y compare

1. (a) No tienen *el capital* para el proyecto. *[money]*
   (b) Bogotá es *la capital* de Colombia.
2. (a) *El cura* es el padre Rojas.
   (b) *La cura* para la fatiga es el descanso. *[fatigue]*
3. (a) No le gustó *el corte* del vestido. *[cut]*
   (b) *La corte* del rey era suntuosa. *[sumptuous]*
4. (a) Preferiría *una papa* frita. *[fried]*
   (b) *El Papa* vive en Roma. *[order]*
5. (a) *El orden* de los muebles era distinto.
   (b) *La orden* del jefe parecía tonta. *[command] [stupid]*
6. (a) Los soldados fueron *al frente*. *[front]*
   (b) Tiene una cicatriz en *la frente*. *[forehead]*
      [SCAR]

el guía /

la guía —

A veces si se cambia el género de una palabra se cambia también el significado de la misma.

Estudie y compare

postrero – last

1. (a) Leyeron *el primer* examen.
   (b) Leyeron *la primera* parte.
   (c) Leyeron *los primeros* párrafos.
2. (a) Preparó *un buen* almuerzo.
   (b) Publica *una buena* revista.
   (c) Tiene *unos buenos* asistentes.
3. (a) ¿ Te sobra *algún* dinero ?
   (b) ¿ Necesitas *alguna* cosa ?
   (c) Me quedan *algunos* sucres.
4. (a) Su padre era *un gran* artista.
   (b) Conocimos a *una gran* pianista.
   (c) Visitó *las grandes* ciudades de Europa.

last

Primero y **bueno,** lo mismo que **uno, tercero, postrero, malo, alguno** y **ninguno,** se usan en forma abreviada al preceder a un nombre masculino singular. Estos adjetivos suprimen la **o** final cuando se encuentran inmediatamente delante del sustantivo masculino.[1] **Grande** suprime la última sílaba **de** delante de un sustantivo singular, masculino o femenino; y **santo** se reduce a

---

[1] La forma abreviada de **alguno** y **ninguno** exige un acento escrito en la **u,** p. ej.: **algún dinero; ningún hombre.**

san cuando se encuentra inmediatamente delante del sustantivo masculino.[1]

COMPARACIÓN

La comparación de desigualdad se expresa por:

inequality

más . . . que

equality

menos . . . que

La de igualdad se expresa por:

tan . . . como

tanto, –a . . . como

tantos, –as . . . como

DIÁLOGO

DEPENDIENTA: Buenas tardes, señora, ¿ en qué puedo servirla?

LOLA: Quisiera ver unas blusas de seda, número treinta y cuatro, por favor.

DEPENDIENTA: Aquí tiene Vd. los modelos más exquisitos que tenemos.

LOLA: Esa blusa color de rosa, me encanta.

DEPENDIENTA: Es muy linda, pero le caerá mejor ésta. El color no es tan obscuro.

LOLA: Tiene razón, y me parece más elegante que las otras.

DEPENDIENTA: Además, señora, le sería menos difícil hallar una falda que hiciera juego con esta blusa.

LOLA: Bueno. Se la compro.

DEPENDIENTA: Muy bien, señora. ¿ Puedo mostrarle otra cosa?

LOLA: No, gracias. Quería solamente la blusa.

EJERCICIOS MODELO

a / Sustitución sencilla

1. Me cae bien la blusa. (falda)

       Me cae mejor la falda.

---

[1] Las palabras que empiezan con **to** o **do** son las excepciones a esta regla, p. ej.: **Santo Domingo.**

2. Le cae bien el vestido. (el traje)
3. Te cae bien la camisa. (la chaqueta)
4. Les cae bien el sombrero. (el suéter)
5. Os cae bien el impermeable. (el abrigo)
6. Le cae bien la gorra. (la mantilla)

b / Adición fija

1. Le sería difícil realizarlo.
           Le sería menos difícil realizarlo.
2. Te sería difícil ir allá.
3. Me sería difícil hablarle.
4. Nos sería difícil prepararla.
5. Les sería difícil entenderlos.
6. Os sería difícil telefonearme.

c / Sustitución de un elemento variable

1. Dicen que perdió más de treinta y tres dólares.
2. _____ veinte _____.
3. _____ cincuenta _____.
4. _____ ochenta y nueve ___.
5. _____ ciento cincuenta ___.

d / Adición fija y reemplazo de construcción

1. Sería fácil.
           No sería tan fácil.
2. Pronuncia mal.
3. Almorzaste tarde.
4. Nos acostamos temprano.
5. Llegaron cansados.
6. Se fueron contentos.

EJERCICIO MODELO EXTENSO (II)

Cambie Vd. las frases que siguen según el modelo sugerido.

1. Marta es linda. Pilar es linda.
           Marta es más linda que Pilar.
2. El pastel es rico. El helado es rico.
3. Luis llegó contento. Marcos llegó contento.
4. Camila tendría tiempo. Irene tendría tiempo.

5. Este problema parece difícil. Ese problema parece difícil.
6. Me gustan los huevos. Me gusta el tocino. bacon
7. Los hombres bebieron café. Las mujeres bebieron café.
8. Concha trajo discos. Victoria trajo discos.

9. Mi sopa está caliente. Tu sopa está caliente.
   Mi sopa está menos caliente que tu sopa.
10. Papá muestra simpatía. Mamá muestra simpatía.
11. Ana compró carne. Lucila compró carne.
12. Necesito dinero. Tú necesitas dinero.

13. Pedro lo hizo rápidamente. Ramón lo hizo rápidamente.
    Pedro lo hizo más rápidamente que Ramón.
14. Yo se lo dije francamente. Vd. se lo dijo francamente.
15. Lo explicaron claramente. Tú lo explicaste claramente.
16. Cenamos tarde. Vosotros cenasteis tarde.
    we have supper

Conteste Vd. a las siguientes preguntas según la respuesta
sugerida.

17. ¿ Recibió Miguel tres becas? scholarships
                    Recibió más de tres becas.
18. ¿ Escribiste quince oraciones?
19. ¿ Perdieron cien dólares?
20. ¿ Pidieron Vds. dos copias? copies

21. ¿ Le mandaron doce billetes?
22. ¿ Se casó dos veces?
23. ¿ Tienes seis primas?
24. ¿ Pasó por ocho países?

En una comparación **más** o **menos** precede a la palabra com-
parada, y **que** la sigue (1–16). Cuando **que** precede inmediatamente a un número, se sustituye por **de** (17–24).

Estudie y compare

1. (a) Este traje parecía bueno.
   (b) Aquel traje parecía mejor.
2. (a) Nos preparó un desayuno malo.
   (b) Nos sirvió un almuerzo peor.
3. (a) Soy pequeño.
   (b) Soy menor que mi hermano.

4. (a) Elena es grande.
   (b) Elena es mayor que Alicia.

Obsérvese que los adjetivos **bueno, malo, pequeño** y **grande** tienen una forma comparativa irregular. El comparativo irregular de **pequeño** y de **grande** indica la edad, mientras que el comparativo regular de estos adjetivos expresa el tamaño de una cosa.[1]

En este ejercicio, forme Vd. frases nuevas siguiendo el modelo sugerido.

25. Juan no es listo. (Andrés)
          Juan no es tan listo como Andrés.
26. Arnaldo era sincero. (Manuel)
27. Mamá será generosa. (papá)
28. Raúl no era amable. (Bernardo)

29. Susana tiene gracia. (Elena)
          Susana tiene tanta gracia como Elena.
30. Tengo paciencia. (Ruth)
31. Paco necesita tiempo. (Ricardo)
32. Mi hermano gasta tiempo. (Alberto)

33. Rita tiene amigas. (Olga)
          Rita tiene tantas amigas como Olga.
34. Escribimos invitaciones. (tú)
35. Los Pérez no tienen problemas. (nosotros)
36. Pancho recibió buenas notas. (Hernán)

Cambie Vd. las frases que siguen en frases comparativas según el modelo presentado.

37. Llegaron tarde. (esperábamos)
          Llegaron más tarde de lo que esperábamos.
38. Ese auto es caro. (tú te imaginas)
39. Parece eficiente. (es)
40. Lola lo terminó pronto. (prometió)

41. Ramón gasta dinero. (gana)
          Ramón gasta menos dinero del que gana.
42. Como pan. (necesito)

[1] **Mucho** y **poco** tienen solamente los comparativos irregulares **más** y **menos**.

43. Luisa tiene trabajo. (suele tener)
44. Hace calor hoy. (hizo ayer)

45. Compró pintura. (necesitaba)
    Compró más pintura de la que necesitaba.
46. Recibe consideración. (merece)
47. Expresó cortesía. (suele expresar)
48. Le dieron autoridad. (necesita)

49. Nos enviaron pañuelos. (pedimos)
    Nos enviaron más pañuelos de los que pedimos.
50. Nos dio lápices. (queríamos)
51. Recibió invitaciones. (podía aceptar)
52. Aprendiste palabras. (tenías que aprender)

Nótese que cuando se compara la calidad, la comparación de igualdad se expresa por **tan ... como** (25–28). Si se compara la cantidad, uno emplea **tanto, -a ... como** o **tantos, -as ... como** (29–36). Cuando la comparación no es entre dos nombres ni dos pronombres sino entre conceptos o ideas, *than* se traduce por **de lo que** (37–40). Cuando hay dos verbos distintos en la comparación y mencionamos el objeto comparado con el primer verbo y lo omitimos con el segundo, se traduce *than* por **del que, de la que, de los que,** o **de las que** (41–52).

Estudie y compare

1. (a) Es cariñosa.
   (b) Es más cariñosa que su hermana.
   (c) Es la más cariñosa de la familia.
2. (a) Vivían en una casa pobre.
   (b) Vivían en una casa más pobre que la mía.
   (c) Vivían en la casa más pobre del pueblo.
3. (a) Conoció a una moza bonita.
   (b) Conoció a una moza más bonita que Elena.
   (c) Conoció a la moza más bonita de la clase.

Se forma el superlativo anteponiendo el artículo definido al comparativo.[1] En dicha construcción *in* se traduce por **de**.

---

[1] A veces el adjetivo posesivo puede sustituirse por el artículo definido, por ejemplo: **Anita es mi prima más querida; Pablo es mi mejor amigo.**

APUNTES CULTURALES

La Dama de Elche

EL DÍA 4 de agosto de 1897, en los alrededores de Elche, ciudad antigua del levante español, se descubrió un busto de mujer. Labrado en caliza amarillenta, el busto posee una belleza y un valor artístico indiscutibles. Todos los esfuerzos de los investigadores para determinar su origen no dejan de ser meras teorías. Ni aun hoy día han logrado precisar los antecedentes de esta maravilla de la antigüedad.

Unos arqueólogos opinan que es una obra griega; y otros, que es una obra ibérica. Hay un grupo que sostiene que el artista

conocía las técnicas del arte griego. Otro grupo insiste en que la
Dama de Elche parece el fragmento de una estatua.
¿ Pero quién era? ¿ Una diosa ibérica? ¿ Una aldeana sencilla?
¿ La amante de un escultor empobrecido? ¿ Y qué le inspiró al
5 artista? ¿ Un amor trágico? ¿ La vista fugaz de una hermosura sin
par? ¿ El ideal soñado de la belleza?

No lo sabemos. Nunca lo sabemos. La misteriosa dama, como
toda mujer que ha captado el interés de los hombres, guarda el
secreto de su encanto detrás de una expresión enigmática. En el
10 Museo del Prado, en Madrid, donde reposa hoy día, nos deja
gozar de su hermosura incomparable, pero sus labios sellados
nunca nos descubrirán el misterio de su ser.

EJERCICIOS SUPLEMENTARIOS

A. Lea Vd. completamente en español las siguientes frases.

1. Pepe no es (poorer than I). 2. No tiene (as much money as we).
3. ¿ Dónde estará (my older sister)? 4. Roberto recibió (more letters
than he wrote). 5. Tengo (more than) veinte pesos. 6. Ricardo era
más listo (than we thought). 7. Juan nunca será (as handsome as)
Jaime. 8. Sus cartas siempre eran (longer than Mary's). 9. Carmen
tiene más vestidos (than she needs). 10. Antonio no tiene (as many
friends as) Tomás. 11. Esas tarjetas son (less expensive). 12. Tra-
bajaron (less hours than you).

B. En este ejercicio, sustituya Vd. las palabras en cursiva por
las palabras entre paréntesis. Al mismo tiempo, haga Vd. el
cambio correspondiente en el adjetivo.

1. Salimos de allí el tercer día. (sábado, semana, mes)
2. Quieren el color verde. (bolsas, autos, almohada)
3. Tenéis buenas esperanzas. (salud, planes, tiempo)
4. Prefiere la silla cómoda. (piso, ropa, asiento)

C. Traduzca Vd. al español.

1. That French girl and her brother have never seen so much
white snow. 2. In the distance we saw two tall towers. 3. Her
older brother has lost his grandfather's silver watch. 4. Although
Olivia is not as pretty as her sister, she is more intelligent than her

sister. 5. Mr. Pérez, the richest man in town, wastes less time than we think. 6. Which of these is smaller, the green one or the black one? 7. Our cousin and his wife told me yesterday that they plan to build a new brick house. 8. They knew more about our plans than we thought they knew. 9. Mr. Ortega always complains that his wife spends more money than he can earn. 10. Pacheco and Company employs more than thirty-five men each year. 11. That white silk blouse that Irene gave her is very expensive. 12. Louise is so charming that one cannot help liking her.

LECCIÓN

3

POSESIVOS

En español los adjetivos posesivos son:

FORMA ABREVIADA

Singular		Plural
mi	*my*	mis
tu	*your (fam.)*	tus
su	*his, her, its, your*	sus
nuestro, −a	*our*	nuestros, −as
vuestro, −a	*your (fam.)*	vuestros, −as
su	*their, your*	sus

FORMA LARGA

Singular		Plural
mío, mía	*my, (of) mine*	míos, mías
tuyo, tuya	*your (fam.), (of) yours*	tuyos, tuyas
suyo, suya	*his, her, your, (of) his, hers, yours*	suyos, suyas
nuestro, −a	*our, (of) ours*	nuestros, −as
vuestro, −a	*your (fam.), (of) yours*	vuestros, −as
suyo, suya	*their, your, (of) theirs, yours*	suyos, suyas

DIÁLOGO

ELSA: ¿Cuándo sales para tu casa?

LUPE: Pasado mañana, Elsa.

ELSA: Y tus maletas, ¿ya las hiciste?

LUPE: Casi todas están ya hechas, pero no sé si voy a tener donde poner toda mi ropa.

ELSA: Si quieres, puedo prestarte la mía.

LUPE: Mil gracias, pero la tuya es bien nueva y temo dañártela.

ELSA: ¿Piensas viajar por tren o por avión?

LUPE: Mi cuñado viene a recogerme en su auto.

ELSA: Pues, ¿por qué preocuparte por las maletas? Pon lo que no cabe en ellas en el auto de tu cuñado.

LUPE: Pero el coche de mi cuñado es uno de esos europeos en el que apenas cabremos los dos. A mi cuñado no le gustará verse rodeado de faldas, enaguas, y demás.

ELSA: Entonces la única solución es dejar aquí todo lo que no te quepa en las maletas.

LUPE: Creo que eso es lo que tendré que hacer.

EJERCICIOS MODELO

a / Sustitución de un elemento variable

1. Póngalo Vd. en el auto de su cuñado.
2. _____ padre.
3. _____ hermano.
4. _____ tía.
5. _____ prima.
6. _____ sobrina.

b / Sustitución numérica

1. Hice mi maleta.

                 Hice mis maletas.

2. ¿Escribiste a tu padre?
3. Preparamos nuestra lección.
4. Corrige su composición.
5. ¿Cuándo visitasteis a vuestro tío?
6. Pagué mi cuenta.

c / Sustitución de persona

1. Puedo prestarte la mía.
2. Puedes prestarme _____.
3. Él puede prestarme _____.
4. Podemos prestarle _____.
5. Podéis prestarle _____.
6. Pueden prestaros _____.

d / Respuesta sugerida

1. ¿ De quién es este coche? (mío)
                             Es mío.
2. ¿ De quién es este coche? (tuyo)
3. ¿ De quién es este coche? (suyo)
4. ¿ De quién es este coche? (nuestro)
5. ¿ De quién es este coche? (vuestro)

EJERCICIO MODELO EXTENSO (I)

En las oraciones que siguen, sustituya Vd. el artículo en cursiva por el adjetivo posesivo, según el modelo presentado.

1. Yo perdí *el* anillo.
                        Yo perdí mi anillo.
2. Vd. lavó *el* auto.
3. María preparó *el* almuerzo.
4. Pintamos *el* escritorio.

5. ¿ Vendiste *la* casa?
6. Hicieron una visita a *la* tía Isabel.
7. Pagáis *la* cuenta.
8. Estudiaré *la* lección.

9. Eché *las* cartas al correo.
10. Paco salió mal en *los* exámenes.
11. Pagaremos *las* deudas. debts
12. Vds. tienen *los* boletos. tickets

Sustituye Vd. la frase introducida por **de** por el posesivo.

13. ¿ Conoces a la mujer de Luis?
                        ¿ Conoces a su mujer?

14. Invitaron al primo de Catalina.
15. Lo mencioné al hijo de los Suárez.
16. Visitaremos a la hermana de Pepe y Paco.

17. Charlé con las hijas del abogado.
18. Lo explicó a los estudiantes de Vd.
19. Las sobrinas de ella llegaron temprano.
20. Los discursos de los profesores son muy pesados. *boring*

En este ejercicio, reemplace Vd. la frase posesiva por la forma indicada del posesivo.
21. Firmé mi contrato. *Contract*
                    Firmé el mío.
22. Trajo su tocadiscos.
23. ¿Nos venderás tu negocio? *business*
24. ¿Les gusta nuestro artículo?
25. El gerente rechazó mi plan.

26. Jaime me mostró su tesis.
27. Vd. no lavó su blusa.
28. Le di mi foto.
29. ¿Rompió Paquito vuestra ventana?
30. ¿Dónde pusiste tu maleta?

31. ¿Quién tiene sus libros?
32. ¿Dónde pusieron mis gafas? *eye glasses*
33. Me gustan más nuestros retratos. *picture*
34. ¿Vas a pagar tus deudas? *debts*
35. ¿Dónde perdiste tus guantes?

36. Ésta es su pelota.
                    Ésta es suya.
37. El auto verde era mi auto.
38. Esas tijeras son mis tijeras. *scissors*
39. Aquellos edificios serán tus edificios.
40. Estas maletas de piel son nuestras maletas. *skin*

41. El doctor Ortiz era un pariente de Pepe.
                El doctor Ortiz era un pariente suyo.
42. Conocí a esa amiga de Irene.
43. Estas joyas de tu madre son estupendas.
44. Tu nieto se parece a uno de tus hermanos. *granddaughter*
45. Lupe me recuerda a una de mis tías.

Los posesivos concuerdan siempre en número, y cuando sea posible en género también, con « el objeto poseído » y no con el poseedor (1–45). La forma abreviada del adjetivo posesivo suele preceder al nombre (1–20). La forma larga del adjetivo posesivo, que sigue al sustantivo, traduce *his*, *of his*, *hers*, *of hers*, etc. (41–45). El posesivo largo, usado con el artículo definido, nos da el pronombre posesivo (21–35). Cuando el pronombre posesivo sigue al verbo **ser,** generalmente se omite el artículo definido (36–40).[1]

Estudie y compare

1. (a) su radio
   (b) el radio de él
2. (a) su lapicero
   (b) el lapicero de ella
3. (a) su novia
   (b) la novia de Vd.
4. (a) su contrato
   (b) el contrato de ellos
5. (a) su programa
   (b) el programa de Vds.

Puesto que **su** (**sus**) puede traducirse de cinco maneras distintas, para evitar la ambigüedad puede emplearse una construcción que consiste en **el objeto poseído + de + el poseedor.**

EJERCICIO MODELO EXTENSO (II)

Combine Vd. los pares de frases que siguen, según el modelo sugerido.
                      CAP
1. Tengo la gorra. Es de Anselmo.
                  Tengo la gorra de Anselmo.
2. Perdimos la llave. Era de Nicolás.
3. ¿ Compró Vd. el auto ? Es del profesor Restrepo.
4. Pedí prestado el paraguas. Era de Anita.

5. Nos vendieron los manuscritos. Eran de Galdós.

[1] También se emplea la forma larga del posesivo cuando uno se dirige directamente a una persona o personas, p. ej.: **Ven acá, hijo mío; Queridos amigos míos.**

6. Heredé los aretes. Fueron de mi abuela.
7. Planchará las camisas. Son de su padre.
8. ¿ Hallaste las cartas? Son de doña Inés.

Nótese que en español para expresar la posesión se usa una
frase introducida por **de** (1–8), en vez de la construcción inglesa 's.

DEMOSTRATIVOS

Los adjetivos demostrativos son:

SINGULAR

Masculino		Femenino
este	*this*	esta
ese	*that*	esa
aquel [1]	*that*	aquella

PLURAL

estos	*these*	estas
esos	*those*	esas
aquellos	*those*	aquellas

DIÁLOGO

ANITA: Oye Graciela, esa señora es la señora de Restrepo,
¿ verdad?
GRACIELA: No, Anita. Ésa es la señora de Velasco. Aquella rubia
es la señora de Restrepo.
ANITA: Pero ésa que acabo de conocer, la del pelo castaño,
es la señora de Velasco.
GRACIELA: Pues sí, y esa señora que se nos acerca también es
la señora de Velasco.
ANITA: ¡ Tres con el mismo apellido! name
GRACIELA: No te niego que es algo raro el caso.
ANITA: ¿ Y existe parentesco entre las tres?
relationship

[1] Aunque **ese** y **aquel** se traducen al inglés por *that*, no son intercambia-
bles. **Ese** y sus formas se usan con referencia a objetos o personas cercanos a
la persona a quien se habla, mientras que **aquel** y sus formas se refieren a
personas u objetos lejanos a ambas personas.

GRACIELA: ¡ Por supuesto! Las del pelo castaño son amigas que se casaron con dos hermanos, y la del sombrero azul es su cuñada.

EJERCICIOS MODELO

a / Sustitución de un elemento variable

1. Éste es el caballo que monto.
2. Ése _____.
3. Aquél _____.
4. Ésta es la foto que escogí. *Chose*
5. Ésa _____.
6. Aquélla _____.

b / Respuesta sugerida   *trunk*

1. ¿ Prefiere Vd. este baúl o *ese baúl?*
                            Prefiero ese baúl.
2. ¿ Leyeron este estudio o *ese estudio?*
3. ¿ Les gusta este traje o *ese traje?*
4. ¿ Compraron Vds. esta cartera o *esa cartera?*
5. ¿ Vas a escoger esta blusa o *esa blusa?*
6. ¿ Les gusta esta alfombra o *esa alfombra?*

c / Sustitución numérica

1. Compramos en esta tienda.
                            Compramos en estas tiendas.
2. ¿ Conociste a esa señora?
3. Terminaron aquella tarea.
4. Preparó este postre.
5. Ese traje es de lana.
6. Pasamos por aquel pueblo.

d / Respuesta sugerida

1. ¿ Se le acercó esta profesora? (ésa)
                            No, ésa.
2. ¿ Se le acercó esta camarera? (aquélla)   *waitress*
3. ¿ Se le acercó aquella secretaria? (ésta)

4. ¿ Se le acercó este pianista? (aquél)
5. ¿ Se le acercó aquel abogado? (ése)
6. ¿ Se le acercó ese policía? (éste)

EJERCICIO MODELO EXTENSO (III)

Repita Vd. las frases que siguen, añadiendo el demostrativo entre paréntesis donde corresponda.

1. (este) ¿ Cómo le parece el abrigo?
      ¿ Cómo le parece este abrigo?
2. (aquel) Entramos en el edificio.
3. (ese) Conocemos al señor.
4. (este) ¿ Comiste en el restaurante?

5. (aquella) Fuimos a la tienda.
6. (esa) ¿ Te presentó a la peruana?
7. (esta) Alfredo tiene que copiar la lista.
8. (aquella) Paca tradujo la poesía.

9. (esas) Lo compramos en las tiendas.
10. (aquellas) Copió las noticias.
11. (estas) Nos presentaron a las profesoras.
12. (esas) La clase tradujo las oraciones.
13. (aquellos) Alquilaron los apartamientos. _They rented_
14. (estos) Nos gustan los dulces.
15. (esos) ¿ Escuchó Vd. los programas?
16. (aquellos) Pasé por los pueblos.

En este ejercicio reemplace Vd. la frase en cursiva por el pronombre demostrativo, según el modelo sugerido.
17. Déle Vd. _ese juguete_. _toy_
                    Déle Vd. ése.
18. Estudian _aquel documento_.
19. Preferimos _este programa_.
20. ¿ Dónde pusiste _ese sombrero_?

21. No planchaste bien _esta camisa_.
22. Les gustó _aquella película_.
23. Cómprele Vd. _esa cartera_.
24. Nos sirvieron _esta ensalada_.

25. No rompa Vd. *esos platos.*
26. Necesitamos *estos papeles.*
27. Me regalaron *aquellas tazas.*
28. Vds. corrigieron *esas composiciones.*

Junte Vd. los siguientes pares de oraciones según el modelo presentado.

29. Compró esta blusa. Compró la blusa de seda.
             Compró esta blusa y la de seda.
30. Pintaron mi cuarto. Pintaron el cuarto de Pepe.
31. Conocen a esta señora. Conocen a la señora que Vd. conoce.
32. ¿ Te dieron este cuadro? ¿ Te dieron el cuadro que pinté?
33. Bebieron estas botellas de vino. Bebieron las botellas de vino tinto.
34. Le presenté a esta joven. Le presenté a las jóvenes que nos acompañaron.
35. Llevaré mi vestido. Llevaré los vestidos que me prestas.
36. Les gustaron estos pasteles. Les gustaron los pasteles de coco.

Obsérvese que los demostrativos concuerdan en número y en género con el nombre a que se refieren (1–36). No olvide Vd. que el plural de **este, ese** y **aquel** termina en **os,** esto es, **estos, esos** y **aquellos.** Los adjetivos demostrativos preceden al sustantivo (1–16). Se forma el pronombre demostrativo escribiendo un acento en la primera **e** del adjetivo (17–28). Hay que notar que el artículo definido se usa en vez del pronombre demostrativo cuando *that* o *those* precede a una frase introducida por **de** o **que** (29–36).

Estudie y note (**éste . . . aquél . . .**)

1. Pepa y Ramón son colombianos; éste es de Bogotá, aquélla es de Cali.
2. Les servimos sopa y ensalada; ésta estaba fría y aquélla estaba caliente.
3. Me regaló un anillo y una pulsera; ésta era de oro, aquél era de diamantes.

En las frases anteriores **aquél** y **éste** traducen *the former* y *the latter* respectivamente. Sin embargo, en español se intercambia su posición, y en vez de decir *the former . . . the latter*, se dice *the latter . . . the former.*

Estudie y compare

1. (a) Entiendo esta conferencia.
   (b) Entiendo aquellas conferencias.
   (c) No entiendo nada de eso.
2. (a) Les explicó este procedimiento.
   (b) Les explicó esos procedimientos.
   (c) Les explicó aquello.
3. (a) ¿ Es ése su caballo?
   (b) ¿ Son aquéllos sus caballos?
   (c) ¿ Qué es eso? — Esto es un caballo.

En español el demostrativo neutro (**esto, eso, aquello**) no se refiere a cosas concretas sino a conceptos abstractos (1c, 2c). También se usa al hablar de algo que todavía no ha sido identificado (3c).[1]

---

[1] El demostrativo neutro no lleva acento ortográfico, y se usa solamente en el singular.

APUNTES CULTURALES

La reina que se volvió loca por amor

FERNANDO e Isabel, los Reyes Católicos, tenían varios hijos de los cuales sólo una, Juana — conocida popularmente como Juana la Loca — les sobrevivió. A la muerte de su madre, fue proclamada reina de Castilla. Se había casado con el Archiduque de Austria, Felipe el Hermoso — causa de sus   5 alegrías y al mismo tiempo, de sus tristezas.

Juana amaba apasionadamente a su esposo — su vida era Felipe y Felipe era su vida. Sin embargo, el archiduque le era infiel. Sus repetidas infidelidades, como sus prolongadas ausencias, produjeron en ella señales de desequilibrio mental.   10

Una vez, cuando quería abandonar la corte española para regresar a Flandes donde residía el archiduque, su madre, la reina Isabel, se lo prohibió, haciéndola recluir en un castillo que tenía en Medina del Campo. No obstante, una noche inclemente, la pobre princesa trató de huir. La alcanzaron sus servidores y la   15 llevaron al castillo. Ella no quiso entrar, prefiriendo pasar toda la noche afuera, de pie, y sin abrigo alguno. Y al otro día, rehusó comer y descansar en su cama hasta que logró obtener el permiso para trasladarse a Flandes.

Se quedó allá hasta la muerte de su madre en 1504, y entonces   20 regresó a España. En 1506, después de una breve enfermedad, murió Felipe. En vez de librarla de todos los disgustos y los celos que había padecido, la muerte de su esposo la hundió en la desesperación. Transfirió el amor que le tenía al marido vivo a su cadáver. Durante unos días no apartó la vista del difunto   25 Felipe. Cuando trataron de conducir el cadáver hasta la sepultura, Juana se puso furiosa. Por fin decidió acompañar el ataúd al lugar del entierro en Tordesillas.

Siempre viajó de noche, al lado de los restos mortales de Felipe. Los celos que tenía de su esposo llegaron a tal punto que mandó   30 que hombres armados guardasen el féretro y que no se permitiese que mujer alguna se acercara al muerto. En 1509, tres años después de su muerte, enterraron a Felipe el Hermoso en el Monasterio de Santa Clara, en Tordesillas. Por orden de Juana, colocaron el ataúd en tal forma que ella pudiera verlo desde su palacio. Por cuarenta y seis años la reina no salió del palacio hasta que la muerte la liberó.

Unos historiadores insisten en que Juana no era completamente
5 loca, y citan varias cartas suyas para probar su teoría. Otros opinan que el enajenamiento mental notado en ella fue resultado de los celos que tenía, y que no se notaba en otras fases de su vida.

Nunca sabremos a ciencia cierta lo que le impulsó a la infeliz reina a portarse de tal manera. Quizás, sin que ella se diese cuenta
10 de ello, su amor se había convertido en odio. Quizás insistió en viajar por tres años antes de darle sepultura a su marido para asegurarse de que estaba muerto. ¿ Y lo de poder ver el sepulcro desde su palacio ? Puede ser que la pobre quería poseer en muerte lo que nunca logró poseer en vida.

EJERCICIOS SUPLEMENTARIOS

A. En las oraciones que siguen, sustituya Vd. las palabras en cursiva por las palabras entre paréntesis. Al mismo tiempo haga Vd. los cambios que correspondan en los adjetivos.

1. Entraron en aquella *tienda*. (escuela, edificio, oficina, consultorio)
2. ¿ De quién son estos *papeles?* (dulces, frutas, vasos, toallas)
3. Déme Vd. mi *lapicero*. (pulsera, billetes, corbatas, reloj)
4. Luisa compró esa *carne*. (pan, arroz, leche, harina)
5. ¿ Vais a presentarlos a vuestro *padre?* (tías, hermano, abuela, compañeros)
6. Conocimos a un *amigo* suyo. (hermana, sobrino, primos, vecinas)

B. Lea Vd. completamente en español las siguientes frases.

1. (*This*) cuchillo es (*mine*). 2. (*Your*) tenedor está aquí y (*his*) tenedor está en la mesa. 3. ¿ Dónde está (*mine*)? 4. No quiero (*this one*) sino (*that one*). 5. ¿ Qué tiene Ramón en (*his mouth*)? 6. (*In his hand*) tiene una cuchara de plata. 7. Comimos pan y carne; (*the latter*) estaba asada, (*the former*) era delicioso. 8. ¿ Qué es (*that*)? 9. No cambiaron (*those*) sino (*these*). 10. Ana era (*a neighbor of ours*). 11. ¿ Cómo se dice (*that*)? 12. Marta lleva una mantilla (*on her head*).

C. Repita Vd. las frases que siguen, haciendo los cambios indicados.

1. ¿ Te fijaste en el color de aquella silla ?
2. ¿ _____ sillas ?
3. ¿ _____ la condición _____ ?
4. ¿ _____ esas _____ ?
5. ¿ _____ edificio ?
6. ¿ Notaste _____ ?

1. Después pensamos visitar a nuestra cuñada.
2. _____ cuñadas.
3. _____ abuelos.
4. _____ llegarán _____ .
5. Dentro de poco _____ .
6. _____ compañero.

1. El señor Garrido te prestará su tocadiscos.
2. Nosotros _____ .
3. _____ compraremos _____ .
4. _____ negocio.
5. Luis _____ .
6. _____ dirigirá _____ .

D. Traduzca Vd. al español.

1. Frank, who is a friend of ours, broke his arm. 2. Which one do you like, this one or that one? 3. Where did you find out that Raúl, my cousin, had married that girl? 4. Why didn't you explain that to us before? 5. Those on the table, not those by the door, are hers. 6. Although Concha and Rita were born in Barcelona, the former seems more Spanish than the latter. 7. What is this? That is an old theme of mine. 8. In that book of his, the difficult part is that business of historical truth. 9. For the party we will need these plates and those that you bring. 10. Roberto and Inés are twins; the former is a doctor and the latter is a teacher.

El camino de Santiago de Compostela

SECCIÓN

—

TERCERA

LE**CC**I**Ó**N

1

PRESENTE DE INDICATIVO

El presente de indicativo de los verbos regulares es:

PRONOMBRE SUJETO	PRIMERA CONJUGACIÓN		SEGUNDA CONJUGACIÓN		TERCERA CONJUGACIÓN	
	Raíz	*Termi- nación*	*Raíz*	*Termi- nación*	*Raíz*	*Termi- nación*
	llev	ar	met	er	divid	ir
yo	llev	o	met	o	divid	o
tú		as		es		es
él, ella, Vd.		a		e		e
nosotros, –as		amos		emos		imos
vosotros, –as		áis		éis		ís
ellos, ellas, Vds.		an		en		en

DIÁLOGO

RAFAEL: Hola, Andrés. ¿Adónde vas con tanta prisa?

ANDRÉS: ¡Ah, Rafael! A la lavandería. Tengo que dejar esta ropa sucia.

RAFAEL: Pero, ¿no puedes detenerte un rato para tomar un café?

ANDRÉS: No tengo tiempo, hombre. Si dejo esta ropa antes de las doce, me la entregan mañana.

66

RAFAEL: ¡ Mañana ! ¿ Lavan y planchan la ropa dentro de tan poco tiempo?

ANDRÉS: ¡ Sí ! Ofrecen un servicio rápido. Puesto que yo viajo tanto, me aprovecho de este servicio especial.

RAFAEL: Espérame un momento mientras voy a mi cuarto por unas camisas, y después subimos a mi coche y te llevo allá.

ANDRÉS: Muy bien. Pero no te demores mucho.

EJERCICIOS MODELO

a / Sustitución de un elemento variable

1. Subo al auto.
2. _____ autobús.
3. _____ taxi.
4. _____ avión.
5. _____ tren.

b / Sustitución numérica

1. Abro la carta.

               Abrimos la carta.

2. Escribo la tesis.
3. Cubro la mesa.
4. Divido el dinero.
5. Permito el trabajo.

c / Sustitución numérica

1. Aprende las palabras.

               Aprenden las palabras.

2. Bebe la leche.
3. Promete hacerlo.
4. Lee la noticia.
5. Obedece a sus padres.

d / Respuesta sugerida

1. ¿ Quién estudia matemáticas? (Ana)

               Ana estudia matemáticas.

2. ¿ Quién lava los platos? (los niños)
3. ¿ Quién paga la cuenta? (Miguel y yo)
4. ¿ Quién nos invita? (Vd.)
5. ¿ Quién necesita más tiempo? (yo)
6. ¿ Quién los ayuda? (tú)

EJERCICIO MODELO EXTENSO (I)

Conteste Vd. a las preguntas que siguen, según la respuesta sugerida.

1. ¿ Qué estudia Luis?
                    Estudia la lección de hoy.
2. ¿ Qué prepara Roberto?
3. ¿ Qué escribe el estudiante?
4. ¿ Qué lee Alicia?

5. ¿ Cuánto necesita Vd.?
                    Necesito dos dólares.
6. ¿ Cuánto añade Vd.?
7. ¿ Cuánto ahorra Vd.?
8. ¿ Cuánto mete Vd. en el sobre?

9. ¿ Dónde descanso yo?
                    Descansas en tu casa.
10. ¿ Dónde recibo yo visitas?
11. ¿ Dónde como yo?
12. ¿ Dónde estudio yo?

13. ¿ Quién lo espera?
                    Nosotros lo esperamos.
14. ¿ Quién lo prohibe?
15. ¿ Quién lo promete?
16. ¿ Quién lo manda?

17. ¿ Qué olvidan?
                    Olvidan las invitaciones.
18. ¿ Qué reciben?
19. ¿ Qué leen?
20. ¿ Qué aceptan?

Repita Vd. las oraciones de este ejercicio, agregando:

a / « *y yo* » *al sujeto*

21. Jorge lee la revista.
>   Jorge y yo leemos la revista.
22. Mi hermano los obedece.
23. Marta debe estudiar.
24. Manuel vende el auto.

25. Felipe describe el proyecto.
>   Felipe y yo describimos el proyecto.
26. Alicia insiste en venir.
27. El médico discute la situación.
28. Elena la recibe.

b / « *y tú* » *al sujeto*

29. Jorge lee la revista.
>   Jorge y tú leéis la revista.
30. Mi hermano los obedece.
31. Marta debe estudiar.
32. Manuel vende el auto.

33. Felipe describe el proyecto.
>   Felipe y tú describís el proyecto.
34. Alicia insiste en venir.
35. El médico discute la situación.
36. Elena la recibe.

Responda Vd. a las siguientes preguntas. Imite Vd. la respuesta presentada.

37. ¿ Cuándo llegan ? (mañana)
>   Llegan mañana.
38. ¿ Cuándo nos permiten entrar ? (esta tarde)
39. ¿ Cuándo empezamos el trabajo ? (esta noche)
40. ¿ Cuándo se casan ? (la semana próxima)

41. ¿ Cuándo es la fiesta ? (mañana por la noche)
42. ¿ Cuándo recibes tu título ? (pasado mañana)
43. ¿ Cuándo la visitamos ? (esta tarde)
44. ¿ Cuándo sale Vd. para Roma ? (dentro de una hora)

El presente de indicativo expresa lo que ocurre en la actualidad
(1–36). También denota una acción que ocurre en el futuro
inmediato (37–44). Note Vd. que las terminaciones del presente
de indicativo de los verbos de la segunda y la tercera conjugación
son idénticas menos en la primera y la segunda personas del
plural (21–36).

TIEMPOS PASADOS: IMPERFECTO, PRETÉRITO

El imperfecto de los verbos regulares es: [1]

PRONOMBRE SUJETO	PRIMERA CONJUGACIÓN		SEGUNDA CONJUGACIÓN		TERCERA CONJUGACIÓN	
	Raíz	*Terminación*	*Raíz*	*Terminación*	*Raíz*	*Terminación*
	llev	ar	met	er	divid	ir
yo	llev	aba	met	ía	divid	ía
tú		abas		ías		ías
él, ella, Vd.		aba		ía		ía
nosotros, –as		ábamos		íamos		íamos
vosotros, –as		abais		íais		íais
ellos, ellas, Vds.		aban		ían		ían

El pretérito de los verbos regulares es:

PRONOMBRE SUJETO	PRIMERA CONJUGACIÓN		SEGUNDA CONJUGACIÓN		TERCERA CONJUGACIÓN	
	Raíz	*Terminación*	*Raíz*	*Terminación*	*Raíz*	*Terminación*
	llev	ar	met	er	divid	ir
yo	llev	é	met	í	divid	í
tú		aste		iste		iste
él, ella, Vd.		ó		ió		ió
nosotros, –as		amos		imos		imos
vosotros, –as		asteis		isteis		isteis
ellos, ellas, Vds.		aron		ieron		ieron

[1] Todos los verbos españoles, con la excepción de **ir, ser** y **ver,** son regulares en el imperfecto. El tiempo imperfecto de estos verbos es: **ir** — **iba, ibas, iba, íbamos, ibais, iban; ser** — **era, eras, era, éramos, erais, eran; ver** — **veía, veías, veía, veíamos, veíais, veían.**

DIÁLOGO

SR. CAICEDO: A propósito, mi amor, ¿a qué hora regresó anoche Ernesto?

SRA. DE CAICEDO: Eran las doce y pico.

SR. CAICEDO: ¿Estás segura? Me pareció mucho más tarde que eso.

SRA. DE CAICEDO: Sí que estoy segura. No podía dormir y me puse a leer. Leía cuando Ernesto volvió.

SR. CAICEDO: ¿Y por qué regresó a esa hora? ¿No nos dijo que iba al cine con Pablo?

SRA. DE CAICEDO: Pues, fue al cine con Pablo. Al salir del teatro encontraron a Alicia y a su prima.

SR. CAICEDO: Y las acompañaron a casa de Alicia donde pasaron un rato, ¿no?

SRA. DE CAICEDO: ¿Pero cómo lo adivinaste? Entraron para oír un disco nuevo de Alicia.

SR. CAICEDO: Y empezaron a charlar y a bailar, y no se dieron cuenta de la hora.

SRA. DE CAICEDO: Eso es lo que me dijo. Yo lo creo. Y después de todo, no era tan tarde cuando Ernesto llegó a casa.

EJERCICIOS MODELO

a / Sustitución de un elemento variable

1. Se dieron cuenta de la hora.
2. _____ lo grave de eso.
3. _____ la situación.
4. _____ el problema.
5. _____ el gasto.

b / Sustitución de un elemento variable

1. Se puso a estudiar.
2. _____ escribirlo.
3. _____ arreglarlo.
4. _____ leer.
5. _____ prestar atención.

c / Reemplazo de construcción

1. Yo (leer) cuando llamaron.
                        Yo leía cuando llamaron.
2. Yo (comer) _____.
3. Yo (estudiar) _____.
4. Yo (dormir) _____.
5. Yo (descansar) _____.

d / Respuesta sugerida

1. ¿A qué hora regresó? (las dos)
                        Eran las dos cuando regresó.
2. ¿A qué hora llegó? (las tres y pico)
3. ¿A qué hora lo recibió? (las siete y diez)
4. ¿A qué hora salieron? (las cuatro en punto)
5. ¿A qué hora comieron? (las ocho menos quince)

EJERCICIO MODELO EXTENSO (II)

Repita Vd. las frases que siguen, cambiando el verbo en cursiva:

a / al imperfecto

1. Carlos *ama* a su hijo.
                        Carlos amaba a su hijo.
2. Rita *teme* abrir el telegrama.
3. Nos *alegramos* de verla.
4. Lo *siento* mucho.

5. ¿Siempre *vas* a la playa en julio?
6. Muchas veces *pasamos* las fiestas en casa de mis abuelos.
7. Roberto *asiste* al concierto los sábados.
8. Vds. siempre *prometen* mucho.

9. Sus primas *son* encantadoras.
10. El cielo *está* nublado.
11. *Tiene* mucha hambre.
12. *Hace* buen tiempo.

13. Yo me *baño*.
14. *Charlan* con él.

15. *Estás* enfermo.
16. *Discutimos* el asunto.

17. *Es* la una en punto.
18. *Son* las diez y media.
19. *Son* las cuatro menos diez.
20. *Es* la una y veinte.

b / al pretérito

21. Elisa *se gradúa* en 1965.
                    Elisa se graduó en 1965.
22. Los estudiantes *salen* aprobados en inglés.
23. Nos *ofrece* un descuento.
24. ¿ *Visitas* a tu abuelo hoy?

25. En enero *viajo* a París.
26. ¿ *Pagáis* esa cuenta el lunes?
27. *Corren* para ayudarla.
28. Pancho *recibe* el telegrama.

29. *Discutimos* el programa con ellos.
30. *Mandamos* los paquetes hoy.
31. *Explicamos* nuestras ideas al señor Guzmán.
32. *Insistimos* en irnos esta semana.

33. *Asisto* a muchos conciertos.
34. Este verano *van* a Nueva York tres veces.
35. *Ceno* con ella dos veces este mes.
36. ¿ Cuántas veces *toma* Vd. ese curso?

En este ejercicio junte Vd. los pares de frases con:

a / « mientras »

37. Ellas charlaban. Yo leía.
                    Ellas charlaban mientras yo leía.
38. Anita lavaba los platos. Su esposo dormía.
39. Manuel reía. Susana lloraba.
40. Vivíamos en su casa. Estaban en Miami.

41. ¿ Qué hacías? Yo lo explicaba.
42. Rosa descansaba. Sus hijos estaban en clase.
43. Las muchachas tomaban el sol. Los jóvenes nadaban.
44. Ricardo tocaba el piano. Marta cantaba.

b / « *cuando* »

45. Ya estaban bailando. Llegamos.
    Ya estaban bailando cuando llegamos.
46. Pepe se bañaba. Sonó el teléfono.
47. ¿ Dónde estabas? Recibiste la noticia.
48. Pintaba su casa. Se cayó de la escalera.

49. Discutíamos su problema. Vd. nos interrumpió.
50. Yo desayunaba. Vds. llamaron.
51. Los niños miraban la televisión. Yo regresé.
52. Iba de tiendas. Perdió su cartera.

El español tiene dos tiempos pasados, el imperfecto y el pretérito, cada uno con sus usos específicos (1–52). Estos usos no pueden intercambiarse. El imperfecto se emplea para denotar: una emoción en el pasado (1–4); una acción acostumbrada o habitual (5–8); una acción progresiva o continua (13–16); y la hora en el pasado (17–20). Se usa también para describir en el pasado (9–12), y para indicar dos acciones que acontecían al mismo tiempo (37–44).

El pretérito expresa una acción concisa, completamente terminada en tiempo pasado (21–32), o una serie de tales acciones considerada como un conjunto (33–36). No participa de esa noción de acción continua o progresiva que caracteriza el imperfecto. Note Vd. que la primera persona plural del presente de indicativo y la del pretérito de los verbos de la primera y la tercera conjugación se escriben igual (29–32).

Preste Vd. atención especial a las últimas ocho frases (45–52) en que tenemos dos acciones — una que estaba en progreso y otra que interrumpió a ésta. Suele traducirse la acción en progreso por el imperfecto, y la acción que la interrumpió, por el pretérito.

Estudie y compare

1. (a) La conocíamos por muchos años.
   (b) La conocimos anteayer. (*por primera vez*)
2. (a) Tenía muchos parientes.
   (b) Tuvo una carta de sus padres. (*recibió*)
3. (a) Sabía que había muerto.
   (b) Supe que había muerto. (*descubrí*)

4. (a) Eran muy simpáticos.
   (b) Fueron muy simpáticos. (*se hicieron*)
5. (a) Ella quería asistir al concierto.
   (b) Ella quiso asistir al concierto. (*trató de*) [1]

A veces un cambio en el tiempo de los sobredichos verbos cambia el significado de dichos verbos.

[1] **No quiso asistir** quiere decir **rehusó asistir.**

APUNTES CULTURALES

« *Como decíamos ayer . . .* »

UNA de las anécdotas más conocidas y más repetidas de la
tradición española es la de un fraile agustino del siglo XVI,
Fray Luis de León. Desde muy joven vivió en Madrid con
su familia, pero a los catorce años se marchó a estudiar a Sala-
5 manca, donde poco después, profesó en la orden agustina. Casi
toda su vida la pasó en Salamanca como catedrático de estudios
bíblicos y más tarde, como catedrático de Filosofía moral o de
Teología.

Sin embargo, su vida no fue la vida retirada, contemplativa,
10 dedicada a las ocupaciones intelectuales, como con frecuencia nos
imaginamos que es la vida religiosa y académica. En esos días
los profesores no sólo competían por el aplauso de sus estudiantes,
sino que también intrigaban para obtener las varias cátedras,
sobre todo la silla de teología. Fray Luis, conferenciante sobre-
15 saliente, sabio tanto en las lenguas clásicas como en teología,
ganó la codiciada cátedra de teología. Al mismo tiempo adquirió
enemigos poderosos entre sus colegas. Si éstos tenían celos de la
alta posición de nuestro fraile; su manera franca, su intolerancia
para con la injusticia, su falta de paciencia frente a la estupidez,
20 les enfurecieron aún más. La envidia de sus enemigos llegó a tal
punto que conspiraron contra él.

En 1572 dos colegas suyos le denunciaron secretamente a la Inquisición. Su arresto y su subsecuente encarcelamiento fueron
basados en la supuesta acusación de haber traducido el « Cantar
25 de los Cantares »[1] al español. Pasó casi cinco años en la prisión —
años míseros, años solitarios, años en los que también empezó a
escribir en prosa y en verso. En diciembre de 1576 lo absolvieron,
declarándolo inocente y devolviéndole su cátedra y sus privilegios
académicos.
30 El día en que regresó a su clase, el aula estaba desbordada de
estudiantes. Fray Luis entró. Inmediatamente todos guardaron

[1] Uno de los libros del Antiguo Testamento que también se llama el
« Cantar de Salomón ».

exam - jueves
hegoda   TROZOS   un
          significo un para so.

(místico (misticismo))

Solen
surgir

espenital y

menti

téticamente

Nisa - mass

uera de
común

Sumamente -- exceedingly

adquisición
     añadir - add

   clave - keyword

silencio. Esperaban que denunciara a la Inquisición o, quizás, que
les relatara las injusticias que había padecido. Después de mirarlos
unos momentos, el buen fraile pronunció las famosas palabras,
« Como decíamos ayer . . . », y continuó su conferencia como si
5 todo lo que había sufrido nunca le hubiera pasado.

Si su fama popular se basa en esta anécdota, su fama entre los
estudiantes de la literatura castellana se basa en las obras que
nos dejó. Entre sus libros en prosa, que le dan el honor de ser
considerado el más gran prosista del siglo XVI, se incluyen *De*
10 *los nombres de Cristo* y *La Perfecta Casada*. Pero lo que nos interesa
aún más es su poesía — poesía notable no sólo por su lirismo sino
también por su expresión de los sentimientos íntimos del autor, su
contemplación de la naturaleza, su deseo de escaparse de su vida
turbulenta a una más reposada, su anhelo de ser uno con Dios.
15 Nunca publicó sus poemas, quizás por ser tan personales. Unos
cuarenta años después de su muerte fueron publicados por primera
vez. Es una curiosa paradoja que hoy se le dé una posición
eminente en las letras españolas por unas obras que casi se perdieron para siempre.

EJERCICIOS SUPLEMENTARIOS

A. Lea Vd. completamente en español las siguientes frases.

1. Anoche (*I went*) al cine. 2. (*I was washing myself*) cuando
alguien llamó. 3. Ricardo (*would spend*) sus vacaciones en Palm
Springs. 4. (*We visited*) a Filadelfia la semana pasada. 5. (*They won*)
tres veces. 6. Cuando (*we were*) niños (*we never went*) al parque.
7. (*He tried*) hacerlo. 8. (*They found out*) lo del accidente. 9. (*They
met*) en casa de los Smith ayer. 10. (*She knew*) lo de los cheques.
11. Isabel (*used to be*) muy hermosa. 12. Hoy (*we got*) un regalo
de Paco.

B. Repita Vd. las frases que siguen, agregando:

« *y él* » *al sujeto*

1. María fue al cine. 2. El profesor presentó la teoría. 3. Luis
insistió en pagar los billetes. 4. Vd. prometió llegar a tiempo.
5. Su mujer me lo indicó.

« *y yo* » *al sujeto*

1. Laura pasaba las vacaciones en Puerto Rico. 2. Miguel nadaba casi todos los días. 3. Los sábados mis hermanos dormían hasta las doce. 4. Mis padres siempre leían el periódico antes de comer. 5. Pedro escuchaba el noticiario de las ocho.

« *y tú* » *al sujeto*

1. Inés recibió esa noticia ayer. 2. Los niños llegaron tarde. 3. Arnaldo aprendió los versos de memoria. 4. El señor Prieto lo observó. 5. Tus primos lo abrieron.

« *Vd. y* » *al sujeto*

1. Yo necesito más tiempo. 2. Su papá lo permite. 3. Él debe explicar ese asunto. 4. Victoria baila bien. 5. Yo escribo las invitaciones.

C. Traduzca Vd. al español.

1. Were the oranges on the table when you came in? 2. We met some friends of ours at the concert yesterday. 3. In spite of the fact that the suitcase was new, I lost it when I went to Mexico. 4. How was the girl you took to the dance last week? 5. Irene wrote me a letter telling me that they wanted to visit us, but couldn't. 6. He knew that they were cheating him, but he refused to do anything to change the situation. 7. When we were children, we used to go to visit the old lady who had the candy shop. 8. The boys played four games of baseball and lost two. 9. Martha got a letter from Ann the other day. 10. Did she already know the truth or did she find it out now?

Matar

encarcelar

LECCIÓN

2

FUTURO Y CONDICIONAL

El futuro de los verbos regulares es:

INFINITIVO	TERMINACIÓN
llevar meter dividir	é, ás, á, emos, éis, án

El condicional de los verbos regulares es:

INFINITIVO	TERMINACIÓN
llevar meter dividir	ía, ías, ía, íamos, íais, ían

Los siguientes verbos comunes tienen una raíz irregular en el futuro y en el condicional.

INFINITIVO	RAÍZ	TERMINACIONES
caber	cabr–	
decir	dir–	
haber	habr–	é, ás, á, emos, éis, án
hacer	har–	
poder	podr–	ía, ías, ía, íamos, íais, ían
poner	pondr–	

80

querer	querr–	
saber	sabr–	é, ás, á, emos, éis, án
salir	saldr–	
tener	tendr–	
valer	valdr–	ía, ías, ía, íamos, íais, ían
venir	vendr–	

Se usa la misma raíz en el futuro y en el condicional. Las terminaciones son idénticas para todas las conjugaciones.

DIÁLOGO

RAMÓN: Hola, Antonio, ¿ has oído lo de Alberto?

ANTONIO: Pues no, hombre.   ¿ Qué le pasó?

RAMÓN: ¡ La suerte que tiene ese tipo! Su padre va a regalarle un auto nuevo cuando termine el bachillerato.

ANTONIO: Pero él no se graduará hasta el mes entrante.

RAMÓN: ¡ Claro! Hoy escogen el auto, y su padre se lo entregará el día en que se gradúe.

ANTONIO: Me gustaría estar en su lugar.

RAMÓN: Yo preferiría más bien un viaje a Europa. Uno siempre puede comprarse un auto.

ANTONIO: ¿ Sabes lo que yo desearía?

RAMÓN: ¡ No! ¿ Qué querrías?

ANTONIO: Poder graduarme este año como tú y Alberto, porque todavía me quedan unos años más de estudio.

EJERCICIOS MODELO

a / Reemplazo de construcción

1. La veo pasado mañana.

               La veré pasado mañana.

2. Nos lo presentan mañana.

3. Escribimos la tarea esta tarde.

4. Comen allá esta noche.

5. ¿ Lo arreglan Vds. esta semana?

b / Sustitución de número y de persona

1. Yo no permitiría tal cosa.
2. Vd. _____.
3. Ellos _____.
4. Tú _____.
5. Nosotros _____.
6. Vosotros _____.

c / Reemplazo de construcción

1. Saldrá mañana.
                    Va a salir mañana.
2. Nos regalarán un auto. *Vamos a regalar un auto,*
3. ¿Me harás el trabajo? *Voy a hac el*
4. Te dejaré esos libros.
5. Las echaremos al correo. *vamos echarlas*

verb into conditional

d / Sustitución de un elemento variable

1. No se graduará hasta el mes entrante.
2. _____ la semana próxima.
3. _____ el año que viene.
4. _____ junio.
5. _____ pasado mañana.

e / Respuesta sugerida

verb into conditional

1. ¿Qué les escribió su hijo? (venir)
                    Nos escribió que vendría hoy.
2. ¿Qué les escribió su hijo? (llegar)
3. ¿Qué les escribió su hijo? (telefonear) *saldría*
4. ¿Qué les escribió su hijo? (salir) *Saldría*
5. ¿Qué les escribió su hijo? (hacerlo) *lo haría*

EJERCICIO MODELO EXTENSO (I)

En las frases que siguen, cambie Vd. el verbo en cursiva:

a / al futuro

1. ¿Se *levanta* Vd. temprano?
                    ¿Se levantará Vd. temprano?
2. No *pueden* asistir a la conferencia.
   por

3. *Salgo* para el cine a las ocho.   *Saldré*
4. ¿ Nos lo *permiten* Vds.?   *permitirán*

5. Le *decimos* sólo lo necesario.   *diremos*
6. ¿ *Queréis* saber la verdad?   *querréis*
7. Luis *tiene* los billetes.   *tendrá*
8. Este profesor *exige* mucho.   *exigirá*

9. ¿ *Aprendes* esas reglas?   *aprenderá*
10. Papá se lo *prohibe*.   *prohibirá*
11. Rita *pretende* ignorarlo.   *pretenderá*
12. ¿ *Cobran* mucho por el trabajo?   *cobrarán*

b / al condicional

13. Lo *hago* con mucho gusto.
                    Lo haría con mucho gusto.
14. Los dos *quieren* cambiarlo.   *querrían*
15. El gerente *es* muy severo.   *sería*
16. Pablo y Miguel no se *ponen* de acuerdo.   *pondrían*
17. ¿ Se lo *dices* tú?   *dirías*
18. *Preferimos* olvidarlo.   *preferiríamos*
19. ¿ No *evita* Vd. tales disgustos?   *evitaría*
20. Yo las *ignoro*.   *ignoraría*
21. ¿ *Vais* a la fiesta?   *irían*
22. Nunca *discuten* la política con él.   *discutirían*
23. Yo se lo *traigo*.   *traería*
24. Olga lo *continúa*.   *continuaría*

Cambie Vd. las oraciones que siguen, según el modelo sugerido.

25. Probablemente *vienen* hoy.
                    Vendrán hoy.
26. Probablemente *está* muy contenta.   *estará. Fut.*
27. Probablemente lo *aceptas*.   *aceptarán*
28. Probablemente la *hacemos* pronto.   *haremos*

29. Debe tener unos veinte años.
                    Tendrá unos veinte años.
30. Deben regresar para las fiestas.   *regresarán*
31. Debo devolvértelo dentro de unos días.   *do veré*
32. Debéis tener un recibo.   *tendréis*

33. Probablemente tenía un resfriado.
         Tendría un resfriado.
34. Probablemente eran las tres y pico.
35. Probablemente no iba allí.
36. Probablemente estabas nerviosa.

Nótese que el futuro y el condicional denotan una acción futura
(1–24). Además el futuro se usa para expresar probabilidad en el
presente (25–32), y el condicional para expresarla en el pasado
(33–36).

Estudie y compare

1. (a) Diego dice que lo hará.
   (b) Diego dijo que lo haría.
2. (a) Marta e Inés nos escriben que vendrán.
   (b) Marta e Inés nos escribieron que vendrían.
3. (a) Les prometo que llegaré a tiempo.
   (b) Les prometí que llegaría a tiempo.

Aunque el futuro y el condicional expresan lo que sucederá en
lo venidero, el condicional siempre indica el futuro con relación
al pasado.

« IR A » PARA EXPRESAR ACCIÓN FUTURA

EJERCICIO MODELO EXTENSO (II)

En este ejercicio sustituya Vd.:

a / la frase en cursiva por el futuro

1. *Vamos a encontrarlos* en el restaurante.
         Los encontraremos en el restaurante.
2. ¿ *Vas a cambiarlos* ?
3. El decano *va a prohibirlo.*
4. Los estudiantes *van a aprender* los verbos.
5. *Voy a llamarla* inmediatamente.
6. Al recibirlo, *van a avisarme.*
7. ¿ Quién *va a corregirlos* ?
8. ¿ Cuándo *vais a agradecerle* ?

b / la frase en cursiva por el condicional

9. ¿Ibas a decírmelo?

                ¿Me lo dirías?

10. *Íbamos a venderlos* mañana. *venderíamos*

11. Dijo que *iba a tenerla* para hoy. *tendría*

12. Nos escribió que no *iba a asistir.* *asistiría*

13. Le prometí que no *iba a preguntarle* nada. *preguntaría*

14. Dijeron que *iban a saberlo.* *sabrían dir*

15. ¿Quién *iba a adivinarlo?* *adivinaría*

16. Nunca *iba a imaginarse* que fue él. *imaginaría*

Obsérvese que la noción de lo futuro está incluída en el modismo **ir a** *to be going to* (1–16). Cuando se usa en el presente corresponde al futuro (1–8), y en el imperfecto, al condicional (9–16).

NEGACIÓN

La negación puede indicarse por:

ADVERBIOS:	no, tampoco, nunca, jamás, nada
PRONOMBRES:	nadie, nada, ninguno, ninguna
ADJETIVOS:	ninguno (ningún), –a, –os, –as
CONJUNCIÓN:	ni

DIÁLOGO

DON DIEGO: Haga Vd. el favor de decirme si hay un vuelo para Cali mañana por la mañana.

EMPLEADO: No hay vuelo por la mañana, señor. El único vuelo es a la una y quince.

DON DIEGO: ¿No tienen ningún avión que salga antes de la una?

EMPLEADO: Pasado mañana hay dos — uno a las ocho y otro a las diez y media.

DON DIEGO: Bueno, quiero un pasaje en el que sale mañana.

EMPLEADO: Lo siento mucho, señor, pero no hay plaza libre en el de la tarde.

DON DIEGO: ¿Y en el de las ocho pasado mañana?

EMPLEADO: Tampoco.

DON DIEGO: ¿Ni aun en primera clase?

EMPLEADO: No tenemos nada, ni en el vuelo de mañana, ni en el de pasado mañana. Si quiere, puedo hacerle una reserva en el vuelo de las diez y media.

DON DIEGO: No hay otro remedio. Hágamela Vd. en clase turista.

EJERCICIOS MODELO

a / Reemplazo de construcción

1. Hay plaza.
                              No hay plaza.
2. Tengo mucho tiempo.
3. Llegarán el viernes.
4. Prometimos pagarlo.
5. Lo aprendió rápidamente.
6. Podrán ayudarlos.

b / Sustitución de un elemento variable

1. Haga Vd. el favor de explicarme la frase.
2. _____ corregirlos.
3. _____ hacerle el trabajo.
4. _____ ponerla en la mesa.
5. _____ suprimirlo.

c / Adición fija

1. No tiene paciencia.
                              No tiene ninguna paciencia.
2. No compran otra marca.
3. No les faltaba cortesía.
4. No beben leche.

5. No muestra cariño.
                              No muestra ningún cariño.
6. No le tenían amor.
7. No les dimos trabajo.
8. No había otro modo.

d / Respuesta sugerida

1. ¿ Entiende Vd. a Inés o a Ricardo?
                              No entiendo ni a Inés ni a Ricardo.

2. ¿ Prefiere Vd. la col o la coliflor?
3. ¿ Sale Vd. el lunes o el jueves?
4. ¿ Toma Vd. el café o el té?
5. ¿ Viaja Vd. por tren o por auto?

EJERCICIO MODELO EXTENSO (III)

Repita Vd. las frases que siguen en la forma negativa.

1. Tienen bastante tiempo.
                    No tienen bastante tiempo.
2. Se portaron bien.
3. Te sirvió inmediatamente.
4. Lo oímos todo.

5. Luis repite los verbos.
                    Luis no repite los verbos.
6. La orquesta tocó un vals.
7. La clase prestó atención.
8. El empleado le hizo una reserva.

9. Los campesinos estaban cansados.
10. Mis padres volvieron ayer.
11. La secretaria escribirá las cartas.
12. Nuestros compañeros nos reconocieron.

13. ¿ Lo recitas tú?
                    ¿ No lo recitas tú?
14. ¿ Va Vd. a preparármelo?
15. ¿ Lo reconoció Miguel?
16. ¿ Recibieron sus padres el regalo?

17. ¿ Telefonearon sus hijos?
18. ¿ Publicó Gregorio otro libro?
19. ¿ Lo sabían Vds.?
20. ¿ Vamos a hacerlo nosotros?

21. ¿ Por qué lo hiciste?
                    ¿ Por qué no lo hiciste?
22. ¿ Cuál le gusta?
23. ¿ Cuándo les hablamos?
24. ¿ Por qué te lo dijeron?

Para hacer negativa una frase afirmativa se usa el adverbio **no** (1–24). **No** suele anteponerse a toda la frase (1–4) menos el sujeto expresado (5–12). Precede a la pregunta completa (13–20), excepto cuando ésta sea introducida por una expresión interrogativa (21–24).

Cambie Vd. las oraciones que siguen, según el modelo sugerido.

25. No tengo nada.
Nada tengo.
26. No lo veremos nunca.
27. No se lo prometió nadie.
28. No olvidaron nada.

29. No asistió ninguno de sus colegas.
30. No necesitas ninguna ayuda.
31. No iré tampoco.
32. No lo halló en ninguna parte.

33. No creerían eso jamás.
34. No conocía a nadie.
35. No lo merece ninguna persona.
36. No escogió ni éste ni ése.

Nótese que cuando las otras negaciones siguen al verbo, **no** lo precede. Cuando las otras negaciones preceden al verbo, se suprime el **no** (25–36).

Estudie y compare

1. (a) La ama mucho.
   (b) La ama más que nunca.
2. (a) El agua es buena para satisfacer la sed.
   (b) El agua es mejor que nada para satisfacer la sed.
3. (a) Lucila le parecía encantadora.
   (b) Lucila le parecía más encantadora que nadie.
4. (a) Le importa mucho.
   (b) Le importa más que a ninguno de sus compañeros.

Las sobredichas negaciones se usan en comparaciones en vez de la forma afirmativa usada en inglés.[1]

_____

[1] Estas negaciones se usan también después de expresiones impersonales de sentido negativo: **es imposible hacer nada; se fue sin ver a nadie; era inútil ofrecerle ninguna ayuda.**

ADVERBIOS QUE TERMINAN EN «MENTE»

EJERCICIO MODELO EXTENSO (IV)

En este ejercicio cambie Vd. el adjetivo en cursiva en adverbio. Al mismo tiempo forme Vd. una frase nueva empleando el verbo entre paréntesis.

1. Concha es *divina*. (baila)
   Concha baila divinamente.
2. La criada es *perfecta*. (sirve)
3. La profesora era *sincera*. (hablaba)
4. Mi tía era muy *concisa*. (escribía)

5. Su abuelo debe ser *orgulloso*. (se porta)
6. Ese mecánico será *industrioso*. (trabajará)
7. El médico era muy *franco*. (lo discutió)
8. El abogado parecía muy *objetivo*. (lo explicó)

9. Margarita era *amable*. (charlaba)
   Margarita charlaba amablemente.
10. Clara es *elegante*. (se viste)
11. El niño era *inocente*. (lo hizo)
12. El viejo debe ser *cortés*. (me recibió)

Junte Vd. las oraciones que siguen, según el modelo sugerido.

13. Patricia habló rápidamente. Habló claramente.
    Patricia habló rápida y claramente.
14. Lo aprobaron individualmente. Lo aprobaron colectivamente.
15. Frecuentábamos aquel lugar regularmente. Frecuentábamos aquel lugar abiertamente.
16. Pedro hizo el trabajo lentamente. Hizo el trabajo diestramente.
17. Explicó la teoría sencillamente. Explicó la teoría correctamente.
18. Tú lo presentaste fácilmente. Tú lo presentaste competentemente.

Se forman estos adverbios añadiendo **mente** al adjetivo singular femenino (1–8). Si el adjetivo no tiene una forma femenina distinta a la masculina, se añade **mente** a la forma singular del adjetivo (9–12). Cuando se usan dos o más adverbios que terminan en **mente,** sólo el último lleva esta terminación (13–18).

APUNTES CULTURALES

El Greco

E NTRE los nombres de los grandes artistas españoles, y aun
del mundo, figura prominentemente el de Domenicos
Theotocópoulos, popularmente conocido como El Greco.
Como se notará por el apellido y el apodo, no nació el artista en
5   España. Nació en la isla de Creta.[1] No se sabe mucho de sus
primeros años. De joven fue a Italia donde dicen que fue alumno
de Tiziano y que conoció a Miguel Ángel. Allá para el año 1577
se trasladó a España, estableciéndose por fin en Toledo donde
murió en 1614.
10   No hay muchos datos disponibles sobre la vida personal del
artista. Lo poco que sabemos lo sacamos de cartas de sus con-
temporáneos, o lo deducimos del testamento que dejó. No obstante, leyendo entre líneas los documentos que nos quedan,
sabemos que el gran pintor español era un hombre muy apasio-
15   nado, de temperamento independiente, de genio chistoso y de gus-
tos lujosos. Insistía en la dignidad del arte, pidiendo que no se
pusiesen impuestos sobre las obras artísticas. Con frecuencia se
hallaba envuelto en disputas con la Inquisición sobre detalles de
poca monta en sus cuadros, como, por ejemplo, la longitud de las
20   alas de los ángeles. A pesar de que ganaba mucho dinero por sus
obras, casi siempre estaba abrumado de deudas, por haberlo
gastado todo en cosas de lujo. Vivía con su mujer y su hijo en un
palacio del Marqués de Villena en Toledo. Allí gozaba de una
buena biblioteca particular que contenía las obras de los clásicos
25   griegos y latinos. Allí también, a la hora de comer, El Greco solía
invitar a músicos para que le divirtiesen con sus piezas mientras
tomaba el alimento.
Si el pintor español no tenía en cuenta el valor de los ducados
que despilfarraba, sí que preciaba en mucho sus obras. En efecto
30   cuentan que no le gustaba discutir los precios de sus cuadros.
Prefería más bien empeñarlos que venderlos, guardándose así el
derecho de recobrarlos cuando le conviniera.

---

[1] Parte de Grecia desde los tiempos remotos.

Estudio inspirado en « El Espolio » de El Greco por Michael Milan.

De ninguna manera refleja esto una noción exagerada del valor
de sus obras por parte de El Greco. Todo lo contrario. Por ejemplo,
unos años después de haberse establecido en Toledo, los canónigos
de la catedral le pidieron un cuadro a Theotocópoulos. Él les
5   pintó el famoso « Espolio », pintura magnífica donde andan unidos
lo griego-italiano y lo español, que hoy día se considera una de
las obras maestras de la pintura universal. Al presentarla el
artista a los canónigos, surgió una disputa sobre el precio del
cuadro. Por fin resolvieron el argumento pidiendo a un grupo de
10 artistas que evaluase la obra. Los artistas se pronunciaron en
favor de El Greco. La historia nos relata que los canónigos pagaron
más por el marco que por la pintura. Hoy día en la sacristía de la
catedral todavía podemos ver el célebre cuadro, pero el marco
ya no existe.
15   El estilo artístico de El Greco, estudiado cronológicamente,
muestra una evolución gradual desde sus primeras obras de
marcada influencia griego-italiana, hasta las últimas — netamente
españolas e intensamente personales. Aunque pintó unos paisajes
sobresalientes como la conocida « Vista de Toledo », y unos
20 retratos magníficos como « El Cardenal Niño de Guevara », predominan en su obra cuadros de aspecto religioso, como « La
Asunción de la Virgen », « El Entierro del Conde Orgaz », « La
Adoración de los Pastores » y « La Visión del Apocalipsis ».
Mirando sus pinturas, uno se da cuenta del uso único del color —
25 color cálido, casi transparente — y del alargamiento de sus figuras.
Sus detractores han atribuído lo de alargar las figuras a una
afectación psicológica del artista, o también a un caso grave de
astigmatismo. Hoy se han refutado estas dos teorías. El pintor de
Creta no trató de representar la naturaleza como es, sino que,
30 motivado por una visión interior, la espiritualizó, dando a su
arte una cualidad mística.

EJERCICIOS SUPLEMENTARIOS

A. En las oraciones que siguen, sustituya Vd. el verbo en
cursiva por la forma correcta de los verbos entre paréntesis.

1. Yo lo *veré* mañana. (tener, recibir, saber, arreglar, leer)
2. Tú y Bernardo los *recibiréis*. (explicar, seguir, querer, vender,
   preparar)

3. Esos señores dijeron que nos lo *exigirían*. (decir, entregar, comprar, guardar, ofrecer)
4. Nosotros no lo *mencionaríamos*. (traer, preferir, buscar, prometer, defender)

(B) Repita Vd. las siguientes frases:

cambiándolas a la forma negativa

1. Luisa llevará esa blusa. 2. Gregorio perdió los billetes. 3. Pensábamos conseguirlo. 4. ¿Puedes mostrármelo? 5. Los padres tienen mucha paciencia.

sustituyendo « no » por « nunca »

1. No lo entendíamos. 2. No iban a pasearse en el parque. 3. Tú no sabrías defenderte. 4. No me despertaría a tal hora. 5. No aceptarán ese plan.

sustituyendo el sustantivo en cursiva por « nadie »

1. *Alonso* lo merecía. 2. No conocimos a *los Sánchez*. 3. A *Elsa* le gustaría el apartamiento. 4. *El gerente* les permitió entrar. 5. No se lo entregará a *Enrique*.

reemplazando el sustantivo en cursiva por « nada »

1. No ganó *el premio*. 2. No le regalaron *un reloj*. 3. *El viento* puede entrar. 4. *La carta* llegó en el correo. 5. No tendrá *el dinero*.

(C) Traduzca Vd. al español.

1. Did they know him professionally or personally? 2. Martin never criticized his work or his colleagues. 3. What could they be doing at such an hour? 4. His secretary probably understands him better than anyone. 5. Do you know if Mr. and Mrs. Pérez were going to leave immediately? 6. It is impossible to do anything without offending them. 7. Here is the paper that you said you would need. 8. If they go, I shall remain at home. 9. He thinks that Rose will probably leave for Rome next week. 10. Did you believe it when he said that he would not take Mary but Joan? 11. She not only said that she would do it, but she did it. 12. We did not promise that we would try to arrive that week.

PARTICIPIO PASADO

El participio pasado de los verbos regulares se forma agregando
ado a la raíz de los verbos de la primera conjugación, e **ido** a la
raíz de los verbos de la segunda y tercera conjugación.[1]

INFINITIVO	RAÍZ	TERMINACIÓN
llevar	llev	ado
meter	met	ido
dividir	divid	ido

DIÁLOGO

MARCOS: ¡ Por fin ! Tengo acabado este proyecto.

JULIO: ¿ Cuál ? ¿ El de la nueva fábrica para la compañía Pérez
e Hijos ?

MARCOS: ¡ Precisamente !

JULIO: Le costó bastante trabajo.

---

[1] Entre los verbos comunes que tienen un participio pasado irregular se
encuentran: **abrir, abierto; decir, dicho; escribir, escrito; hacer, hecho;
morir, muerto; poner, puesto; romper, roto; ver, visto; y volver, vuelto.**

MARCOS: ¡ Eso sí ! Mas lo peor es que mi mujer está enojada conmigo.

JULIO: Pero no entiendo por qué ella anda tan airada con Vd.

MARCOS: Pues, cada noche, después de acostados los niños, en vez de charlar con ella me ponía a trabajar.

JULIO: Entonces ella tiene razón. Pero, ¿ seguramente sabrá que un proyecto urgente exige mucho tiempo?

MARCOS: Sí, pero no le gusta, y yo tenía que prometerle . . .

JULIO: ¿ Qué? ¿ Un nuevo abrigo de piel?

MARCOS: No — sólo que terminado este trabajo, no aceptaría otro urgente.

EJERCICIOS MODELO

a / Sustitución de un elemento variable

1. Le costó bastante trabajo.
2. Me ——————————.
3. Te ——————————.
4. Nos ——————————.
5. Les ——————————.
6. Os ——————————.

b / Respuesta sugerida

1. ¿ Cuándo lo averiguó?
   Después de firmado el contrato, lo averiguó.
2. ¿ Cuándo lo supieron?
3. ¿ Cuándo se lo dieron?
4. ¿ Cuándo le avisaste?
5. ¿ Cuándo los pagó?

c / Respuesta sugerida

1. ¿ Cómo anda Catalina? (preocupado)
   Catalina anda preocupada.
2. ¿ Cómo llegaron los niños? (cansado)
3. ¿ Cómo estaban las tazas? (roto)
4. ¿ Cómo sigue tu tío? (interesado)
5. ¿ Cómo se quedaron los estudiantes? (enojado)

d / Sustitución de un elemento variable

1. Siguen un método avanzado.
2. _____ un sistema _____.
3. _____ un programa _____.
4. _____ una estrategia _____.
5. _____ una técnica _____.
6. _____ una norma _____.

EJERCICIO MODELO EXTENSO (I)

Agregue Vd. el participio pasado entre paréntesis a las oraciones que siguen, según el modelo presentado.

1. (aprobado) Recibí el plan.
                    Recibí el plan aprobado.
2. (roto) Se deshizo del bolígrafo.
3. (perdido) Hallamos al niño.
4. (complicado) Nos presentó ese concepto.

5. (dotada) ¿ Conoces a esa pianista?
6. (abierta) El ladrón entró por la ventana.
7. (marcada) Existe una diferencia.
8. (divertida) Asistimos a una comedia.
9. (sagrados) Visité muchos lugares.
10. (invitados) Aquí tienes a los señores.
11. (complicados) El profesor nos dio unos problemas.
12. (impresos) Recibieron los poemas.

13. (mencionadas) ¿ Conocéis a las profesoras?
14. (elevadas) Tenía unas ideas.
15. (empleadas) Nos explicaron las técnicas.
16. (aburridas) Dictó dos conferencias.

Cambie Vd. las frases que siguen según el modelo sugerido.

17. El estudiante invitado llegó temprano.
                    El invitado llegó temprano.
18. El soldado herido murió.
19. La persona equivocada fue Vd.
20. La mujer casada tiene ese derecho.
21. Los pueblos conquistados sufren.

22. Los libros encuadernados valen más.
23. Las señoras respetadas eran tus tías.
24. Las blusas importadas parecen elegantes.

Reemplace Vd. la frase en cursiva por el participio pasado del verbo.

25. *Después de que* los niños *se acostaron*, jugamos al bridge.
    Acostados los niños, jugamos al bridge.
26. *Cuando terminó* la clase, fuimos a casa.
27. *Después de haber escrito* todo eso, Pepe tenía dolor de cabeza.
28. *Luego que se aprobó* el plan, firmaron el contrato.

29. *Una vez que se determinó* la técnica, empezaron el trabajo.
30. *Luego que se compraron* los billetes, entramos en el teatro.
31. *Después de que se proclamó* eso, el pueblo se rebeló.
32. *Cuando se habían facturado* las maletas, subimos al tren.

El participio pasado puede emplearse como adjetivo (1–24). Usado así, tiene el mismo número y género que el sustantivo que modifica (1–16). Al igual que el adjetivo, se usa como nombre (17–24). Con frecuencia, se emplea el participio pasado para denotar tiempo o manera (25–32). No olvide Vd. que en esta construcción el participio concuerda con el sustantivo que lo sigue.

Conteste Vd. a estas preguntas, usando en su respuesta el participio entre paréntesis.

33. ¿Cómo van los niños a su clase? (preocupado)
    Van preocupados a su clase.
34. ¿Cómo vino papá del trabajo? (cansado)
35. ¿Cómo se quedaron tus tías? (airadas)
36. ¿Cómo regresó Hernán de la entrevista? (satisfecho)

37. ¿Cómo estaba la mesa? (puesta)
    Estaba puesta.
38. ¿Cómo lo tenían? (acabado)
39. ¿Cómo los encontraron? (debilitado)
40. ¿Cómo la halló? (lavado)

Se usa el participio pasado con verbos que indican movimiento como **andar, ir, llegar, seguir, venir,** etc., y con **encontrar, estar, quedarse,** etc., para denotar una condición (33–40).

TIEMPOS COMPUESTOS

En español los tiempos compuestos se forman con **haber** y el participio pasado.[1]

HABER	+	PARTICIPIO PASADO	=	TIEMPO COMPUESTO
Presente				*Pretérito perf.*
he, has, ha, hemos, habéis, han		llevado		he llevado
Imperfecto				*Pluscuamperfecto*
había, habías, había, etc.		llevado		había llevado
Futuro				*Futuro perf.*
habré, habrás, habrá, etc.		llevado		habré llevado
Condicional				*Condicional perf.*
habría, habrías, habría, etc.		llevado		habría llevado

DIÁLOGO

MADRE: Guillermo, ¿ dónde está tu papá?

GUILLERMO: Ha salido para un asunto.

MADRE: ¡ Tan temprano ! Pero todavía no ha desayunado. ¿ Sabes dónde ha ido?

GUILLERMO: Al garaje, creo. Dijo que hacía un ruido extraño el motor del auto.

MADRE: ¡ No me digas ! El mismo día que yo lo necesito.

GUILLERMO: Si no tienes mucho que hacer, puedes tomar un taxi.

MADRE: Es que he de presidir la reunión del Club Cívico esta tarde y quería ir al salón de belleza primero.

GUILLERMO: En una familia como la nuestra, mamá, hay que tener otro coche.

MADRE: Eso no me ayudaría nada porque tú lo tendrías siempre.

GUILLERMO: (*mirando por la ventana*) Pues, no te perturbes, mamá. Papá acaba de regresar.

[1] El pretérito anterior, formado con el pretérito de **haber** y el participio pasado (p. ej.: **hube llevado**), no se usa mucho hoy día. En su lugar se suele emplear el pretérito.

MADRE: ¿Habrá arreglado el coche?

GUILLERMO: Parece que no, porque trae cara de pocos amigos.

MADRE: Entonces no tendré más remedio que tomar un taxi, o mejor dicho, dos: uno para ir al salón de belleza, y después otro para ir al Club Cívico.

EJERCICIOS MODELO

a / Reemplazo de construcción

1. Siempre lavo los platos.
   Siempre he lavado los platos.
2. Me arregla el coche.
3. Vienes temprano.
4. Leemos el periódico.
5. Echan las cartas al correo.
6. Discutís el contrato.

b / Sustitución de un elemento variable

1. Vds. acaban de verlos.
2. _____ considerarla.
3. _____ recibir el dinero.
4. _____ avisarnos.
5. _____ elegirle.

c / Respuesta sugerida

1. ¿Qué había en la sala? (un escritorio)
   Había un escritorio en la sala.
2. ¿Qué había en el plato? (encurtidos)
3. ¿Qué había en la cesta? (manzanas)
4. ¿Qué había en el paquete? (dulces)
5. ¿Qué había en el sobre? (un cheque)
6. ¿Qué había en la vitrina? (unos anillos)

d / Respuesta sugerida

1. ¿Quién lo hará? (Marta)
   Marta ha de hacerlo.
2. ¿Quién corta el árbol? (Pedro y Jorge)
3. ¿Quién presenta al presidente? (yo)

4. ¿ Quién lo decidirá? (Irene y yo)
5. ¿ Quién los escoge? (los profesores)
6. ¿ Quién abrirá la oficina? (tú)

e / Reemplazo de construcción

1. Tengo que estudiar mucho.
   Hay que estudiar mucho.
2. Debemos iniciarlo.
3. Vds. tienen que escribir los recibos.
4. Debe preparar sus clases.
5. Tenéis que dividirlo igualmente.

EJERCICIO MODELO EXTENSO (II)

Repita Vd. las frases que siguen, cambiando el verbo en cursiva:

a / al pretérito perfecto

1. Tu papá no *viene*.
   Tu papá no ha venido.
2. Raúl y León lo *dicen*. *han dicho*
3. El capitán *escribe* la orden. *ha escrito*
4. El pobre *pide* limosnas. *ha pedido*
5. Los soldados *atacan* la fortaleza. *han atacado*
6. ¿ No te *sirves*? *has servido*
7. Vds. lo *deciden*. *han decidido*
8. Yo la *veo* con frecuencia. *he visto*
9. La *haremos* hoy. *hemos hecho*
10. Los jefes lo *discuten* esta semana. *han discutido*
11. ¿ Se *va* Pepe esta tarde? *ha ido*
12. Tula *sufre* mucho estos días. *han sufrido*

b / al pluscuamperfecto

13. *Prometieron* asistir al concierto.
    Habían prometido asistir al concierto.
14. *Salimos* antes de las ocho. *habían salido*
15. ¿ *Oyó* Vd. lo del argumento? *hubiera oído*
16. Cristóbal lo *puso* en su caja. *lo había puesto*
17. Los niños se *ensuciaron*. *habían ensuciado*
18. Paco me *tiró* del pelo. *había tirado*

19. No *quisiste* hacer nada. *habías quedado*
20. Yo *traje* el helado. *habría traído*

c / al futuro perfecto

21. *Aprenderán* lo ocurrido.
Habrán aprendido lo ocurrido.
22. *Hará* frío en las montañas. *Habrá – hecho*
23. *Llegaré* allá mañana. *habrán llegado*
24. *Saldrán* para Londres pasado mañana.
habrán salido
25. Tú *recibirás* una noticia importante. *habrás recibido*
26. *Volveremos* el miércoles. *habremos vuelto*
27. Se *enojará* con Vds. *habrá enojado*
28. *Abrirán* la puerta a las siete.
habrán abierto

d / al condicional perfecto

29. *Sería* mejor evitarlo.
Habría sido mejor evitarlo.
30. No *podríamos* ayudarle.
31. Me *haría* falta más dinero.
32. ¿ Qué *pensarías* de nosotros?

33. María *estaría* en la cocina.
34. *Sería* imposible visitarlos.
35. Yo lo *discutiría* con mis padres. *habría discutido*
36. Nos *importaría* mucho. *habría importado*

En español los tiempos compuestos se usan generalmente como en inglés (1–36). El pretérito perfecto indica también una acción que ocurrió en tiempo no completamente pasado (9–12). En los tiempos compuestos nunca se separa el participio pasado del verbo auxiliar **haber** (1–36). El participio, conjugado con **haber,** es invariable (1–36). Aunque **haber** significa *have* en inglés, *nunca* denota posesión.

Estudie y compare

1. (a) Vengo del teatro.
   (b) He venido del teatro.
   (c) Acabo de venir del teatro. (*en este momento*)
2. (a) Le pide dinero.
   (b) Le ha pedido dinero.
   (c) Acaba de pedirle dinero. (*en este momento*)

3. (a) Decidían el asunto.
   (b) Habían decidido el asunto.
   (c) Acababan de decidir el asunto. (*en ese momento*)
4. (a) Les ofrecimos nuestra ayuda.
   (b) Les habíamos ofrecido nuestra ayuda.
   (c) Acabábamos de ofrecerles nuestra ayuda. (*en ese momento*)

Nótese que la acción expresada por **acabar de** es más inmediata que la indicada en los tiempos compuestos. Esto se expresa en la traducción inglesa por la palabra *just*. Así que, **he venido del teatro** se traduce *I have come from the theater*, mientras que **acabo de venir del teatro** se traduce *I have just come from the theater*.

USOS IDIOMÁTICOS DE «HABER»

EJERCICIO MODELO EXTENSO (III)

En estas oraciones, sustituya Vd. la frase en cursiva por **hay que**.

1. *Es necesario* tener cuidado.
                    Hay que tener cuidado.
2. *Es necesario* ser puntual.
3. *Es necesario* prestar atención al profesor.
4. *Es necesario* considerarlo bien.

5. *Uno debe* evitar tal situación.
6. *Uno debe* portarse bien.
7. *Uno debe* cumplir con su deber.
8. *Uno debe* tenerlo en cuenta.

9. *Es importante* ayudar al prójimo.
10. *Es importante* devolver lo que se ha pedido prestado.
11. *Es importante* averiguar la verdad.
12. *Es importante* descansar de vez en cuando.

Conteste Vd. a las preguntas que siguen, según el modelo sugerido.

13. ¿ Lleva Elisa el almuerzo? (Laura)
                    No, Laura ha de llevar el almuerzo.
14. ¿ Lo aprobará el profesor Prieto? (el comité)
15. ¿ Pone Marta la mesa? (yo)
16. ¿ Se lo dirá Jaime? (tú)

17. ¿ Dicta el señor Rojas esa clase? (el señor Moreno)
18. ¿ Se la pedirá Vd.? (nosotros)
19. ¿ Determinarán los empleados la técnica? (el jefe)
20. ¿ Traen los jóvenes los discos? (Victoria)

21. ¿ Llegaron los jóvenes?
        No lo sé, pero habían de llegar.
22. ¿ Lo limpió Lupe?
23. ¿ Se lo prestó Paco?
24. ¿ La cubrieron los criados?

Cambie Vd. las frases que siguen, según el modelo presentado.

25. Los libros están en el estante.
        Hay unos libros en el estante.
26. El joven está en la sala de espera.
27. El cheque está en el sobre.
28. Los platos están en el chinero.

29. Los hombres estaban en el salón.
        Había unos hombres en el salón.
30. El restaurante estaba a la derecha.
31. Las verduras estaban en la nevera.
32. La luz estaba colgada del techo.

33. Los documentos estarán en el escritorio.
        Habrá unos documentos en el escritorio.
34. Los collares estarán en la caja.
35. La iglesia estará en aquella calle.
36. El café estará a la izquierda.

Obsérvese que **haber** tiene varios usos idiomáticos. Entre los modismos más comunes de **haber** se notan **hay que** (1–12), **haber de** (13–24) y **hay** (25–36). **Hay que,** siempre impersonal, expresa necesidad u obligación (1–12). Se traduce por *one must, it is important, it is necessary,* y semejantes expresiones. **Haber de,** traducido *to be (supposed) to,* denota una obligación ligera y acción futura (13–24). **Hay,** *there is* o *there are,* también se usa como verbo impersonal (25–28). Note Vd. que en los otros tiempos usamos la tercera persona del singular de **haber** (29–36). Este modismo siempre se usa en singular aun cuando le siga un nombre en plural. Nunca indica una localidad específica como **allí, ahí** o **allá.**

APUNTES CULTURALES

Dos caras de la misma moneda

TODO el mundo ha oído hablar de la famosa novela española *El Ingenioso Hidalgo Don Quijote de la Mancha*. Y aun los que no la han leído saben que trata de un viejo idealista que, acompañado de su escudero muy realista — Sancho
5 Panza — sale para luchar contra molinos de viento. Mas es ésta una descripción muy superficial de una obra que perdura hoy día como un monumento a la fe y al optimismo del hombre.

Su autor, Miguel de Cervantes Saavedra, publicó la primera parte de esta obra maestra de la literatura universal cuando ya
10 había cumplido cincuenta y ocho años — años que no habían sido otra cosa que una serie de frustraciones, desgracias y fracasos, tanto personales como profesionales. Cervantes intentó alcanzar la fama por medio de la carrera militar. Herido en la batalla de Lepanto, perdió el uso de un brazo y ganó el apodo de El Manco
15 de Lepanto. Cerrado el camino militar a la gloria, acudió a la literatura. Ni las poesías ni las comedias que compuso lograron otorgarle la fama que anhelaba. Para colmo de todos estos infortunios, fue encarcelado por unas irregularidades en sus cuentas.

Dicen que mientras estaba en la cárcel, empezó a escribir *El*
20 *Quijote*. Al principio no lo concibió como una novela larga, sino como una pequeña historia que requeriría sólo unas dos horas de lectura. Pero por una alquimia misteriosa el héroe se posesionó de su creador, y Cervantes no pudo abandonar la pluma hasta haber acompañado a su caballero en una peregrinación fantástica a
25 través de España.

Nuestro héroe, Alonso Quijano, cuya apariencia física refleja una marcada semejanza con la de Cervantes — « Frisaba la edad de nuestro hidalgo con los cincuenta años; era de complexión recia, seco de carnes, enjuto de rostro, gran madrugador y amigo
30 de la caza, »[1] — había leído tantas novelas de caballerías que acabó por perder el juicio. Así resolvió, « . . . para el aumento de

[1] Miguel de Cervantes Saavedra, *El Ingenioso Hidalgo Don Quijote de la Mancha* (Séptima edición; Buenos Aires: Espasa-Calpe, 1945), I, pág. 19.

Talk to GOD —
he knows
might know

su honra como para el servicio de la república, hacerse caballero
andante. . . . »[1] Después de larga reflexión, determinó cambiar
su nombre y escogió el de don Quijote de la Mancha. Luego con-
venció a un campesino regordete, Sancho Panza, para que fuese su
escudero, y montado en su caballo — un rocín al cual puso el
nombre de Rocinante — don Quijote salió para deshacer toda
clase de agravios.

¡ Qué peregrinación tan regocijada, absurda y, a la vez, sublime! En su primera salida nuestro hidalgo se hace armar caballero
por un pobre ventero. Con su fiel escudero a su lado, entre otras
hazañas, acomete molinos de viento, creyéndolos temibles gigantes;
le quita la bacía a un barbero, tomándola por el mágico yelmo de
Mambrino; ataca una manada de carneros, creyéndolos soldados
enemigos; y pone en libertad a unos criminales encadenados.

No obstante lo más sabroso del libro son las discusiones entre
amo y escudero. Don Quijote defiende en lengua sonora y grandilocuente las glorias de la caballería andante, mientras Sancho le
contesta en la lengua llana del villano práctico. En estas dis-
quisiciones percibimos la interacción de los dos protagonistas —
lo idealista de don Quijote con lo realista de Sancho. A medida
que esta interacción hace más profundas sus personalidades, van
cambiando sus papeles respectivos hasta que al fin del libro don
Quijote, ya en sus cabales, es el realista, y Sancho el idealista.

Sin embargo, esta obra ofrece mucho más que una mera diversión. Cervantes presenta un problema fundamental aquí —
¿ Qué es la realidad? Después de todo si yo miro un objeto y lo
declaro gigante, y otro lo mira y dice que es un molino de viento,
¿ quién puede atreverse a mantener que yo no veo lo que mis
ojos presencian? ¿ Quién ha de determinar cuál de los dos tiene
razón? ¿ Por qué no puede una tercera persona mirar el mismo
objeto y declararlo un pájaro? Aunque nuestro autor se vale de
lo gracioso en la presentación de este problema, no le quita nada
de su seriedad intrínseca. Su solución — que todo es relativo — es
la única admisible.

¿ Y qué simboliza esta pareja inolvidable? ¿ La diferencia entre
la clase alta y la clase baja? ¿ El contraste entre el educado y el
ignorante? ¿ La eterna lucha entre lo práctico y lo utópico? ¿ Pero
es el hombre una unidad absoluta, o es muy complicado — lo ideal
entrelazado con lo real? ¿ Qué son don Quijote y Sancho? ¡ Dos
caras de la misma moneda! ¡ El hombre! ¡ Tú y yo!

[1] Cervantes, *op. cit.*, pág. 20.

EJERCICIOS SUPLEMENTARIOS

A. Sustituya Vd. las palabras en cursiva por las palabras entre paréntesis, haciendo al mismo tiempo el cambio que corresponda en el adjetivo.

1. ¿ Tiene Vd. terminado *el trabajo?* (la asignatura, las copias, los mapas, el análisis)
2. Hallamos abierta *la puerta.* (el banco, las cajas, la botella, los cajones)
3. Me trajo *una blusa* importada. (unos guantes, unas corbatas, un anillo, una cartera)
4. ¡ Qué *conceptos* tan anticuados ! (ideas, punto de vista, mujer, costumbres)

B. Repita Vd. las frases siguientes, cambiando el verbo :

al pretérito perfecto

1. Devolvemos los billetes.
2. Hernán se equivoca.
3. Los oficiales lo prohiben.
4. Tú los escoges.

al pluscuamperfecto

1. En la esquina hay un teatro.
2. Vds. se han disculpado.
3. Concha y yo fuimos al mercado.
4. Andrés lo descubrió.

al futuro perfecto

1. Elegirán al presidente.
2. Hay un telegrama para ti.
3. Ha roto el vaso.
4. Pagaremos sus deudas.

al condicional perfecto

1. Sería imposible aprobarlo.
2. Lola podría avisarnos.
3. Mis hijos no harían tal cosa.
4. Se habrá enojado contigo.

C. Traduzca Vd. al español.

1. Once he had finished the examination, Manuel went home.
(*Use Vd. el participio.*) 2. After the contract was approved and
signed, they received the money. (*Use Vd. el participio.*) 3. I have
seen her many times, but she seemed more beautiful than ever
last night. 4. Regina was to have prepared the meal, but she
forgot it completely. 5. Anne said that she had written to me,
but her letter has not arrived yet. 6. There are two plots in the
play that I have just read. 7. They had just gotten on the train
when they realized that they had left the tickets at home. 8. Irene
is not to come until Thursday when her brother will have re-
turned. 9. Paul and Robert had to prepare a very complicated
problem for their mathematics class. 10. We have just come from
a very boring lecture. 11. Did Sara tell you whether there was a
preferred procedure? 12. After the children were asleep, we could
sit down to watch television.

LECCIÓN

4

« SER » Y « ESTAR »

En español hay dos verbos, **ser** y **estar,** que se usan para expresar el verbo *to be*.

PRESENTE DE INDICATIVO

Ser		*Estar*	
soy	somos	estoy	estamos
eres	sois	estás	estáis
es	son	está	están

IMPERFECTO

era, eras, era, etc.   estaba, estabas, estaba, etc.

PRETÉRITO

fui, fuiste, fue, etc.   estuve, estuviste, estuvo, etc.

FUTURO

seré, serás, será, etc.   estaré, estarás, estará, etc.

CONDICIONAL

sería, serías, sería, etc.   estaría, estarías, estaría, etc.

109

DIÁLOGO

TOMÁS: Dime Enrique, ¿ conoces a esa rubia encantadora?

ENRIQUE: ¿ Cuál? ¿ La que está para entrar en el ascensor?

TOMÁS: ¡ Ésa, sí! Es la más bella que he visto en mi vida.

ENRIQUE: Sí, es María Rosa Campos.

TOMÁS: ¿ Me harás el favor de presentarme a ella?

ENRIQUE: ¡ Absolutamente no!

TOMÁS: ¿ Pero eres mi amigo o no?

ENRIQUE: Sí que soy tu amigo, pero María Rosa es mi novia.

TOMÁS: ¡ Qué mala suerte tengo! Dime, ¿ tiene ella una hermana?

ENRIQUE: Es hija única, no obstante, tiene una prima que está visitándola. Si quieres, puedes acompañarnos al cine esta noche.

TOMÁS: Pero, ¿ cómo es la prima?

ENRIQUE: Igualmente hermosa. Si las dos estuvieran aquí presentes, dirías que eran gemelas.

EJERCICIOS MODELO

a / Reemplazo de construcción

1. Lupe es linda.

                    Lupe era linda.

2. Eres mi amigo.
3. El pobre es viejo.
4. Los dos son abogados.
5. Son republicanos.
6. Las chaquetas son de lana.

b / Respuesta sugerida

1. ¿ Quién está para subir al tren, Luis?

                    Sí, Luis está para subir al tren.

2. ¿ Quién está para hacerlo, los jóvenes?
3. ¿ Quién está para prestarles tanto dinero, Raúl y yo?
4. ¿ Quién está para terminarlo, Inés?
5. ¿ Quién está para salir, Paco y tú?

c / Sustitución de persona y de número

1. Yo estoy de visita en casa de Alicia.
2. Adela _____.
3. Ramón y tú _____.
4. Mi hermana y yo _____.
5. Esas muchachas _____.
6. Tú _____.

d / Reemplazo de construcción

1. María está en el comedor.
                    María estaba en el comedor.
2. Los jóvenes están en clase.
3. La invitación está en la mesa.
4. Arnaldo y yo estamos enfermos.
5. Tú estás cansado.
6. Enrique y tú estáis tristes.

EJERCICIO MODELO EXTENSO (I)

Conteste Vd. a las siguientes preguntas, usando la palabra entre paréntesis en su respuesta.

1. ¿ De quién es esta pulsera? (Marta)
                    La pulsera es de Marta.
2. ¿ De quién serán esos guantes? (Lorenzo)
3. ¿ De quién era el auto? (los Molano)
4. ¿ De quién son aquellas casas? (mi tío)

5. ¿ De dónde eran sus antepasados? (Italia)
                    Mis antepasados eran de Italia.
6. ¿ De dónde es esa blusa? (París)
7. ¿ De dónde serían esos jóvenes? (Méjico)
8. ¿ De dónde es Anita? (Madrid)

9. ¿ De qué será la blusa? (seda)
                    La blusa será de seda.
10. ¿ De qué es tu casa? (ladrillo)
11. ¿ De qué era el collar? (oro y diamantes)
12. ¿ De qué serían esos pañuelos? (algodón)

13. ¿Cómo era Isabel? (linda)
                    Isabel era linda.
14. ¿Cómo serán sus hijos? (simpáticos)
15. ¿Cómo soy yo? (alto)
16. ¿Cómo era el cura? (viejo)

17. ¿Era Roberto ingeniero? (químico)
                    No, Roberto era químico.
18. ¿Serán profesoras? (enfermeras)
19. ¿Somos abogados? (arquitectos)
20. ¿Es Anita pianista? (violinista)

21. ¿Es Vd. demócrata? (republicano)
                    No, soy republicano.
22. ¿Eran socialistas? (demócratas)
23. ¿Será Pablo católico? (luterano)
24. ¿Es presbiteriana esa iglesia? (católica)

25. ¿Es español el profesor? (peruano)
                    No, el profesor es peruano.
26. ¿Será francesa esa leyenda? (irlandesa)
27. ¿Somos ingleses? (norteamericanos)
28. ¿Era italiana la película? (argentina)

29. ¿Cómo está la sopa? (salada)
                    La sopa está salada.
30. ¿Cómo estaban las toallas? (sucias)
31. ¿Cómo estará el cuarto? (frío)
32. ¿Cómo están tus hijos? (malos)

33. ¿Dónde estaba Elena? (en la cocina)
                    Elena estaba en la cocina.
34. ¿Dónde está el cuaderno? (en su oficina)
35. ¿Dónde estarán mis anteojos? (en el estante)
36. ¿Dónde estuvo Diego la semana pasada? (en Filadelfia)

37. ¿Dónde está el Canadá? (en Norteamérica)
                    El Canadá está en Norteamérica.
38. ¿Dónde estará el hospital nuevo? (en la Plaza Colón)
39. ¿Dónde está California? (en los Estados Unidos)
40. ¿Dónde está el Vaticano? (en Roma)

Aunque los verbos **ser** y **estar** pueden traducirse por el inglés *to be*, cada uno tiene sus usos específicos (1–40). No pueden intercambiarse. Se emplea **ser** para indicar: posesión (1–4); origen

(5–8); materia (9–12); cualidades inherentes o esenciales (13–16); profesión (17–20); afiliación política y religiosa (21–24); y nacionalidad (25–28).[1] **Estar** denota condición o estado (29–32), y lugar, sea temporal (33–36) o sea permanente (37–40).

Estudie y compare

1. (a) Roberto estaba malo. (*la condición de su salud*)
   (b) El ladrón era malo. (*una cualidad moral*)
2. (a) La mujer nunca está lista. (*preparada*)
   (b) Su amiga es más lista que ella. (*diestra*)
3. (a) El abrigo está nuevo. (*Parece nuevo.*)
   (b) El sombrero es nuevo. (*Acaba de fabricarse.*)
4. (a) El viejo está triste. (*Le sucedió una desgracia.*)
   (b) El artista es triste. (*Así es su temperamento.*)
5. (a) Pepe está vivo. (*No está muerto.*)
   (b) Mi sobrino es vivo. (*Es animado.*)
6. (a) El vino está frío. (*Puede haber vino caliente.*)
   (b) La nieve es fría. (*No puede haber nieve caliente.*)

El significado de varios adjetivos depende del verbo con que se emplean. Sin embargo, se conserva la diferencia esencial entre **ser** (existir) y **estar** (colocar).

Estudie y note (**la hora**)

1. (a) ¿Qué hora es?
   (b) Es la una en punto.
2. (a) ¿A qué hora llegaron?
   (b) Llegaron a las tres de la tarde.
3. (a) ¿Qué hora era cuándo llamó?
   (b) Eran las nueve de la noche.
4. (a) ¿Se pasea siempre por la mañana?
   (b) Sí, se pasea siempre a las ocho de la mañana.

En español se expresa la hora con el verbo **ser** y el artículo definido femenino. Se usa el plural de los dos con todas las horas menos con la una. Cuando se indica una hora específica, la preposición *in* en las expresiones *in the morning, in the afternoon* y *in the evening*, se traduce por **de** (2b, 3b, 4b). Si no se menciona la hora, se traduce *in* por la preposición **por** (4a).

---

[1] **Ser** se emplea también en expresiones impersonales, por ejemplo: **es imposible; era tarde,** etc.

EJERCICIO MODELO EXTENSO (II)

Repita Vd. las siguientes frases, expresando la hora:

a / diez minutos más tarde que la hora indicada

1. Era la una cuando regresó.
   Era la una y diez cuando regresó.
2. Serán las dos y cinco.
3. Teníamos una cita para las siete.
4. Te llamé a las tres y quince.

5. El despertador sonó a las ocho y diez.
6. Recibieron el telegrama a las cuatro y ocho.
7. Su avión aterrizó a las once y cuatro.
8. Empezó a llover a la una y doce.

b / quince minutos más tarde que la hora indicada

9. Volvió a las nueve menos veinte.
   Volvió a las nueve menos cinco.
10. Cenaban a las siete menos veinticinco.
11. Yo me levanté a las once menos veintidós.
12. Bailamos hasta la una menos diez y ocho.

13. Habrás regresado a las dos y veinte.
    Habrás regresado a las tres menos veinticinco.
14. Prometió llamarla a las siete y media.
15. Dio la orden a las tres y veinticinco.
16. Abandonaron el vapor a las diez y veintiocho.

Obsérvese que los minutos después de la hora se indican con **y** (1–8); y los minutos antes de la hora, con **menos** (9–16). Se emplea la palabra **media** para indicar la media hora, y **cuarto** para el cuarto de hora. Así que, *it is three-thirty* se traduce **son las tres y media,** y *it is a quarter after two*, **son las dos y cuarto.**[1]

---

[1] También puede expresarse la media hora por **treinta,** y el cuarto de hora por **quince,** p. ej.:

Es la una y media. Es la una y treinta.
Llegó a las tres menos cuarto. Llegó a las tres menos quince.

VERBOS REFLEXIVOS

Los pronombres reflexivos son:

me	(*to*) *myself*	nos	(*to*) *ourselves*
te	(*to*) *yourself* (*fam.*)	os	(*to*) *yourselves* (*fam.*)
se	(*to*) *himself, herself, yourself; itself, oneself*	se	(*to*) *themselves, yourselves*

Un verbo reflexivo es aquél cuya acción recae sobre el sujeto que la ejecuta. Se distingue de los otros verbos por el pronombre reflexivo. En los vocabularios y listas semejantes, se notará que el infinitivo lleva el pronombre **se** como sufijo, p. ej.: **atreverse, bañarse, vestirse,** etc.

DIÁLOGO

MÉDICO: Buenas tardes, señor Álvarez. ¿Cómo se siente Vd. hoy?

SR. ÁLVAREZ: Algo indispuesto, doctor.

MÉDICO: Pues, siéntese Vd. aquí, y tenga la bondad de quitarse la camisa. A ver, dígame, ¿desde cuándo se siente malo?

SR. ÁLVAREZ: Desde el domingo pasado.

MÉDICO: ¿A qué hora acostumbra a acostarse?

SR. ÁLVAREZ: Me acuesto a eso de las once, pero, ¿qué tiene eso que ver con el dolor de cabeza y los escalofríos que sufro?

MÉDICO: Y durante estas fiestas navideñas, ¿se ha acostado a las once?

SR. ÁLVAREZ: Pues no, doctor. Vd. sabe cómo es. Con tantos amigos hay una tertulia casi todas las noches y . . .

MÉDICO: Y se acuesta a las dos de la mañana, come y bebe demasiado, y acaba por resfriarse.

SR. ÁLVAREZ: Pues, ¿tengo algo de gripe?

MÉDICO: Sí, y también de cansancio. Debe irse a casa y guardar cama por cuatro o cinco días. Tome Vd. dos de estas pastillas cada cuatro horas.

SR. ÁLVAREZ: Pero doctor, ¿ cómo voy a excusarme de ir a casa
de mi novia esta noche?
MÉDICO: En eso no puedo ayudarle, amigo mío. Ese problema
es suyo.

EJERCICIOS MODELO

a / Sustitución de persona y de número

1. Luis tiene que guardar cama por unos días.
2. Yo _____.
3. Tú y Pancho _____.
4. Mis sobrinos _____.
5. Nosotros _____.
6. Anita _____.

b / Respuesta sugerida

1. ¿ A qué hora te acuestas? (las once)
               Me acuesto a las once.
2. ¿ A qué hora te reunes con él? (las siete y pico)
3. ¿ A qué hora te desayunas? (las ocho y media)
4. ¿ A qué hora te vas? (al mediodía)
5. ¿ A qué hora te paseas? (a las dos de la tarde)

c / Sustitución de un elemento variable

1. Tenga Vd. la bondad de sentarse.
2. _____ quitarse el sombrero.
3. _____ irse.
4. _____ callarse.
5. _____ ponerse el abrigo.

d / Adición fija y reemplazo de construcción

1. Santos se paseaba por la mañana. (yo)
               Santos y yo nos paseábamos por la mañana.
2. Clara se desayuna temprano. (yo)
3. Mi hermano se parecía a papá. (yo)
4. Enrique se pone los guantes. (yo)

5. Concha se vestía con elegancia. (tú)
               Concha y tú os vestíais con elegancia.

6. Paco se porta bien. (tú)
7. Lupe se va dentro de poco. (tú)
8. Arnaldo se divertía. (tú)

EJERCICIO MODELO EXTENSO (III)

Repita Vd. las frases que siguen, cambiándolas al plural.

1. Me preocupaba mucho.
> Nos preocupábamos mucho.
2. Se levanta antes que Jaime.
3. Vd. se lavaba antes de comer.
4. Siempre te metes con él.

5. El gerente no se equivoca.
6. Tú no te quejas de eso.
7. No me acostaba tarde.
8. El viejo no se dio prisa.

9. ¿ Te comiste los dulces?
10. ¿ Se peinó el niño?
11. ¿ Me apuro por lograrlo?
12. ¿ Por qué te atreves a decirlo?

En este ejercicio cambie Vd. los imperativos afirmativos a negativos.

13. Lávese Vd.
> No se lave Vd.
14. Póngase Vd. los zapatos.
15. Dése Vd. prisa.
16. Siéntese Vd. aquí.

17. Vístanse Vds. con esmero.
18. Prepárense Vds. rápidamente.
19. Levántense Vds. temprano.
20. Quéjense Vds. de eso.

En las oraciones que siguen, reemplace Vd. el verbo por la forma correspondiente de **ir a** más el infinitivo.

21. Se bañaban.
> Iban a bañarse.

22. Me peino el pelo.
23. Se ausentan de la conferencia.
24. Nos reuníamos a las siete.

25. ¿Te pusiste la chaqueta?
26. No se enoja con Vds.
27. Nos metemos con ellos.
28. Me lavaba antes de almorzar.

Conteste Vd. a las preguntas de este ejercicio según la respuesta sugerida.

29. ¿A quién admiran?
                                        Se admiran.
30. ¿A quién compramos regalos?
31. ¿A quién ofrecemos aguinaldos?
32. ¿A quién entendían?

33. ¿A quién amaban?
34. ¿A quién observan?
35. ¿A quién escribimos?
36. ¿A quién invitamos?

Repita Vd. las siguientes oraciones, agregando la frase sugerida.

37. Pablo y Enrique se dieron golpes. (el uno al otro)
        Pablo y Enrique se dieron golpes el uno al otro.
38. Nos compramos regalos.
39. Arnaldo y Manuel se ayudaban.
40. Los jóvenes se hablaron.

41. Las señoras se hablaron. (la una a la otra)
        Las señoras se hablaron la una a la otra.
42. Las dos se respetan.
43. Nos vemos los domingos.
44. Se visitan frecuentemente.

45. Nos miramos. (los unos a los otros)
        Nos miramos los unos a los otros.
46. Los vecinos se pidieron ayuda.
47. Los pobres se defendieron.
48. Se besaron.

Los pronombres reflexivos, lo mismo que los complementos directos e indirectos, preceden al verbo conjugado (1–12), y al imperativo negativo (13–20). Siguen y se unen al imperativo afirmativo (13–20), y al infinitivo (21–28). El reflexivo también denota acción recíproca (29–48). Para aclarar el significado del verbo recíproco, puede añadirse **el uno al otro** (37–48).[1]

Estudie y compare

1. (a) ¿ Cómo se llama Vd. ?
   (b) Me llamo Lupe.
2. (a) Se lavó.
   (b) Se lavó las manos.
   (c) Se las lavó.
3. (a) ¿ Te cortaste ?
   (b) ¿ Te cortaste el dedo ?
   (c) ¿ Te lo cortaste ?

El pronombre reflexivo puede servir de complemento directo (1a, 2a, 3a) o de complemento indirecto (1b; 2b, c; 3b, c). Se conserva el mismo orden cuando el pronombre reflexivo ocurre con otro pronombre complemento, como ya se observó cuando el complemento directo y el indirecto ocurren en la misma frase, i.e., el complemento indirecto precede al directo.

---

[1] También puede emplearse **uno a otro.** Muchos verbos españoles admiten tanto un uso reflexivo como uno no reflexivo. Por lo general, el uso reflexivo de estos verbos cambia el significado de los mismos, por ejemplo: **acostar** *to put to bed,* **acostarse** *to go to bed;* **divertir** *to divert, amuse,* **divertirse** *to be amused, have a good time;* **parecer** *to look, seem,* **parecerse** *to look alike, resemble each other;* **sentar** *to seat,* **sentarse** *to sit down.*

APUNTES CULTURALES

« *El monstruo de la naturaleza* »

E L MONSTRUO de la naturaleza », así apodó Cervantes
al gran Lope de Vega, fundador del teatro español
moderno. El apodo no se refiere a las características
físicas del célebre dramaturgo del Siglo de Oro, sino a su fenomenal
5 producción literaria. Se le han atribuído 1,800 comedias, más de
400 autos o dramas religiosos, dos novelas, cinco poemas épicos,
y un gran número de versos líricos — todo esto suma más, según
se ha opinado, que la literatura entera de muchas naciones.
De niño ya daba evidencia de sus inclinaciones literarias. Se
10 cuenta de él que a los cinco años leía el español y el latín. Antes

de poder escribir componía versos, y solía repartir su almuerzo con estudiantes mayores que él para que escribiesen las poesías que él les dictaba.

Si la precocidad y la prolificación caracterizan el lado literario del dramaturgo, la vehemencia y la pasión caracterizan su vida personal. Lope de Vega no podía pasar sin « las frutas del paraíso » — las mujeres. Siempre o padecía o gozaba de amores. Dicen que, como resultado de una de sus primeras aventuras románticas, fue desterrado de Madrid por unos años. A pesar de sus experiencias amorosas, nunca toleraba que se criticase a las mujeres. Aun en su teatro las delinea con simpatía especial.

Como muchos autores conocidos, tenía sus disgustos con sus editores y libreros. En el caso de Lope sus querellas se basaban especialmente en el hecho de que éstos publicaban como obras suyas algunas que no le pertenecían. Del mismo modo que El Greco, fue el más rico y el más pobre de su época. Como él mismo indicó, no escribió sus comedias para adquirir fama sino para adquirir dinero. Ganó mucho — se ha estimado en más de 300,000 dólares — pero lo gastaba casi tan pronto como lo ganaba.

Para ganar tanto dinero en esos días, Lope de Vega no sólo tenía que escribir muchas obras — porque solía representarse un drama solamente por unos días — sino que también tenía que agradar al público. Así es que notamos en su teatro la ausencia de muchas de las características básicas del teatro clásico como, por ejemplo, las unidades de tiempo, de lugar y de acción. El teatro de nuestro dramaturgo es esencialmente uno de acción rápida, de artificios dramáticos, de pensamiento y de caracterización convencionales y, con frecuencia, de improvisación. Une lo cómico con lo trágico, los ricos con los pobres en la misma obra. No caben en su esquema dramático los profundos pensamientos filosóficos.

Sus motivos principales son cuatro: los derechos del individuo, la lealtad al rey, el amor a la patria, el amor a la amada — todos marcadamente españoles. Pero este nacionalismo no se limita a la motivación dramática. La puesta en escena, los personajes, los detalles de la vida diaria, los elementos folklóricos — todos reflejan lo netamente español. Si no se puede negar el sabor que estas cualidades prestan al teatro de Lope de Vega, tampoco se puede negar lo que le restan — el universalismo — lo esencial para saltar las fronteras de España y viajar por todo el mundo.

Sin embargo, la contribución de Lope de Vega al desarrollo del teatro español es formidable. Lo liberó de las restricciones

irreales del teatro clásico. Creó al gracioso — tipo cómico. Su
diálogo rápido, chispeante, revela una sensibilidad hacia el habla
rica, variada de su pueblo. Si a veces sus asuntos parecen improba-
bles, su representación de la vida cotidiana es realista. Según el
5 conocido crítico Schack, « Si hubo alguna vez un poeta a quien
su nación no sólo debe un drama, sino una literatura dramática
completa, lo fue sin duda, nuestro español ».

EJERCICIOS SUPLEMENTARIOS

A. Complete Vd. estas frases con la forma correcta de **ser** o
estar.

el presente de indicativo

1. Costa Rica _____ un país. 2. Alemania _____ en Europa. 3. Mi
suegro _____ enfermo. 4. ¿ Dónde _____ mis naranjas? 5. Antonio
_____ de Boston. 6. Luis y Jorge _____ gemelos.

el imperfecto

1. El piso _____ frío. 2. El reloj _____ de mi abuelo. 3. _____ las
cinco de la tarde. 4. El tenedor que _____ en la mesa _____ muy
antiguo. 5. La foto _____ en mi cuarto. 6. José _____ más popular
que su primo.

el futuro

1. Ricardo y Miguel _____ holandeses. 2. ¿ Dónde _____ Eduardo?
3. _____ las cuatro y media. 4. Doña Isabel _____ muy vieja.
5. La sala _____ llena de gente.

B. Anteponga Vd. la forma correcta de **tener que** a las frases
que siguen, cambiándolas según el ejemplo presentado.

Ejemplo: Se vestían.
Tenían que vestirse.

1. Me lavo la cara. 2. Se encuentran en el club. 3. ¿ Os reunís
mañana? 4. Antes de entrar, nos quitamos los chanclos. 5. Me
acostaba temprano. 6. Nos escribimos. 7. Se puso el sombrero.
8. Se respetaban.

C. Reemplace Vd. el sujeto en cursiva por los sujetos entre paréntesis.

1. *Marta* se ausenta de la conferencia. (yo, los estudiantes, tú y yo, Vd., Oscar)
2. *El decano* se enfadó con ellos. (vosotros, los oficiales, Vd. y yo, tú, su tío)
3. *Yo* me di cuenta del error. (la secretaria, Lupe y yo, los gerentes, tú, Pepe)
4. *Yo* acuesto a los niños antes de acostarme. (su hermana, Vds., doña Clemencia, tú, tú y yo)

D. Traduzca Vd. al español.

1. Amparo would not dare complain about that. 2. They boasted to one another about their successes. 3. Where did you find out that he is not a doctor but an architect? 4. The packages that are on the chair and those near the door are for Anna. 5. The office was so warm that we had to open the windows. 6. Our father told us to return at six, but we did not return until ten to eight. 7. Anthony could not remember whether his appointment was at twenty after three or at twenty to three. 8. Although we were having a good time at the party, we had to leave early. 9. Louise took off her hat and coat and then she sat down. 10. My aunt and uncle went away last week without saying anything to anyone. 11. I think that painter's name was Diego María Rivera. 12. Anita never puts the child to bed before eight-thirty.

LECCIÓN

5

VERBOS QUE DIPTONGAN LA VOCAL DE LA RAÍZ [1]

Clase de verbos con cambios radicales	Cambios radicales	Tiempos y personas donde ocurren

PRIMERA CLASE

Verbos típicos
cerrar, entender
acostar, volver

$e \rightarrow ie$
$o \rightarrow ue$ [2]

Pres. ind.
en el sing. y en la 3ra p. pl.
Pres. subj.
en el sing. y en la 3ra p. pl.
Imp. sing.

SEGUNDA CLASE

Verbos típicos
divertir, sentir
dormir, morir

$e \rightarrow ie$
$o \rightarrow ue$

Pres. ind.
en el sing. y en la 3ra p. pl.
Pres. subj.
en el sing. y en la 3ra p. pl.
Imp. sing.

---

[1] Véase Apéndice C para la lista completa de estos verbos.
[2] Note Vd. esta peculiaridad ortográfica: **oler** (o → **hue**).

124

SEGUNDA CLASE (*cont.*)

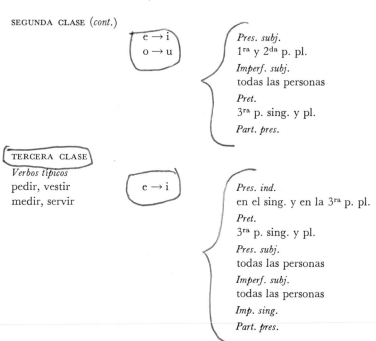

e → i
o → u

Pres. subj.
1ra y 2da p. pl.
Imperf. subj.
todas las personas
Pret.
3ra p. sing. y pl.
Part. pres.

TERCERA CLASE
Verbos típicos
pedir, vestir
medir, servir

e → i

Pres. ind.
en el sing. y en la 3ra p. pl.
Pret.
3ra p. sing. y pl.
Pres. subj.
todas las personas
Imperf. subj.
todas las personas
Imp. sing.
Part. pres.

De aquí en adelante en los vocabularios y listas semejantes se indicará la clase de estos verbos por un número que los seguirá entre paréntesis, p. ej.: acostar (1), sentir (2), servir (3).

DIÁLOGO

FERNANDO: ¿ Qué le pasa, Jacinto? ¡ Está tan pálido hoy !
JACINTO: No dormí mucho anoche y hoy me siento algo mareado.
FERNANDO: ¿ Piensa Vd. ir al médico?
JACINTO: No. Me recetará unas pastillas y después me dirá: — Vuelva Vd. a casa, tome dos de éstas, y acuéstese.
FERNANDO: Pero hombre, no le entiendo. Está enfermo y no quiere ir al médico.
JACINTO: Efectivamente, Vd. no me entiende. Anoche fui a una fiesta.

FERNANDO: ¿ Y se divirtió?

JACINTO: ¡ Cómo no ! Siempre me divierto en las fiestas. Pero ahora me arrepiento mucho de haberlo hecho porque tengo que ir a trabajar.

FERNANDO: Y, ¿ por qué no llama Vd. a su jefe para decirle que no pudo dormir anoche, y que por estar enfermo no irá al trabajo hoy?

JACINTO: Esa excusa no sirve para nada.

FERNANDO: ¿ Por qué?

JACINTO: La fiesta fue en casa de mi jefe.

E J E R C I C I O S   M O D E L O

a / Respuesta fija

1. ¿ Para qué sirve esa excusa?
                                    No sirve para nada.
2. ¿ Para qué sirve esa sugerencia?
3. ¿ Para qué sirve ese aparato?
4. ¿ Para qué sirve su ayuda?
5. ¿ Para qué sirve su influencia?

b / Reemplazo de construcción

1. Se divierte mucho.
                                    Se divirtió mucho.
2. Se arrepiente de aquello.
3. Los prefiere.
4. Se siente mareado.
5. Nos lo sugiere.
6. Me advierte eso.

c / Sustitución de persona y de número

1. Yo me arrepiento de haberlo hecho.
2. Lola y tú ————————————.
3. Vds. ————————————.
4. Esos estudiantes ————————————.
5. Teresa y yo ————————————.

d / *Sustitución de persona*

1. Nos vestimos rápidamente.
                    Se vistieron rápidamente.
2. Le pedimos ayuda.
3. Servimos el almuerzo.
4. Seguimos ese plan.
5. Corregimos los exámenes.
6. Elegimos a Leonardo.

EJERCICIO MODELO EXTENSO (I)

Repita Vd. las frases que siguen, sustituyendo el infinitivo entre paréntesis por la forma apropiada:

a / *del presente de indicativo*

1. Pepe (contar) los recibos.
                    Pepe cuenta los recibos.
2. Mis sobrinos (cerrar) las ventanas.
3. Tú (defenderse) bien.
4. Su argumento no nos (conmover).

5. ¿ Quién lo (sugerir)?
6. ¿ Por qué no (dormir) tú?
7. Yo lo (sentir) mucho.
8. ¿ Qué (inferir) Vd. de eso?

9. ¿ Cuándo nos (servir) la criada?
10. Yo se lo (pedir).
11. Tú (vestirse) con esmero.
12. Los soldados (rendirse).

13. ¿ Cuándo los (encontrar) Vds.?
14. Nuestro gerente lo (preferir) así.
15. Yo (repetir) mi respuesta.
16. ¿ No lo (corregir) tú?

b / *del pretérito*

17. Ayer yo (despertarse) tarde.
                    Ayer yo me desperté tarde.

18. El viejo (tropezar) con la silla.
19. Tú (perder) el cheque.
20. Raúl y Jaime me (devolver) los discos.

21. ¿A quién (referirse) Vd.?
22. ¿Cuándo (morir) tus padres?
23. ¿Cuánto tiempo (dormir) los niños?
24. ¿Cómo (herirse) Pablo?

25. Sus parientes (despedirse) de él.
26. El carpintero (medir) la sala.
27. Esas reglas nos (impedir) el realizarlo.
28. La señora de Gómez (vestirse) de negro.

29. ¿Dónde lo (conseguir) Vd.?
30. Sus padres no (consentir).
31. Mis compañeros lo (convertir).
32. Tu abuelo lo (presentir).

Cambie Vd. las oraciones que siguen, suprimiendo el verbo en cursiva, según el modelo presentado. Preste Vd. atención al tiempo de dicho verbo.

33. *¿Quiere* Vd. reñir con Pepe?
                  ¿Riñe Vd. con Pepe?
34. Laura *quiere* acostarse temprano.
35. Los Mendoza *quieren* recomendarnos.
36. Tú *quieres* adherirte a lo conservador.

37. Sus colegas *debían* preferirlo.
                  Sus colegas lo prefirieron.
38. El asesino *debía* morir.
39. Jorge *debía* regir con firmeza.
40. Los interesados *debían* invertir su dinero.

Los verbos que sufren un cambio radical cambian solamente la **o** o la **e** de la raíz (1–40),[1] y este cambio no altera sus terminaciones. Esto es, todos los verbos de la primera conjugación, por ejemplo, sean regulares o de cambio radical, en el presente de indicativo siempre terminan en **o, as, a, amos, áis, an,** etc. (1–40). Si dos vocales sujetas a dicho cambio ocurren en el radical del

---

[1] Por excepción: **jugar** (u → ue); **adquirir** (i → ie); e **inquirir** (i → ie).

mismo verbo, se cambia la última de estas vocales (13–16 y 29–32). Los verbos de la primera clase no sufren cambio en el pretérito (17–20).

VERBOS CON CAMBIOS ORTOGRÁFICOS [1]

VERBOS QUE TERMINAN EN			CAMBIAN EN	ANTES DE
(llegar)	gar		g ⟶ gu	
(tocar)	car		c ⟶ qu	« e »
(empezar)	zar		z ⟶ c	
(escoger)	ger		g ⟶ j	« o » y « a »
(elegir)	gir			
(distinguir)	guir		gu ⟶ g	« o » y « a »
(conocer)	cer	*precedido por una vocal*	c ⟶ zc	« o » y « a »
(lucir)	cir			
(vencer)	cer	*precedido por una consonante*	c ⟶ z	« o » y « a »
(esparcir)	cir			

DIÁLOGO

DON JULIO: Señorita Pardo, ¿ todavía no ha hallado Vd. esos documentos ?

SRTA. PARDO: No, señor. Busqué por todas partes pero no los hallo. Recuerdo haberlos puesto en este fichero.

DON JULIO: Pues siga Vd. buscando. Los necesito urgentemente.

SRTA. PARDO: Entonces, ¿ desea Vd. que por ahora deje este otro trabajo ?

DON JULIO: No sé si me hago entender o no. Sin esos documentos no consigo el nuevo contrato.

SRTA. PARDO: Perdón, señor, pero ¿ no los entregó Vd. ayer a sus abogados ?

DON JULIO: No los entregué a nadie. Ayer a eso de las siete cerré mi escritorio, apagué la luz y . . .

SRTA. PARDO: ¿ Y qué ?

[1] Véase Apéndice D para otros verbos con cambios ortográficos.

DON JULIO: (*después de un momento*) ¡ Ah ! Aquí los tengo.
SRTA. PARDO: ¿ Dónde los encontró ?
DON JULIO: Pues . . . tropecé con ellos en mi portapapeles.

EJERCICIOS MODELO

a / Sustitución de un elemento variable

1. Recuerda haberlo hecho.
2. _____ habernos conocido.
3. _____ haberte hablado.
4. _____ haberme escrito.
5. _____ habérselos entregado.

b / Sustitución de número

1. Colgamos el cuadro.
                         Colgué el cuadro.
2. Llegamos anoche.
3. Pagamos la cuenta anteayer.
4. Fregamos los platos.
5. Negamos haberlo visto.

c / Sustitución de persona

1. Escoge con cuidado.
                         Escojo con cuidado.
2. Coge las flores.
3. Los protege.
4. Dirige la orquesta.
5. Corrige los verbos.

d / Respuesta sugerida

1. ¿ Quién se hace entender ? (yo)
                         Yo me hago entender.
2. ¿ Quién se hace entender ? (Felipe)
3. ¿ Quién se hace entender ? (Clara y Beatriz)
4. ¿ Quién se hace entender ? (nosotros)
5. ¿ Quién se hace entender ? (tú)

EJERCICIO MODELO EXTENSO (II)

Anteponga Vd. **el otro día** a las oraciones que siguen, cambiando el tiempo del verbo según corresponda.

1. Empiezo el estudio.
                    El otro día empecé el estudio.
2. Gozo mucho de esa música.
3. Trazo el mapa.
4. Legalizo su firma.

5. Toco el piano.
                    El otro día toqué el piano.
6. Saco una foto interesante.
7. Marco los pañuelos.
8. Empaco mis libros.

9. Niego conocerla.
                    El otro día negué conocerla.
10. Le entrego los contratos.
11. Indago ese asunto.
12. Lo juzgo mal.

En las siguientes frases, sustituya Vd. la expresión en cursiva por **hoy,** cambiando el tiempo del verbo según el modelo sugerido.

13. *Ayer* escogí un auto nuevo.
                    Hoy escojo un auto nuevo.
14. *Anoche* dirigí el programa.
15. *La semana pasada* recogí las frutas.
16. *Anteayer* los corregí.

17. *El otro día* conseguí mi pasaporte.
                    Hoy consigo mi pasaporte.
18. *El año pasado* seguí un curso difícil.
19. *En ese momento* no distinguí la diferencia.
20. *Anoche* lo extinguí.

21. *El mes pasado* se la ofrecí.
                    Hoy se la ofrezco.
22. *Anoche* te lo agradecí.
23. *Ayer* aparecí tarde.
24. *Anteayer* padecí de un dolor de cabeza.

25. *El otro día* los vencí.
                Hoy los venzo.
26. *Ayer* ejercí mi influencia.
27. *Anteayer* esparcí sal para el ganado.
28. *Anoche* la reconocí.

Los verbos con cambios ortográficos que terminan en **ar** sufren el cambio en la primera persona singular del pretérito (1–12); y los que terminan en **er** o **ir,** en la primera persona singular del presente de indicativo (13–28). Como se notará en un capítulo subsiguiente, estos cambios ocurren también en todo el presente de subjuntivo. Se cambia la consonante final de la raíz para conservar el sonido que dicha consonante tiene en el infinitivo (1–28).[1] Este cambio no afecta de ninguna manera las terminaciones de estos verbos.

« HACER » EN EXPRESIONES DE TIEMPO

EJERCICIO MODELO EXTENSO (III)

Conteste Vd. a las preguntas que siguen, según la respuesta sugerida.

1. ¿ Cuánto tiempo hace que lo espera? (media hora)
             Hace media hora que lo espera.
2. ¿ Cuánto tiempo hace que lo conocen? (cinco años)
3. ¿ Cuánto tiempo hace que estoy aquí? (dos semanas)
4. ¿ Cuánto tiempo hace que existe ese problema? (unos días)

5. ¿ Cuánto tiempo hace que enseñas? (quince años)
6. ¿ Cuánto tiempo hace que trabajamos? (una hora)
7. ¿ Cuánto tiempo hace que guarda cama? (una semana)
8. ¿ Cuánto tiempo hace que habla ruso? (siete meses)

9. ¿ Cuánto tiempo hacía que pensaba en ella? (varias semanas)
             Hacía varias semanas que pensaba en ella.
10. ¿ Cuánto tiempo hacía que yo buscaba trabajo? (un mes)
11. ¿ Cuánto tiempo hacía que tú insistías en eso? (tres días)
12. ¿ Cuánto tiempo hacía que estaban perdidos? (unas semanas)

---

[1] Hay verbos que sufren cambios tanto radicales como ortográficos, por ejemplo: **seguir** (3) — **sigo, sigues, sigue, seguimos, seguís, siguen.**

13. ¿ Cuánto tiempo hacía que se quejaba de él? (ocho días)
14. ¿ Cuánto tiempo hacía que Vds. no la veían? (unos meses)
15. ¿ Cuánto tiempo hacía que íbamos allá? (cuatro años)
16. ¿ Cuánto tiempo hacía que lo consideraba? (mucho tiempo)

Se emplean generalmente dos formas de **hacer** para expresar el tiempo que transcurre entre dos tiempos determinados; el segundo de los cuales puede ser presente o pasado. **Hacer** corresponde al segundo.

a. **hace + período de tiempo + que + presente de indicativo,** para indicar una acción que empezó en el pasado y que continúa hasta el momento presente (1-8).

b. **hacía + período de tiempo + que + imperfecto,** para denotar una acción que habiendo comenzado en el pasado, continuaba hasta el momento de ser interrumpida (9-16).

Estudie y compare

1. Lo hemos guardado por unos días. (*Pero ya no lo guardamos.*)
   Hace unos días que lo guardamos. (*Y todavía lo guardamos.*)
2. Había tratado de hacerlo por una semana. (*Y entonces dejó de tratar.*)
   Hacía una semana que trataba de hacerlo. (*Pero algo ajeno a él lo interrumpió.*)
3. Mis tíos han vivido en Roma diez años. (*Pero no viven allá ahora.*)
   El mes entrante hará diez años que mis tíos viven en Roma. (*Y sin duda continuarán viviendo allá.*)

Nótese que en los ejemplos anteriores la diferencia entre la primera frase de cada par y la segunda es una de continuación de la acción expresada,[1] por ejemplo:

Lo has estudiado por mucho tiempo. *You have studied it for a long time. (but you are not studying it any longer)*
Hace mucho tiempo que lo estudias. *You have been studying it for a long time. (and you still are studying it)*

---

[1] También **hace** se usa para traducir el adverbio inglés *ago*. Note Vd. que es invariable:

Hace un mes que murió.	*He died a month ago.*
Marta habrá llegado hace dos días.	*Martha probably arrived two days ago.*
Lo recibí hace una semana.	*I received it a week ago.*

APUNTES CULTURALES

La Celestina — bruja simpática

LA CELESTINA — así se conoce hoy día esta obra maestra del Renacimiento español — fue originalmente titulada *Comedia de Calisto y Melibea*, y más tarde, *Tragicomedia de Calisto y Melibea*. Aunque escrita en forma dramática, sus veintiún actos imposibilitan su representación en la escena. Tanto la ⁵ ausencia de instrucciones teatrales como la extensión de algunos de los diálogos nos llevan a creer que su autor, Fernando de Rojas, la escribió para ser leída y no para ser representada en las tablas.

Goza de una trama muy sencilla. Calisto, un joven de familia noble, en pos de su halcón entra en un jardín en donde ve a ¹⁰ Melibea, de la cual se enamora locamente. Ésta rehusa hablarle y Calisto regresa apenado a su casa. Acude a la Celestina, una vieja alcahueta, para pedirle ayuda. La vieja convence a Melibea de que acepte a Calisto como amante. Una noche el amante muere accidentalmente y, desesperada, Melibea se suicida. ¹⁵ Mientras tanto la vieja muere a manos de dos criados suyos.

No obstante el diálogo vivo, intuitivo, la trama familiar e interesante, y otras muchas bondades de esta obra, es la figura de la Celestina — creación magnífica de la literatura renacentista — quien lo domina todo. Esta vieja que en tiempos anteriores había gozado ²⁰ de una posición más próspera, ejerce infinidad de menesteres — perfumera, lavandera, comadrona, vendedora de hilos y alcahueta. También bruja, vende amuletos y por dinero pone a otros bajo el poder de un encantamiento. Tan segura está de sus poderes sobrenaturales que aun osa amenazar al diablo. Al fin del tercer ²⁵ acto lo conjura, pidiéndole ayuda en sus intentos en contra de Melibea. « Si no lo haces (mi voluntad) con presto movimiento », le advierte, « tendrásme por capital enemiga; heriré con luz tus cárceles tristes y oscuras; acusaré cruelmente tus continuas mentiras; apremiaré con mis ásperas palabras tu horrible nombre. » [1] ³⁰

---

[1] Fernando de Rojas, *La Celestina* (Séptima edición; Buenos Aires: Colección Austral, 1963), pág. 45.

Vista objetivamente la Celestina es mala. Sin escrúpulo ninguno,
se mete en asuntos libidinosos, arreglando toda clase de encuentros
amorosos. Según lo que le permiten sus años, goza franca y
abiertamente de lo erótico. Por dinero haría casi cualquier cosa.
5 Hedonista absoluta, jura lealtad a esta filosofía pagana.

Sin embargo, sentimos cierta atracción hacia la Celestina,
atracción que no nace de una aprobación de su vida, sino de su
sinceridad. No pretende ser distinta a como es. No finge virtud,
como tantas gentes, mientras en secreto se goza en el vicio. No
10 tiene vergüenza ni arrepentimiento de lo que hizo ni de lo que
hace, sencillamente porque no lo considera malo. Con magnífica
confianza en sí misma, la vieja ramera anda a través de su mundo
como una reina desposeída. Intensamente viva, logra despertar
nuestra simpatía y no nuestro odio.

EJERCICIOS SUPLEMENTARIOS

A. Sustituya Vd. el sujeto en cursiva por los sujetos entre
paréntesis en las frases que siguen.

1. *Graciela* le pide un favor. (sus colegas, yo, vosotros, Pancho y
   yo, mamá)
2. *El decano* lo sugiere. (sus padres, nosotros, Raquel y tú, Vd.,
   León y Tomás)
3. *Yo* no dormí bien anoche. (los niños, Vds., nuestro abuelo, el
   enfermo, tú)
4. *El policía* los siguió. (los soldados, Anita y yo, el oficial, vosotros,
   yo)
5. *El carpintero* lo mide. (tú, el empleado, los jóvenes, Pedro y yo,
   el sastre)

B. Repita Vd. las frases que siguen, cambiando el verbo en
cursiva:

al presente de indicativo

1. *Escogí* un método distinto.
2. No lo *cogí.*
3. *Elegí* el otro.
4. *Corregí* el trabajo.
5. Les *ofrecí* mi ayuda.

6. Se lo *agradecí*.
7. No la *reconocí*.
8. No *pertenecí* a ese grupo.

al pretérito

1. *Gozo* de esa música.
2. *Organizo* el club.
3. *Analizo* sus motivos.
4. *Abrazo* al niño.

5. *Busco* un criado.
6. *Publico* una revista.
7. *Toco* el violín.
8. *Explico* mi programa.

9. *Apago* la luz.
10. *Pago* los billetes.
11. *Llego* tarde.
12. *Pego* los sellos.

C. Repita Vd. las frases que siguen, haciendo los cambios indicados.

1. Hace días que trato de solucionarlo.
2. _____ arreglarlo.
3. _____ meses _____.
4. Hacía _____.
5. _____ pensaba _____.
6. _____ semanas _____.

1. Sin embargo sentimos cierta afición hacia la Celestina.
2. _____ ella.
3. _____ tú _____.
4. No obstante _____.
5. _____ Julián _____.
6. _____ sus primos.

1. El consejo estudiantil sugiere ciertos cambios en el programa.
2. Los profesores _____.
3. _____ insisten en _____.
4. _____ método.
5. El decano _____.
6. _____ unas modificaciones _____.

D. Traduzca Vd. al español.

1. Louise had been waiting for me for half an hour when I arrived.
2. That situation has been causing us difficulties for more than a
month. 3. Robert and Anne regretted that they could not direct
the play. 4. Anthony said that I played the piano better than
ever last night. 5. When they elected him they did not know how
capable he was. 6. Mrs. Paredes always pretends not to see us.
7. Don't forget that it is possible that he may deny everything.
8. Did he ask you for the money you owe him? 9. Close the
windows and turn off the light before going to bed. 10. Peter
denies having known them. 11. He preferred the blue overcoat
because it was less expensive. 12. It is possible that they resemble
their parents.

SECCIÓN

———

CUARTA

LECCIÓN

1

PARTICIPIO PRESENTE

El participio presente de la mayoría de los verbos se forma como sigue.[1]

Verbo	3ra p. pl. pret.	Raíz	Terminación del part. pres.	Part. pres.
llevar	llevaron	llev ⎫	ando	llevando
cerrar (1)	cerraron	cerr ⎭		cerrando
meter	metieron	met ⎫	iendo	metiendo
dividir	dividieron	divid ⎭		dividiendo
dormir (2)	durmieron	durm ⎫	iendo	durmiendo
pedir (3)	pidieron	pid ⎭		pidiendo

DIÁLOGO

ANA: Paquita, Paquita, ¿ dónde estás?
PAQUITA: Aquí en el cuarto de baño, Ana, lavándome el pelo.

[1] Algunas excepciones a esta regla son: dar, dando; decir, diciendo; estar, estando; hacer, haciendo; ir, yendo; leer, leyendo; poner, poniendo; saber, sabiendo; ser, siendo; tener, teniendo; traer, trayendo.

ANA: Paquita, no puedes imaginarte lo que me pasó.

PAQUITA: ¡ Claro que no ! Pero por el tono de tu voz debe ser algo bueno. Cuéntamelo mientras sigo lavándome la cabeza.

ANA: Pues, después de comer fui a la biblioteca . . .

PAQUITA: ¿ En busca de datos para el trabajo que te dio el profesor Ortiz?

ANA: ¡ Exactamente ! Y mientras estaba leyendo uno de los libros alguien me interrumpió.

PAQUITA: ¿ La bibliotecaria?

ANA: ¡ No ! Pepe Morales — el rubio guapo que está en mi clase de filosofía.

PAQUITA: ¿ Con el que andas soñando desde hace dos semanas?

ANA: Sí, y quería saber lo que estaba haciendo allí y le dije que estudiando, y . . .

PAQUITA: La bibliotecaria os echó a los dos afuera.

ANA: No, me invitó al cine para el sábado.

PAQUITA: ¿ Quién, la bibliotecaria?

ANA: ¡ No ! ¡ Pepe !

EJERCICIOS MODELO

a / Reemplazo de construcción

1. Preparo el desayuno.
> Estoy preparando el desayuno.
2. Lavo los platos.
3. Explico el problema.
4. Estudio esos verbos.
5. Organizo el grupo.
6. Analizo el estudio.

b / Sustitución de persona

1. Sigo cantando.
> Sigues cantando.
2. Sigo buscándola.
3. Sigo repitiéndolo.
4. Sigo contándolos.
5. Sigo discutiendo el asunto.

c / Respuesta sugerida

1. ¿ Para cuándo la invitó? (el lunes próximo)
          La invitó para el lunes próximo.
2. ¿ Para cuándo los preparó? (esta noche)
3. ¿ Para cuándo lo necesita? (pasado mañana)
4. ¿ Para cuándo las tendrá? (el mes entrante)
5. ¿ Para cuándo la prometió? (el viernes)

d / Sustitución de un elemento variable

1. Anda soñando con el día de su graduación desde hace un mes.
2. _____ la fiesta _____.
3. _____ sus vacaciones _____.
4. _____ el baile _____.
5. _____ su cumpleaños _____.

e / Reemplazo de construcción

1. Estoy vistiéndome.
                    Estaba vistiéndome.
2. Estamos descansando.
3. Lupe está haciéndolo.
4. Tú estás leyendo la noticia.
5. Los mozos están durmiendo.

EJERCICIO MODELO EXTENSO (I)

Cambie Vd. las frases que siguen según el modelo presentado.
Preste Vd. atención al tiempo de los verbos.

1. Pienso en ese asunto.
               Estoy pensando en ese asunto.
2. Carlos compara los dos poemas.
3. Vds. cambian las llantas.
4. Tú tocas la trompeta.

5. Lupe vende su casa.
6. Los jóvenes hacen una cosa sencilla.
7. Defendemos nuestro honor.
8. Paco y tú movéis los muebles.

9. Los alumnos escriben los ejemplos.
10. ¿ Vives en Nueva York?
11. El profesor resume su conferencia.
12. Describo el nuevo proceso.

13. Empacaban los libros.
                    Estaban empacando los libros.
14. La clase elegía a su representante.
15. Yo dormía a pierna suelta.
16. Entrabas en la sala.

17. Lo hemos observado.
                    Hemos estado observándolo.
18. Ha vivido cerca de aquí.
19. Vds. han esperado a Fernando.
20. He leído tu tesis.

21. Serviré el almuerzo.
                    Estaré sirviendo el almuerzo.
22. Pablo pintará las sillas.
23. ¿ Correrás en esa carrera?
24. Sacarán unas fotos.

En este ejercicio reemplace Vd. el verbo en cursiva por la forma
que corresponda de:

a / seguir

25. *Estaba* jugando a los naipes.
                    Seguía jugando a los naipes.
26. La moza *estaba* planchando la ropa.
27. *Estamos* ensayando la canción.
28. *Estaré* trabajando allá.

b / venir

29. Los niños *están* llorando.
                    Los niños vienen llorando.
30. *Está* corriendo calle abajo.
31. Pablo y yo *estábamos* caminando hacia la casa.
32. Rita y Alicia *estaban* charlando por la calle.

c / *quedarse*

33. Pepe *está* mirando los cuadros.
          Pepe se queda mirando los cuadros.
34. Luisa y yo *estamos* leyendo los documentos.
35. Los dos *estaban* discutiendo el suceso.
36. El padre Rojas *estará* oyendo confesiones.

d / *continuar*

37. Tú *estabas* durmiendo.
          Tú continuabas durmiendo.
38. *Están* repitiendo los verbos.
39. *Estaré* viviendo allí.
40. León y yo *estamos* estudiando.

Repita Vd. las oraciones que siguen, cambiando el complemento en cursiva por el pronombre complemento.

41. Están arreglando *las sillas.*
          Están arreglándolas.
42. ¿ Continuará Vd. estudiando *las matemáticas?*
43. Pedro y yo estamos organizando *el club.*
44. Tú te quedaste esperando a *Lola.*

45. Papá está llevando *un paquete.*
46. La criada estaba sacudiendo *la ropa.*
47. Venía cantando *una canción.*
48. Seguimos explicando *la teoría.*

El participio presente se usa para expresar la forma progresiva del verbo (1–48). Esta forma indica que la acción expresada *está en progreso.* Suele formarse con **estar** y el participio presente (1–24). Con frecuencia, ciertos verbos como **andar, continuar, ir, quedarse, seguir** y **venir** pueden sustituir al verbo **estar** (25–40). Aunque la forma progresiva formada con los mencionados verbos puede expresarse como el progresivo usando el verbo **estar,** siempre conserva algo del significado original de dichos verbos. Los pronombres complemento suelen seguir y agregarse al participio presente (41–48).[1]

[1] Cuando se agrega el pronombre complemento al participio presente, éste lleva acento escrito en la sílaba penúltima para conservar la pronunciación original, por ejemplo: conociendo, conociéndolas; explicando, explicándomelo; sirviendo, sirviéndonos.

DIÁLOGO

PEPE: ¿Qué tal, Ramón? Te echamos de menos anoche. ¿No viniste al concierto?

RAMÓN: ¡Ah, Pepe! Pues, estando algo cansado ayer por la tarde, decidí dormir un rato.

PEPE: Y no te despertaste hasta esta mañana.

RAMÓN: Pues, sí. ¿Perdí una función buena?

PEPE: ¿Buena? ¡Estupenda, hombre! Nunca oí a una artista tan dotada.

RAMÓN: Dicen que, teniendo apenas cuatro años, empezó sus estudios de piano.

PEPE: Sí, pero como ella nos confesó durante la recepción anoche, sólo practicando cuatro horas diarias alcanzó la maestría que tiene.

RAMÓN: El éxito en cualquier campo exige tal dedicación. Pero, volviendo a la pianista, dime, ¿les habló en inglés o en español?

PEPE: En español — un español perfecto.

RAMÓN: Pero, ¿cómo sabe español siendo norteamericana?

PEPE: Pues, siendo española su madre, ¿por qué no ha de hablar español?

EJERCICIOS MODELO

a / Sustitución de un elemento variable

1. Perdimos el concierto.
2. _____ el tren.
3. _____ el avión.
4. _____ la conferencia.
5. _____ la reunión.

b / Respuesta sugerida

1. Yo echo de menos a Luisa, ¿y ella?
                    Ella me echa de menos.
2. Ella me echa de menos, ¿y tú?
3. Tú la echas de menos, ¿y nosotros?
4. Nosotros te echamos de menos, ¿y ellos?
5. Ellos nos echan de menos, ¿y yo?
6. Yo los echo de menos, ¿y Vds.?

c / Reemplazo de construcción

1. Si Marta tiene tiempo, lo hará.
                Teniendo Marta tiempo, lo hará.
2. Si Vds. estudian más, recibirán buenas notas.
3. Si tú me lo pides, iré inmediatamente.
4. Si ellos repasan las lecciones, saldrán bien en el examen.
5. Si nosotros lo recibimos, sabremos la verdad.

d / Sustitución de un elemento variable

1. Regresando a casa, se le ocurrió la solución.
2. Pensando en el asunto, _____.
3. Discutiéndolo, _____.
4. Caminando a la oficina, _____.
5. Repasando los datos, _____.

EJERCICIO MODELO EXTENSO (II)

En estas oraciones reemplace Vd. las palabras en cursiva por el participio presente del verbo en dicha frase.

1. *Cuando era* niña, solía jugar allí.
                Siendo niña, solía jugar allí.
2. *Cuando ellos viajaban*, llevaban muchas maletas.
3. *Cuando estaba* enfermo, guardé cama por dos semanas.
4. *Cuando trabajamos* allí, la conocimos.

5. *Mientras vivía* su papá, tenían una vida cómoda.
6. *Mientras estábamos* en París, frecuentábamos ese café.
7. *Mientras residían* en Miami, gozaban de un clima magnífico.
8. *Mientras recibías* ese sueldo, podías vivir lujosamente.

9. *Si duermes* un rato, te sentirás mejor.
10. *Si Vds. repasan* los ejercicios, no tendrán dificultad con el examen.
11. *Si nos damos* prisa, llegaremos a tiempo.
12. *Si lee* la carta, lo sabrá todo.

13. *Ya que Ana tenía* gripe, no podía asistir a la clase.
14. *Puesto que Luis no tenía* bastante dinero, me pidió prestado unos pesos.

15. *Puesto que tú lo has admitido*, tienes la culpa.
16. *Ya que lo hemos comprado*, no podemos devolverlo.

Responda Vd. a las preguntas que siguen, usando el participio presente del verbo entre paréntesis.

17. ¿ Cómo se llega a aquel pueblo? (tomar el tren de Cali)
    Tomando el tren de Cali, se llega a aquel pueblo.
18. ¿ Cómo reunió Pedro tanto dinero? (trabajar de día y de noche)
19. ¿ Cómo lograron hallarlo? (buscar por todas partes)
20. ¿ Cómo los conseguiste? (ejercer mucha influencia)

21. ¿ Cómo evitaremos ese encuentro? (no asistir al mitin)
22. ¿ Cómo puedo defenderme? (decir la verdad)
23. ¿ Cómo llegaron a una decisión? (discutir el caso entre sí)
24. ¿ Cómo lo aprendió de memoria? (leerlo muchas veces)

Repita Vd. las frases presentadas, cambiando el verbo entre paréntesis por el participio presente.

25. Pasaron la mañana (pensar) en tonterías.
    Pasaron la mañana pensando en tonterías.
26. _____ (prepararse).
27. _____ (leer) el periódico.
28. _____ (escribir) invitaciones.

29. (Hablar) de sorpresas, ¿ qué opinas tú de nuestro propósito?
30. (Pasar) a otro asunto, ¿ _____ ?
31. (Volver) de nuevo al tema, ¿ _____ ?
32. (Haber) oído la explicación, ¿ _____ ?

El participio presente suele sustituirse por varias cláusulas adverbiales para indicar duración de tiempo (1–8), una condición (9–12) y causa (13–16). Se emplea también para expresar el medio por el cual se realiza una cosa. Usado de esta manera, corresponde a la forma inglesa *by . . . ing* (17–24). Lo mismo que el participio inglés, puede usarse solo (25–32).

Estudie y note (**hacer** en expresiones temporales)

1. (a) ¿ Qué tiempo hace en diciembre?
   (b) En diciembre hace frío.

2. (a) ¿Qué tiempo hace en agosto?
   (b) En agosto hace calor.
3. (a) ¿Hace calor en julio?
   (b) Sí, en julio hace mucho calor.
4. (a) ¿Hace frío en octubre?
   (b) No, en octubre hace fresco.
5. (a) ¿Hace buen tiempo hoy?
   (b) No, hace mal tiempo.
6. (a) ¿Hace viento hoy?
   (b) No, no hace viento; hace sol.

                         pero

7. (a) ¿Hay nubes esta mañana?
   (b) No, no hay nubes pero hay niebla.
8. (a) ¿Hay estrellas esta noche?
   (b) Sí, hay estrellas, y luna también.

Generalmente se denotan las condiciones temporales con **hacer** (1–6). Si el fenomeno es visible se usa **hay** en vez de **hacer** (7–8).[1]

APUNTES CULTURALES

Los Quintero

TODO estudiante del teatro inglés señala a Gilbert y Sullivan como un ejemplo sobresaliente de colaboración teatral. Sin embargo, la literatura española ostenta una colaboración aun más destacada en el teatro de Joaquín y Serafín Álvarez
5 Quintero. Decimos más destacada porque en la opereta de los ingleses tenemos la unión de dos talentos distintos — el literario de Gilbert y el musical de Sullivan, mientras que en los Quintero vemos la fusión de dos genios en la expresión del mismo don — el literario. Además de la identidad de inspiración artística, que se

---

[1] La excepción más común a esta regla es *it is sunny* que puede traducirse: **hace sol** o **hay sol**.

nota también en Gilbert y Sullivan, y quizás más importante, es la identidad de expresión de los Quintero. Tan perfecta e íntima fue su colaboración que si alguien, sin saber quienes eran los autores, leyese sus obras, creería que fueron escritas por una sola persona.

5

Nacieron los Quintero en Utrera, pueblo cerca de Sevilla. Unos años más tarde toda la familia se trasladó a Sevilla, ciudad andaluza que en 1888 presenció el primer triunfo dramático de los hermanos — *Esgrima y amor.* En octubre del mismo año su padre
5 los llevó a Madrid donde se les ofrecía mayor oportunidad para lograr éxito en sus trabajos dramáticos. Pasaron nueve años de aprendizaje en la capital, trabajando de día en el Ministerio de Hacienda, y escribiendo de noche las obras que les darían fama. Con el éxito de *El ojito derecho* en 1897, terminó el aprendizaje de
10 los hermanos. Entre 1897 y 1938 cuando murió don Serafín, el mayor de los dos, dieron al teatro español más de doscientas obras, la mayor parte de las cuales pertenecen al «género chico». Se nombran entre sus mejores dramas *Malvaloca, Las flores, Los galeotes* y *El centenario.*
15 Solemos pensar en el teatro como cosa de gran acción, de pasiones turbulentas, de intrigas complicadas, de soluciones extraordinarias. No es así el teatro de los Quintero. Más bien predominan la caracterización sutil y a la vez perspicaz, el diálogo natural, vivo, la «acción interior» — personal, el ambiente suave,
20 ameno, de Andalucía. Insistían los hermanos en que sus comedias interesasen a un auditorio heterogéneo lo cual explica la ausencia de palabras grandilocuentes en sus obras. Según ellos una pieza debía ser tan realista que el público tuviera la ilusión de participar en la vida de los personajes, más bien que simplemente presenciarla.
25 Pero es su realismo un realismo ecléctico en que eligen presentarnos sólo lo agradable, lo ameno. Un crítico célebre resumió su teatro diciendo que «. . . una cordial socarronería, algún atisbo melancólico, una gracia de las situaciones hacen de (sus) cuadros . . . el mejor documento de una época».[1]
30 Escritas por una persona, las comedias de los Quintero tendrían de por sí cierto valor. Pero en vista de que su teatro es una experiencia emocional-intelectual, el ser fruto de una colaboración íntima de dos personas lo hace aumentar en quilates. Según nos cuentan ellos mismos, los hermanos Quintero solían planear una
35 comedia oralmente. Es decir que sólo después de haberlo discutido todo — analizando la caracterización, delineando los personajes, componiendo el diálogo — se ponían a escribirla. Don Serafín

---

[1] Ángel Valbuena Prat, *Historia del teatro español* (Barcelona: Editorial Noguer, 1956), pág. 628.

escribía la comedia, deteniéndose de vez en cuando para leerla
en voz alta a don Joaquín, quien comentaba y corregía lo escrito.
Se ha sugerido que las personalidades de los dos se entretejieron
de tal manera en su obra que nadie lograría distinguir a quién
atribuir una frase o un concepto. Sin embargo, su teatro nos   5
parece más que una simple unión de dos talentos compatibles.
Es la misma alma — el mismo espíritu — que habla por boca de
dos personas distintas.

EJERCICIOS SUPLEMENTARIOS

A. En las frases que siguen, sustituya Vd. la expresión en
cursiva por el participio presente de las expresiones entre paréntesis.

1. *Charlando con él*, me di cuenta de que era ciego. (observarlo,
   tratar con él, discutirlo con él, ayudarlo)
2. *Admitiendo tal cosa*, recibirás toda la culpa. (decir eso, ocultarle
   la verdad, tratar de explicarlo, no hacerlo)
3. *Viviendo en Roma*, lo aprendieron. (estudiar todos los días,
   prestar atención en la clase, discutir el caso con él)
4. *Prestando dinero*, uno pierde amigos. (ser descortés, no llegar a
   tiempo, mentir, criticar siempre)
5. *Hablando de refrigeradores*, no hay mejores que éstos. (mencionar
   autos, discutir aparatos eléctricos)

B. Complete Vd. el párrafo que sigue, cambiando los infinitivos
en cursiva por el participio presente.

Ser tan pobre, el niño temía pedirme dinero. Continuó *seguirme*.
Por fin llegué al hotel. *Dar* una vuelta, le vi mirarme. *Dar* unos
pasos hacia el pobrecito le pregunté, « ¿ Cómo te llamas? » No
dijo nada. Sólo continuó *mirarme*. Al fin, no *poder* pasar más tiempo
con él, le di una peseta. Me sonrió y fue *correr* calle abajo.

C. Traduzca Vd. al español.

1. As they were poor, they could not eat meat every day. (*Use
Vd. el participio*.) 2. Since we had no money, we could not go. (*Use
Vd. el participio*.) 3. During our vacations at the beach, the weather

was very fine. 4. By lending him the money, I'll have one more enemy. 5. Although the alarm clock had rung, the boys kept on sleeping. 6. By learning, man advances. 7. We left them quarreling about the check. 8. By treating everyone courteously, one avoids criticism. 9. When we left this morning it was cloudy, but about noon it became (*was*) sunny. 10. He believes that by ignoring them, they will not bother him. 11. Speaking of money, did you receive a raise in salary? 12. When we studied at the university, Albert and I always spent the holidays at my aunt's house. (*Use Vd. el participio.*)

LECCIÓN

___

2

PRESENTE DE SUBJUNTIVO

El presente de subjuntivo se forma como sigue:

Verbo	1ra p. sing. pres. ind.	Raíz	Terminación del subj.
1ra CONJ.			
llevar	llevo	llev	e
andar	ando	and	es
			e
			emos
			éis
			en
2da CONJ.			
meter	meto	met	a
conocer	conozco	conozc	as
			a
			amos
			áis
			an
3ra CONJ.			
dividir	divido	divid	a
decir	digo	dig	as
			a
			amos
			áis
			an

Las únicas excepciones a la formación anterior del presente de
subjuntivo son los verbos que sufren cambios radicales (véase
Sección Tercera, Lección 5), y los siguientes verbos irregulares:
dar (dé), estar (esté), haber (haya), ir (vaya), saber (sepa) y
ser (sea).[1]

DIÁLOGO

SRA. PEMÁN: Buenas tardes, Sara. ¡ Cuánto gusto en verla de
nuevo !

SRA. AGUIRRE: Olga, ¡ qué sorpresa ! Hace más de un mes que no
la veo. Dígame Vd., ¿ qué la trae al centro ?

SRA. PEMÁN: Tenía que ir de compras, ¿ y Vd. ?

SRA. AGUIRRE: Estoy comprando un regalo para el aniversario de
mi hija y mi yerno. Hablando de hijas, se casó la
suya, ¿ no ? Cuénteme lo de su boda.

SRA. PEMÁN: No me lo recuerde Vd. ¿ Sabe Vd. que dos días
antes de casarse cambió de opinión mi hija ?

SRA. AGUIRRE: ¡ No me diga ! ¿ Y por qué ?

SRA. PEMÁN: Dios lo sabe. Pero charlemos de otra cosa.

SRA. AGUIRRE: ¡ Cómo no ! Mire, ya es hora de tomar el té.
¿ Quiere acompañarme ?

SRA. PEMÁN: Con mucho gusto. Entremos en este salón a la
derecha. Dicen que es muy bueno.

EJERCICIOS MODELO

a / Reemplazo de construcción

1. Sofía espera a papá.

              Sofía, espere Vd. a papá.

2. Julio está aquí temprano.
3. Margarita cierra la puerta.
4. Paco lleva las maletas.

---

[1] En el presente de subjuntivo, lo mismo que en el presente de indicativo,
poder y **querer** se conjugan como los verbos de la primera clase de los verbos
con cambios radicales:

    poder — **pueda, puedas, pueda, podamos, podáis, puedan**
    querer — **quiera, quieras, quiera, queramos, queráis, quieran**

5. Pablo pasa a la oficina del director.
6. Lupe lava la ropa sucia.

b / Sustitución de un elemento variable

1. ¡ Cuánto gusto en verlo de nuevo !
2. ¡ —————————— conocerlos !
3. ¡ —————————— recibir esas noticias !
4. ¡ —————————— visitarte !
5. ¡ —————————— asistir a una conferencia suya !

c / Reemplazo de construcción

1. Vaya Vd. con los otros.
                    No vaya Vd. con los otros.
2. Pepita, apague Vd. la luz.
3. María, traiga Vd. los platos.
4. Crea Vd. lo que le digo.
5. Salga Vd. de esta clase.
6. Sea Vd. amable con ellos.

d / Sustitución numérica

1. Esté Vd. listo a las ocho.
                    Estén Vds. listos a las ocho.
2. Venga Vd. por la tarde.
3. No invite Vd. a Inés.
4. Siga Vd. al mozo.
5. No olvide Vd. los billetes.

EJERCICIO MODELO EXTENSO (I)

Cambie Vd. las siguientes frases del indicativo al imperativo.

1. León cambia el programa.
                    León, cambie Vd. el programa.
2. Vds. legalizan el testamento.
3. Los jóvenes caminan despacio.
4. Marta no dobla la esquina.

5. Ana se come la carne.
6. El profesor lee la noticia.

7. Julio y Pedro no venden su casa.
8. Luis y Rita escogen lo mejor.

9. Carlos no abre las ventanas.
10. Rosita y Carmen dividen los dulces.
11. Vicente conduce el auto.
12. Elena sacude las alfombras.

13. Manuel no sale a la calle.
14. El señor González no dice eso.
15. Ricardo y Juan van al centro.
16. Anita hace la cama.

17. Pepe y Miguel devuelven las revistas.
18. Beatriz no pide ayuda a su tío.
19. Mercedes no duerme hasta mediodía.
20. La señorita sirve el café.

Conteste Vd. a las preguntas que siguen, usando la palabra en cursiva en su respuesta.

21. ¿ Quién hará el trabajo, Pepe o *Manuel?*
              Que Manuel haga el trabajo.
22. ¿ Quién explica lo ocurrido, Rosa o *Isabel?*
23. ¿ Quién acompañará a mamá, *los niños* o papá?
24. ¿ Quién escoge el color, *Victoria* o yo?

25. ¿ Lo consigo yo o lo consigue *Pedro?*
26. ¿ Lo elige Alfredo o lo elige *Enrique?*
27. ¿ Barren *ellos* o barremos nosotros?
28. ¿ Paga Ernesto o pagan *los otros?*

29. ¿ Quién dirige el proyecto, Paco o *Jorge?*
30. ¿ Quién lo traerá, *los Ortiz* o los González?
31. ¿ Quién le entregará el dinero, *León* o yo?
32. ¿ Quién corrige ese error, *los estudiantes* o el profesor?

Responda Vd. a estas preguntas según el modelo sugerido.

33. ¿ Quién hará ese trabajo, Vd. y yo?
              Sí, hagamos el trabajo.
34. ¿ Quién arreglará el asunto, Vd. y yo?
35. ¿ Quién traerá los bocadillos, Vd. y yo?
36. ¿ Quién presentará la protesta, Vd. y yo?

37. ¿ Corro yo o corre Vd.?

> Corramos los dos.

38. ¿ Asisto yo o asiste Vd. a la recepción?

39. ¿ Aprobaré yo o aprobará Vd. el plan?

40. ¿ Almuerzo yo o almuerza Vd. ahora?

En este ejercicio repita Vd. los imperativos, cambiando el complemento en cursiva por el pronombre complemento.

41. Prepare Vd. *las ensaladas.*

> Prepárelas Vd.

42. Apague Vd. *la luz.*

43. Discutan Vds. *el plan.*

44. Cuenten Vds. *los recibos.*

45. Quite Vd. los dulces a *su hijo.*

> Quítele Vd. los dulces.

46. Acompañen Vds. a *Marta.*

47. Digan Vds. la verdad a *sus padres.*

48. Acueste Vd. al *bebé.*

49. Expliquemos el asunto al *gerente.*

50. Sigamos *la pista.*

51. Protejamos a *los pobres.*

52. Acortemos *las clases.*

53. Que traiga Eduardo *el tocadiscos.*

> Que lo traiga Eduardo.

54. Que sacuda la criada *las alfombras.*

55. Que limpien los niños *el garaje.*

56. Que paguen ellos *la cuenta.*

57. Que arreglen el coche a *Inés.*

58. Que pidan permiso a *papá.*

59. Que compren la casa a *los Ruiz.*

60. Que sirvan a *sus clientes.*

61. No espere Vd. a *Sara.*

> No la espere Vd.

62. No devuelva Vd. *el recibo.*

63. No hablen Vds. a *las chicas.*

64. No pidan Vds. ayuda al *jefe.*

65. No prestemos el dinero a *Lorenzo.*

66. No discutamos *su propósito*.
67. No compremos *esa blusa*.
68. No paguemos *el impuesto*.

69. Que no haga esperar a *papá*.
70. Que no lleven *tanto equipaje*.
71. Que no repita *esas tonterías*.
72. Que no lea *los informes*.

Se emplean ciertas formas del presente de subjuntivo para indicar tanto el imperativo directo como el imperativo indirecto (1–72). Al imperativo indirecto, que corresponde al inglés *let . . .* o *have . . .*, se antepone **que** (21–32, 53–60, 69–72). Cuando se expresa el imperativo indirecto en la primera persona del plural, se suprime el **que** (33–40, 49–52, 65–68). No olvide Vd. que los pronombres complemento suelen seguir y agregarse al imperativo afirmativo (41–52).[1] Preceden al imperativo negativo (61–72), y al imperativo indirecto afirmativo expresado en la tercera persona (53–60).[2]

Para el imperativo impersonal, usado para dar instrucciones en general, se emplea la tercera persona del subjuntivo con el reflexivo **se**, p. ej.: **Léase las siguientes frases.**

DIÁLOGO

ESTEBAN: Hola, amigo. ¿ Por qué tan triste?
TOMÁS: Acabo de recibir mis notas mensuales.
ESTEBAN: Dudo que sean tan malas.
TOMÁS: Sí que lo son. Y la última cosa que papá me dijo al salir yo para el colegio fue, « Espero que te dediques más al estudio este año ».

[1] Delante del pronombre reflexivo **nos** la **s** final del verbo de la primera persona plural desaparece: **acostémonos.**

[2] También hay dos formas del imperativo de la segunda persona. Con pocas excepciones se usa la tercera persona singular del presente de indicativo para el imperativo familiar singular afirmativo, y para expresar el plural de todos los verbos se suprime la **r** final del infinitivo y se añade **d**, p. ej.: **habla tú, hablad vosotros.** Delante del pronombre reflexivo **os** la **d** final del plural desaparece: **levantaos vosotros.** Sin embargo, siempre decimos **idos** (irse). Negativamente se usa la segunda persona singular y plural del presente de subjuntivo: **no hables tú, no habléis vosotros.**

ESTEBAN: Pero es imposible que tengas « suspensos » en todas las materias. Después de todo, eres más inteligente que yo.

TOMÁS: Pues, por poco pierdo el semestre completo. Mira, tengo tres con « D » y una con « C ».

ESTEBAN: ¿ No es probable que haya un error ?

TOMÁS: Absolutamente no. Ya hablé con el rector.

ESTEBAN: Estando las cosas como están, lo importante ahora es lo que vas a decir a tu padre.

TOMÁS: Claro. ¿ Qué sugieres que le diga ?

ESTEBAN: La verdad. No es posible ocultársela.

TOMÁS: Esteban, ¿ me harás un favor ?

ESTEBAN: ¿ Quieres que yo te acompañe a tu casa este fin de semana ?

TOMÁS: Sí. Estando tú con nosotros, papá no se pondrá tan enojado conmigo.

EJERCICIOS MODELO

a / Sustitución de persona y de número

1. Mis padres prefieren que Pepe elija otra carrera.
2. ———————————— yo ——————————.
3. ———————————— tú ——————————.
4. ———————————— mis hermanos ————.
5. ———————————— Vd. y yo ——————.

b / Sustitución de un elemento variable

1. Es posible negarla.
2. ———— repetirla.
3. ———— conseguir el dinero.
4. ———— tardar un poco.
5. ———— cambiar la batería.

c / Adición fija y reemplazo de construcción

1. Es mala la situación.

    Dudo que sea mala la situación.

2. Tú lo mereces.
3. El doctor Corrado y yo la aceptamos.
4. Sus padres se oponen a eso.
5. Pedro tiene que comprar otra llanta.

d / *Respuesta sugerida*

1. Susana se pondrá enojada, ¿ y tú? (contento)
   Tú te pondrás contento.
2. Tú te pondrás contento, ¿ y nosotros? (triste)
3. Nosotros nos pondremos tristes, ¿ y esos señores? (alegre)
4. Esos señores se pondrán alegres, ¿ y Vd.? (furioso)
5. Vd. se pondrá furioso, ¿ y yo? (satisfecho)

e / *Sustitución numérica*

1. Espero que no llegue temprano.
   Espero que no lleguen temprano.
2. Espero que tú lo sugieras.
3. Espero que Vd. lo obedezca.
4. Espero que el profesor lo discuta.
5. Espero que le ofrezcas tu ayuda.

EJERCICIO MODELO EXTENSO (II)

Anteponga Vd. los verbos indicados a las frases que siguen, haciendo al mismo tiempo el cambio correspondiente en el verbo de la frase.

a / *Siento*

1. Se oponen a nuestro plan.
   Siento que se opongan a nuestro plan.
2. Luisa sufre de dolores de cabeza.
3. Los jóvenes no estudian bastante.
4. Tú lo odias.

5. No siguen mis consejos.
6. Tienes que repetir el curso.
7. Pedro y tú pensáis así.
8. Esteban exagera demasiado.

b / *Desean*

9. Se lo ofrezco a Alberto.
   Desean que se lo ofrezca a Alberto.
10. Cambiamos el auto.
11. Tú te acuestas temprano.

12. Vd. les indica lo preferible.

13. El equipo gana el campeonato.
14. Hace sol esta tarde.
15. Todos asistimos a la reunión.
16. Nunca lo olvidas tú.

c / Diga Vd.

17. Roberto me encuentra a las cinco.
    Dígale Vd. a Roberto que me encuentre a las cinco.
18. Jorge trae los billetes.
19. Los estudiantes prestan atención.
20. La moza barre el comedor.

21. Rosa pone la mesa.
22. Los pobres lo piden.
23. La criada sirve el té.
24. El mecánico me arregla el motor.

d / Conviene

25. Mis hermanos se portan mejor.
    Conviene que mis hermanos se porten mejor.
26. Le reconocemos.
27. Tú recibes esa condecoración.
28. Lo pagamos antes de irnos.

29. Anita se viste con elegancia.
30. Los Prieto tienen muchos sirvientes.
31. Me preocupo por ese asunto.
32. Manuel se defiende.

e / Dudamos

33. Tienen bastante dinero.
    Dudamos que tengan bastante dinero.
34. Papá lo permite.
35. Tú nos las prestas.
36. Los gerentes lo consiguen.

f / Niego

37. El señor López me conoce.
    Niego que el señor López me conozca.

38. Los estudiantes lo entienden.
39. Pablo y tú tenéis razón.
40. Las niñas saben bailar el tango.

Repita Vd. las frases que siguen, suprimiendo el sujeto en cursiva y cambiando la construcción subjuntiva al infinitivo.

41. Me alegro de que *Vd.* esté aquí.
                 Me alegro de estar aquí.
42. Paco teme que *nosotros* lo perdamos.
43. Sentimos que *tú* no puedas venir.
44. Tú temes que *el director* lo halle.

45. Prefieren que *Antonio* no lo pague.
46. Pepe quiere que *nosotros* salgamos inmediatamente.
47. Nosotros deseamos que *tú* lo traigas.
48. Sugiere que *Vds.* lo hagan.

49. Es preciso que *yo* estudie con cuidado.
50. Basta que *él* se lo diga una vez.
51. Es importante que *Vds.* lo expliquen bien.
52. Es posible que *nosotros* pasemos la noche allí.

Cambie Vd. la construcción subjuntiva al infinitivo.

53. Le aconsejo que la acompañe.
                 Le aconsejo acompañarla.
54. Nos sugiere que prestemos más atención.
55. Les ruegas que se dediquen a su trabajo.
56. Te mando que regreses aquí en seguida.

57. Me piden que se lo entregue.
58. Les exigimos que corrijan su error.
59. Nos manda que lleguemos a la una en punto.
60. Le sugerimos que asista a la función.

El indicativo expresa lo seguro, lo cierto, mientras que el subjuntivo indica lo incierto, lo emocional, lo volitivo, lo dudoso (1–40). Dependiendo siempre de un verbo expresado o sobreentendido, el subjuntivo suele usarse en una cláusula subordinada (1–40). Se emplea el subjuntivo en cláusulas nominales después de verbos de emoción (1–8), volición (9–16), mandato (17–24), duda y negación (33–40). También se usa después de expresiones impersonales cuando hay cambio de sujeto, excepto si se expresa seguridad (25–32). No olvide Vd. que en cada una de las frases anteriores hay dos verbos con dos sujetos distintos (1–40). No habiendo dos sujetos diferentes, se emplea el infinitivo en vez del subjuntivo (41–52). Sin embargo, ciertos verbos de volición y de mandato pueden estar seguidos del infinitivo en vez del subjuntivo (53–60).[1]

Estudie y compare

1. (a) Creen que eso le interesa.
   (b) No creen que eso le interese. (*Es decir, lo dudan.*)
2. (a) Niego que lo conozcamos.
   (b) No niego que lo conocemos. (*Si no se niega, se afirma.*)
3. (a) Duda que yo los tenga.
   (b) No duda que yo los tengo. (*Si no se duda, se está seguro.*)
4. (a) Es cierto que vienen mañana.
   (b) No es cierto que vengan mañana. (*Existe una duda.*)
5. (a) Nos parece que le hace falta dinero.
   (b) No nos parece que le haga falta dinero. (*Existe una duda.*)

Nótese que con ciertos verbos, el uso del subjuntivo depende de si se emplean en forma negativa o afirmativa.

[1] También los verbos **dejar, hacer, impedir, ordenar, permitir** y **prohibir.**

APUNTES CULTURALES

Don Juan

DON JUAN — este hombre suele evocar visiones de un galán misterioso, guapo, con un irresistible poder sobre las mujeres — hombre que ama y abandona a sinnúmero de damas sin el menor recuerdo ni el menor remordimiento. Hoy
5   el nombre de don Juan se usa común y erróneamente refiriéndose al hombre que goza de muchas conquistas fáciles entre el sexo débil.

El concepto del donjuanismo ha existido desde los tiempos más antiguos, pero le cupo a un fraile español del siglo diez y siete darle
10 forma y nombre perdurables. Gabriel Téllez, que publicó sus obras dramáticas bajo el pseudónimo de Tirso de Molina, en su famosa comedia, *El burlador de Sevilla y convidado de piedra*, dio al mundo el personaje universal de don Juan. Basada en una vieja leyenda sevillana, esta obra cuenta cómo don Juan, por haber
15 burlado a una duquesa, tiene que escaparse de Nápoles. Después de un naufragio y otra aventura amorosa logra regresar a Sevilla donde engaña a una dama llamada doña Ana, y mata a su padre, el comendador. Se va de Sevilla y sigue burlando a otras. Un día ya de vuelta en Sevilla, entra en una iglesia donde ve la estatua
20 del difunto comendador. En un alarde de soberbia, convida a la estatua a cenar con él. La estatua acepta la invitación. Al darle la mano a don Juan, lo abrasa con un fuego infernal y muere éste, condenado para siempre.

Ha servido esta obra maestra de inspiración a generaciones de
25 autores tanto extranjeros como españoles. Entre los más notables sucesores del fraile sobresalen los ingleses Shaw y Lord Byron, los franceses Corneille y Molière, el italiano Goldoni y el español Zorrilla. No se puede dejar de mencionar la ópera *Don Giovanni* de Mozart. Cada uno interpretó a don Juan según su manera
30 propia, añadiendo o quitando algo a la creación original de Tirso de Molina.

Pero la esencia del donjuanismo no se halla únicamente en la proeza sexual — la conquista fácil y libidinosa. Es algo más sutil que el mero gozo físico. Volvamos por un momento al Burlador
35 impío creado por el fraile español. Repasando la trama nos damos

cuenta de que nuestro héroe rara vez pide abiertamente lo que
anhela. Más bien suele aprovecharse de la sombra y del engaño
haciéndose pasar muchas veces por el amado de la dama, para así
lograr sus deseos. No ama a ninguna de sus conquistadas. En
5   cambio exige que la mujer se enamore de él sin que él la ame.
El amor que la dama siente por él no es el amor y la estimación
nacidos después de meses de trato íntimo, sino una cosa repentina
— un hechizo casi diabólico, que vence todo pudor. « La verdadera
esencia del donjuanismo », nos dice Pérez de Ayala, « es el poder
10 misterioso de fascinación, de embrujamiento por amor . . . Don
Juan no es Don Juan por haber ganado favores de infinitas mujeres . . . sino por haber arrebatado, aun cuando sea a una sola
mujer, por seducción misteriosa . . . seducción en su sentido propio,
como enhechizo ».[1]

EJERCICIOS SUPLEMENTARIOS

A. A las siguientes oraciones, anteponga Vd. las expresiones
sugeridas, cambiando el verbo según corresponda.

Extrañan que

1. María no se porta bien. 2. La casa es de piedra. 3. No conoce
a nadie. 4. Tiene que salir. 5. No tomamos vino.

No es seguro que

1. Se quieren uno a otro. 2. No pueden entenderlo. 3. Sale para
Londres. 4. Vds. hacen la excursión. 5. Van al centro.

Esperamos que

1. Se divierten mucho. 2. Me trae las botellas. 3. Toca el piano
muy bien. 4. Vd. pregunta por él. 5. Le quedan unos dólares.

B. Lea Vd. completamente en español las siguientes frases.

1. Desea (*do it*). 2. Niega que (*it is*) verídico. 3. Me sorprende
que (*you know it*). 4. Es seguro que Lola (*will be there*). 5. Le

---

[1] Ramón Pérez de Ayala, *Las Máscaras* (Argentina: Espasa-Calpe, 1948),
pág. 305.

manda (*come up*). 6. Déjenos (*see them*). 7. ¿ No cree Vd. que
Miguel (*is wrong*)? 8. No duda que (*we will abandon*) el proyecto.

C. Cambie Vd. los verbos que siguen al imperativo singular.

1. seguir trabajando 2. no saberlo de memoria 3. quitarse el
impermeable 4. acompañar a sus primas 5. no permitírselo 6. ir
al centro 7. no despertarse temprano 8. no enojarlo

D. Traduzca Vd. al español.

1. Each of us will write to her to send us a five-dollar check.
2. I am afraid that, in spite of his intelligence, he will find it too
difficult. 3. Tell them to return the reports as soon as possible.
4. It is necessary to work carefully. 5. Are you glad that they
intend to spend their vacation here with us? 6. Have the maid
prepare more coffee. 7. We have asked him to pay his bill at
once, or to return the goods within ten days. 8. It is fitting that
we remember those who help us. 9. It is clear that he has neither
the money nor the talent for such a career. 10. We do not believe
that the situation deserves so much attention.

LECCIÓN

3

EL SUBJUNTIVO EN CLÁUSULAS ADJETIVAS

DIÁLOGO

SR. PEREDA: (*llamando a la puerta*) Hola Velasco, ¿ estás por ahí ?
SR. VELASCO: ¡ Claro ! Entra quienquiera que seas.
SR. PEREDA: Pero hombre, ¿ andas tan metido en tu trabajo que no reconoces a un amigo ?
SR. VELASCO: ¡ Ah, Pereda ! Dispénsame, pero buscaba unos papeles importantísimos.
SR. PEREDA: ¿ Y tu secretaria ?
SR. VELASCO: Acabo de despedirla.
SR. PEREDA: Pero es la tercera que has tenido en un mes. ¿ No hay nadie que te satisfaga ?
SR. VELASCO: Lo único que quiero es una secretaria que pueda organizar estos ficheros y que sepa también taquigrafía.
SR. PEREDA: En lo de encontrar una secretaria tienes la misma suerte que yo con mi esposa.
SR. VELASCO: ¿ Qué quieres decir ?
SR. PEREDA: Por mucho que busques, nunca darás con la maravilla que anhelas tanto.

EJERCICIOS MODELO

a / Sustitución de un elemento variable

1. ¿No hay nada que le satisfaga?
2. ¿ —————————— guste?
3. ¿ —————————— interese?
4. ¿ —————————— contente?
5. ¿ —————————— importe?

b / Respuesta sugerida

1. ¿Quién dio con el anillo perdido, Miguel?
      Sí, Miguel dio con el anillo perdido.
2. ¿Quién dio con el niño, tú?
3. ¿Quién dio con los papeles, la secretaria?
4. ¿Quién dio con las llaves, los estudiantes?
5. ¿Quién dio con el horario, vosotros?

c / Sustitución de persona y de número

1. Se opondrán a cualquier cosa que sus padres propongan.
2. ————————————————— Pepe —————————.
3. ————————————————— yo —————————.
4. ————————————————— nosotros ——————.
5. ————————————————— tú —————————.
6. ————————————————— Raquel y tú ————.

d / Respuesta sugerida

1. ¿Quieren cambiar la hora?
      Sí, quieren cambiarla a una que sea más conveniente.
2. ¿Quieren cambiar la oficina?
3. ¿Quieren cambiar el horario?
4. ¿Quieren cambiar la cita?
5. ¿Quieren cambiar el día?

e / Adición fija

1. Déme Vd. algo.
            Déme Vd. algo que me contente.
2. Busca algo.
3. Me traen algo.

4. Deseo algo.
5. Me prometen algo.

EJERCICIO MODELO EXTENSO (I)

Repita Vd. las oraciones que siguen, cambiando la palabra en cursiva por el artículo indefinido. Haga Vd. el cambio correspondiente en el verbo.

1. Busco *la* tienda donde venden café italiano.
   Busco una tienda donde vendan café italiano.
2. Necesitan a *la* secretaria que sabe ruso.
3. Escogeremos *los* que cuestan menos.
4. ¿ Me presentas a *la* muchacha que baila a lo español?

5. Invitas a *las* personas que te gustan.
6. Carlos quiere tener su oficina en *el* edificio que es nuevo.
7. Deseo tratar con *el* mecánico que me pide menos.
8. ¿ Conocéis a *los* estudiantes que me lo explican?

9. ¿ Dónde tienen *el* aparato que funciona?
10. Los Aguilar necesitan *el* piso que es más tranquilo.
11. Emplee Vd. *al* técnico que tiene los talentos necesarios.
12. Preferimos vivir en *la* provincia que goza de mejor clima.

Conteste Vd. a las siguientes preguntas negativamente, según la respuesta sugerida.

13. ¿ Hay alguien aquí de su pueblo?
    No, no hay nadie que sea de mi pueblo.
14. ¿ Quieren algo más barato?
15. ¿ Busca Lope una casa más pequeña?
16. ¿ Conoces a alguna persona rica?

17. ¿ Necesitan Vds. una casa con patio?
    No, no necesitamos una casa que tenga patio.
18. ¿ Hay alguien aquí con un coche verde?
19. ¿ Deseas tú una secretaria con título universitario?
20. ¿ Prefiere Luisa un novio con dinero?

21. ¿ Habrá alguien allá que les haga aprender?
    No habrá nadie allá que les haga aprender.

22. ¿ Conoce Paca a alguna persona que sepa japonés?
23. ¿ Aceptarán una tesis que no tenga bibliografía?
24. ¿ Ve Raúl algo que le sirva?

Conteste Vd. a las preguntas que siguen, según la respuesta sugerida.

25. ¿ A quién se lo contará Vd.?
    Se lo contaré a quienquiera que me ayude.
26. ¿ A quién se lo dará Vd.?
27. ¿ A quién se lo agradecerá Vd.?
28. ¿ A quién invitará Vd.?

29. ¿ Hará Dora ese trabajo?
    Dora hará cualquier trabajo que quiera.
30. ¿ Llevará Dora esa blusa?
31. ¿ Leerá Dora aquel libro?
32. ¿ Nos pedirá Dora tal favor?

33. ¿ Aceptarán ese regalo?
    Aceptarán cualquiera que les ofrezcamos.
34. ¿ Aprobarán el plan?
35. ¿ Apreciarán nuestra ayuda?
36. ¿ Se aprovecharán de nuestro consejo?

Se emplea el subjuntivo en cláusulas adjetivas en que el antecedente de **que** es indefinido (1–12) o inexistente (13–24). Se exige también en cláusulas introducidas por expresiones indeterminadas como **quienquiera, cualquier, cualquiera,** etc. (25–36).

Estudie y compare

1. (a) Compraré cualquier blusa que me caiga bien.
   (b) Cualquier blusa que me probé, me caía mal.
2. (a) Buscan un sastre que sepa hacer ese trabajo.
   (b) Conocen a un sastre que sabe hacer ese trabajo.
3. (a) Tráigame Vd. todo lo que le pida.
   (b) Tráigame Vd. todo lo que le pedí.

No olvide Vd. que cuando el antecedente de **que** se refiere a algo definido, se usa el indicativo.

Estudie y note

1. Por amable que sea, no podemos tolerarlo.
2. Por rápidamente que comas, comeré siempre más que tú.
3. Por mucho que ahorre, nunca tendrá el dinero necesario para comprarlo.

pero

4. Por mucho que ahorró, nunca tuvo el dinero necesario para comprarlo.

La expresión **por + adjetivo** (o **adverbio**) **+ que** que corresponde a la inglesa *no matter how + adjective* (*or adverb*), siempre exige el subjuntivo (1, 2). **Por mucho** (**más** o **poco**) **+ que + verbo** puede requerir el subjuntivo (3). Sin embargo, si se trata de una acción ya acabada o realizada, se emplea el indicativo (4).

EL SUBJUNTIVO EN CLÁUSULAS ADVERBIALES

DIÁLOGO

HUGO: ¡ Rafael, tú por aquí ! ¿ Qué tal tu vida, hombre ?

RAFAEL: Nada de particular, Hugo. ¿ Y tú ?

HUGO: Pues, ando en busca de otro piso — uno más grande que el que tengo.

RAFAEL: ¿ Y por qué ? Aunque te parezca algo pequeño, el que tú tienes es muy cómodo . . . a menos que intentes casarte.

HUGO: ¡ Eso nunca !

RAFAEL: Entonces, ¿ por qué mudarte de piso ?

HUGO: De modo que cuando invite a amigos como tú, pueda recibirlos con más comodidad.

RAFAEL: Te agradezco mucho tu consideración. A propósito, dime, ¿ cuántos cuartos piensas tener ?

HUGO: Bien . . . una cocina, dos alcobas, un . . .

RAFAEL: ¡ Dos alcobas en el piso de un solterón confirmado !

HUGO: Es que mi hermano viene a la capital, y para que tenga donde dormir . . .

RAFAEL: Ah claro, me había olvidado de tu hermano.

EJERCICIOS MODELO

a / Sustitución de un elemento variable

1. Andan en busca de un restaurante.
2. _____ otro piso.
3. _____ un coche nuevo.
4. _____ una casa cómoda.
5. _____ otra librería.

b / Reemplazo de construcción

1. Lo hago para poder descansar. (tú)
           Lo hago para que tú puedas descansar.
2. Lo dicen para ayudarnos. (Vds.)
3. Me voy para estudiar. (Esteban)
4. Acabamos temprano para ir al cine. (Elena y tú)
5. Alquila una casa grande para estar cómoda. (su familia)

c / Sustitución de persona y de número

1. Lo anunciará cuando los periodistas lleguen.
2. _____ Pepe _____.
3. _____ tú _____.
4. _____ nosotros _____.
5. _____ Laura y tú _____.
6. _____ Vds. _____.

d / Respuesta sugerida

1. ¿ Piensan prohibírselo a Tomás?
                Sí, aunque no le guste.
2. ¿ Piensan prohibírselo a los jóvenes?
3. ¿ Piensan prohibírtelo a ti?
4. ¿ Piensan prohibírnoslo a nosotros?
5. ¿ Piensan prohibírselo a Vds.?

EJERCICIO MODELO EXTENSO (II)

Repita Vd. las frases de este ejercicio, cambiando la expresión en cursiva al subjuntivo, según el modelo presentado.

1. Estaré contenta *al recibir* Pedro su título.
           Estaré contenta cuando Pedro reciba su título.

2. Lo heredarán *al morir* Lupe.
3. Te entregará el dinero *al firmar* tú el contrato.
4. Lo tendremos *al venir* nuestros padres.

5. Avísele Vd. *al llegar* Enrique.
          Avísele Vd. tan pronto como llegue Enrique.
6. Saldré *al entrar* aquí Irene.
7. Llámenos Vd. *al salir* los niños del jardín.
8. Piensa volver *al mandarle* nosotros el dinero.

9. *No sintiéndose bien* Inés, no la visitaremos.
          Mientras que Inés no se sienta bien, no la visitaremos.
10. *No recibiendo* yo la cuenta, no me toca pagarla.
11. *Estando* Jorge enfermo, no podemos continuar.
12. *Teniendo* ellos tanto cuidado, no les ocurrirá nada.

13. *Al salir* Marcos, lo discutiremos.
          Antes de que Marcos salga, lo discutiremos.
14. *Al acostarse* los niños, llámeme Vd.
15. *Al enviar* yo las invitaciones, mamá tiene que aprobar la lista.
16. *Al escoger* tú a un asistente, hay que avisar al gerente.

    Conteste Vd. a las siguientes preguntas, usando en su respuesta la expresión entre paréntesis.

17. ¿ Por qué nos dicen eso? (evitar dificultades)
          Para que evitemos dificultades.
18. ¿ Por qué critican a Roberto? (no repetir su error)
19. ¿ Por qué corrige a sus hijos? (portarse mejor)
20. ¿ Por qué te da más dinero? (poder viajar por avión)

21. ¿ Por qué le regalan un auto a su hijo? (no seguir pidiéndoselo)
          A fin de que no siga pidiéndoselo.
22. ¿ Por qué les escribe a sus primas? (darse cuenta del hecho)
23. ¿ Por qué me ayudas tanto? (tener mucho éxito)
24. ¿ Por qué llevan a Elena al concierto? (apreciar la música clásica)

25. ¿ Vienen a visitarnos? (recibirlas en la estación)
          Sí, con tal de que las recibamos en la estación.
26. ¿ Me lo darás? (pagarlo)
27. ¿ Pueden Vds. acompañarlo? (tener tiempo)
28. ¿ Va Alfonso a la conferencia? (regresar temprano del trabajo)

29. ¿ Te vas al baile? (papá prohibírmelo)
    Sí, aunque papá me lo prohiba.
30. ¿ Se portarán bien los estudiantes? (no estar presente la maestra)
31. ¿ Saldrá Luis para Nueva York? (sus padres oponerse)
32. ¿ Me consigues los billetes? (no tener tú el dinero)

Junte Vd. los pares de frases que siguen con la expresión sugerida, cambiando el segundo verbo según corresponda.

a / a menos que

33. Iré al teatro. Tú me lo prohibes.
    Iré al teatro a menos que tú me lo prohibas.
34. No vamos. Los jóvenes nos acompañan.
35. No le entregan el dinero. Pablo les arregla el motor.
36. Vendrán a la fiesta. Su padre no se lo permite.

b / aun cuando

37. No harán el trabajo. El señor Méndez les paga bien.
38. Carlos no se casa con Adela. Ella aprende a cocinar.
39. No nos prestarán su auto. Se lo devolvemos antes de las cinco.
40. Su padre no se lo regala. Pepe sigue recibiendo buenas notas.

c / sin que

41. Lo compraremos. Miguel y León lo saben.
42. Tienes que hacerlo. Nadie te ve.
43. Hay que arreglar el asunto. Marta se da cuenta de ello.
44. Salen de la casa. Nadie los oye.

Se usa el subjuntivo en cláusulas adverbiales después de expresiones temporales que se refieren a un tiempo futuro o indefinido (1–16). Se emplea también después de expresiones de propósito (17–24), expresiones de concesión y de condición (25–40) y expresiones de resultado negativo (41–44).

Estudie y compare

1. (a) Cuando la vio, le dio la noticia.
   (b) Cuando la vea, le dará la noticia.
2. (a) Cuando se levantan, siempre toman una taza de café.
   (b) Cuando se levanten, tráigales Vd. una taza de café.

3. (a) Tan pronto como llegó Manuel, salimos.
   (b) Tan pronto como llegue Manuel, saldremos.
4. (a) Aunque no nos quiere, la tratamos con respeto.
   (b) Aunque no nos quiera, la trataremos con respeto.
5. (a) Aunque llueve, vamos a la tertulia.
   (b) Aunque llueva, iremos a la tertulia.

Cuando las cláusulas adverbiales que van introducidas por una expresión temporal o una expresión de concesión indican lo que sucede o sucedió, en vez de lo que puede suceder, se emplea el indicativo (1a, 2a, 3a, 4a, 5a).[1]

APUNTES CULTURALES

El poeta del amor y del dolor

EN LA lápida conmemorativa, puesta en la casa de Madrid en donde murió Gustavo Adolfo Bécquer, se le califica como « El poeta del amor y del dolor », título que describe bien su vida y su obra. En Sevilla, en 1836, vio por primera vez
5 la luz del día este poeta romántico. Hijo de un pintor, y uno de sus ocho hijos, quedó huérfano a los diez años. Su madrina, doña Manuela Manchoy, se lo llevó a su casa y lo trató como hijo suyo. Lo matriculó en el Colegio de Mareantes de San Telmo en Sevilla para que se hiciese piloto — decisión justificada en vista de la
10 atracción que el mar tenía para Gustavo. Desgraciadamente antes de que pudiese acabar el curso, por decreto real el colegio fue cerrado. Su madrina quería que su ahijado se hiciese comerciante, pero el joven, ya completamente seducido por la musa literaria, rehusó, declarando su intención de establecerse en Madrid. La
15 buena de doña Manuela protestó rigurosamente, incluso sitiando al joven con hambre. Todo fue en vano. Bécquer salió para Madrid en busca de gloria.

---

[1] **Antes de que** es la excepción a esta regla.

Pero el paraíso de sus sueños tropezó con la realidad, y le envolvió la desilusión. Como lo expresan tan elocuentemente los Quintero, « A los pocos días de hallarse en Madrid, ya vio con triste desconsuelo que los alcázares eran ventas camineras, y las princesas, maritornes, y los ejércitos, manadas de carneros, y molinos de viento los terribles y fabulosos gigantes ».[1] No obstante su desengaño, Bécquer se quedó en Madrid. Anhelaba la fama literaria y para él Madrid era la capital literaria de España.

No sólo el desencanto sino también la desgracia lo acompañaron durante toda su vida. Enfermizo, soñador, tímido, nunca se quejaba de su situación. A pesar de un matrimonio desafortunado — se había casado con la hija de un médico que lo había curado — y de otras dificultades tanto financieras como personales, nunca abandonó su musa. Ésta era la misma sangre que corría por sus venas.

Cuentan de él que recién llegado a Madrid, había conseguido un empleíllo en la Dirección de Bienes. El trabajo no era mucho y solía pasar el tiempo dibujando escenas literarias. Un día mientras se entretenía así, entró el director y se puso entre los que estaban observando lo que hacía. Después de un rato, el director empezó a hacerle preguntas sobre las personas que dibujaba, y Bécquer fue identificando los personajes de una escena de Shakespeare. De repente, volvió la cabeza y se halló cara a cara con el director, el cual, señalándolo con el dedo, le dijo, « Aquí tiene Vd. a uno que sobra ». Ese mismo día el pobre poeta se halló sin empleo.

Cuando, por fin, Bécquer logró conseguir una manera modesta de vivir, le sorprendió la muerte. A los treinta y cuatro años de edad murió.

No dejó muchas obras. De hecho todo lo que escribió puede incluirse en un tomo no muy grueso. Su fama se basa esencialmente en sus *Leyendas* y en sus *Rimas*. Constan éstas de setenta y nueve poemas líricos. Teniendo como tema central el amor, los poemas reflejan al mismo tiempo el sentimiento musical del autor, su amor por la naturaleza y su sensibilidad estética. Tejidas de luz y de sombra, dotadas de una intensidad de sentimiento y de una magia fugaz — todavía encantan al lector sea su edad la que sea.

[1] Gustavo Adolfo Bécquer, *Obras Completas* (Madrid: Aguilar, 1954), pág. 28.

EJERCICIOS SUPLEMENTARIOS

A. Lea Vd. completamente en español las siguientes frases.

1. Lo hará a condición de que (*you come*). 2. Llegarán sin que sus padres (*see them*). 3. Antes de que (*the children leave*), dénoslo Vd. 4. Asistirán a esas clases aunque el rector (*forbids it*). 5. Cuando Ricardo (*comes*), dígale Vd. que quiero verlo. 6. No puedes ir al cine hasta que (*you prepare*) la lección para mañana. 7. Luisa va a hacerlo de modo que (*her children do not suffer*). 8. ¿ Piensas comprarlo a pesar de que Andrés (*refuses to pay for it*)?

B. Repita Vd. las siguientes frases, sustituyendo las palabras en cursiva por las palabras entre paréntesis. Haga Vd. el cambio correspondiente en el verbo.

1. El consejo estudiantil lo pide a fin de que *los estudiantes* gocen de más libertad. (tú, el profesorado, nosotros, los del primer año)
2. Lo guardaré hasta que *Martín* me lo pida. (Vds., Ana y tú, mi suegra, Inés y Roberto)
3. Piensan aprobar el contrato a menos que *Tomás* se oponga. (el presidente, Vd. y yo, sus abogados, vosotros)
4. No podrá hacerlo sin que *papá* lo sepa. (yo, sus colegas, el rector, tú y yo)

C. Traduzca Vd. al español.

1. Anita is looking for a dress which fits her better. 2. They will accept whatever solution we suggest to them. 3. Whatever it is, I have told you I don't want it. 4. As soon as he arrives, ask him for the money that you need. 5. He comes and goes without anyone's knowing it. 6. He intends to marry her even if her parents forbid it. 7. Before you return home, don't forget to write to your uncle. 8. Isn't there anything which you like? 9. Whenever they call, tell them I am at Bill's house. 10. He will approve the plans so that they can begin work about the tenth of June. 11. No matter how much he studies, he will never pass that examination. 12. Jones and Company will let us use the building provided we maintain it.

LECCIÓN

4

IMPERFECTO DE SUBJUNTIVO

Para formar el imperfecto de subjuntivo se suprime la terminación **ron** de la tercera persona plural del pretérito, y a la raíz se agregan las terminaciones correspondientes.

3ra p. pl. pret.	Raíz de la 3ra p. pl. pret.	Terminaciones del imperf. subj.	
llevaron (llevar)	lleva	ra	se
anduvieron (andar)	anduvie	ras	ses
metieron (meter)	metie	ra	se
conocieron (conocer)	conocie	'ramos	'semos [1]
dividieron (dividir)	dividie	rais	seis
dijeron (decir)	dije	ran	sen

El imperfecto de subjuntivo tiene dos grupos de terminaciones, los cuales por lo general pueden intercambiarse. Así que el imperfecto de subjuntivo de **decir** puede indicarse:

dijera, dijeras, dijera, dijéramos, dijerais, dijeran *o*
dijese, dijeses, dijese, dijésemos, dijeseis, dijesen [2]

---

[1] En la primera persona plural del imperfecto de subjuntivo, la vocal que precede a la terminación lleva acento, p. ej.: **conociéramos, conociésemos.**

[2] El imperfecto de subjuntivo terminado en **se** es, en realidad, el verdadero imperfecto. El terminado en **ra** se usa también como condicional.

DIÁLOGO

ALICIA: Buenas tardes, Clara. ¿ De dónde vienes a estas horas?

CLARA: De casa de Ágata, mi hermana mayor.

ALICIA: ¿ Qué le pasa? ¿ No se siente bien?

CLARA: Estaba fuera de sí porque su hijo se había marchado a la universidad.

ALICIA: ¿ Y desde cuándo es tener un hijo en la universidad motivo para inquietarse?

CLARA: Antes de que saliese mi sobrino, Ágata le dijo que le escribiese en cuanto llegara.

ALICIA: ¿ Y el pícaro no le escribió?

CLARA: ¡ No! Ágata pasó cinco días miserables, temiendo que le hubiera pasado algo grave.

ALICIA: Pues, ¿ por qué no lo llamó por teléfono?

CLARA: Ya conoces a Ágata. Tenía miedo de que le dieran alguna mala noticia.

ALICIA: ¿ Recibió por fin la carta que aguardaba?

CLARA: Llegó hoy. Como le dije a mi hermana, con todo lo que su hijo tenía que hacer, era imposible que le escribiera tan pronto.

EJERCICIOS MODELO

a / Reemplazo de construcción

1. Es posible que lo haga.
   Era posible que lo hiciera.
2. Es probable que nos inviten.
3. Importa que le pidamos más tiempo.
4. Conviene que te quedes.
5. Es lástima que no podáis venir.

b / Sustitución de persona y de número

1. Dudaban que el consejo les concediese el permiso.
2. _____ sus padres _____.
3. _____ tú _____.
4. _____ Ramón y yo _____.
5. _____ Vd. _____.

c / Reemplazo de construcción

1. Temo que lo pierda.
         Temo que lo haya perdido.
2. Dudan que Pepe lo entienda.
3. Esperamos que tú lo merezcas.
4. Es probable que Concha los conozca.
5. Se alegra de que las consigamos.

d / Respuesta sugerida

1. ¿ A qué hora llegaron? (tú)
         Antes de que tú te despertases.
2. ¿ A qué hora salieron? (él)
3. ¿ A qué hora recibieron el telegrama? (nosotros)
4. ¿ A qué hora comenzaron a trabajar? (Vds.)
5. ¿ A qué hora le avisaron? (vosotros)

EJERCICIO MODELO EXTENSO (I)

Anteponga Vd. la expresión sugerida a las frases que siguen, cambiando el verbo según corresponda.

a / No convenía que

1. Martín lo determinó.
         No convenía que Martín lo determinase.
2. Tú lo hiciste.
3. Aceptamos la responsabilidad.
4. Nos dieron su permiso.

b / Me sorprendía que

5. El señor Corrado permitió tal cosa.
6. Negaron conocerlo.
7. Arnaldo y tú prohibisteis la función.
8. Tú se lo rogaste.

c / Preferían que

9. Yo les presté el dinero.
10. Elegimos a Alicia.

11. Vd. adelantó el programa.
12. Roberto y Ana se lo pidieron.

d / No creía que

13. Me opuse a su decisión.
14. Tú te acordabas de él.
15. Los Ante salieron de ese apuro.
16. Le concedimos tal favor.

e / Mandó que

17. Fuimos a la recepción.
18. Ramón pagó la cuenta.
19. Tú no dependías de él.
20. Vds. sirvieron de asistentes.

f / No le importaba que

21. Le habían quitado la licencia.
    No le importaba que le hubieran quitado la licencia.
22. Habíamos ido allá sin avisarle.
23. Tú la habías escogido.
24. Vds. lo habían averiguado.

Repita Vd. las siguientes oraciones, cambiando los verbos al tiempo pasado, según el modelo presentado.

25. No hay nadie que te conozca.
    No había nadie que te conociera.
26. Necesitas una secretaria que sepa taquigrafía.
27. Buscan un banco que les cambie el cheque.
28. No tengo ningunos discos que os gusten.

29. Aceptará cualquier ayuda que le ofrezcamos.
    Aceptaría cualquier ayuda que le ofreciésemos.
30. Escogerán cualquier cosa que vean.
31. Lo contaré a quienquiera que me escuche.
32. Merecerás cualquier honra que te otorguen.

33. Lo hace sin que tú lo sepas.
    Lo hizo sin que tú lo supieras.

34. Se van sin que yo les dé mi permiso.
35. Te conceden el nombramiento sin que tengas tu título universitario.
36. Nos permiten entrar sin que nos identifiquemos.

37. Iré con tal que tú me acompañes.
      Iría con tal que tú me acompañases.
38. Me lo mandará con tal que pueda.
39. Echaremos las cartas al correo con tal que esté abierta la oficina.
40. Paco se casará con Lupe con tal que ella lo acepte.

41. Lo preparo para que Enrique no se moleste.
      Lo preparé para que Enrique no se molestara.
42. Siguen su consejo para que sus padres no se enojen.
43. Nos presta el dinero para que podamos comprar la casa de piedra.
44. Te corrige el profesor para que aprendas.

45. Le mando llamarme tan pronto como llegue.
      Le mandé llamarme tan pronto como llegase.
46. Te pide avisarle tan pronto como acabes.
47. Nos ruegan informarles tan pronto como recibamos el telegrama.
48. Les sugiero escribirme tan pronto como lo averiguen.

El imperfecto de subjuntivo se emplea en las cláusulas que rigen el subjuntivo cuando el verbo principal se expresa en un tiempo pasado o en el tiempo condicional (1–48).

Estudie y note (**quizás** y **tal vez**)

1. Quizás nos lo entregue mañana.
2. Tal vez valga mucho más de lo que te imaginas.
3. Quizás nos permita ir al cine.

pero

4. Tal vez no se dio cuenta de lo grave del caso.
5. Quizás lo consiguieron.

Cuando se refiere al futuro o cuando existe duda, se emplea el subjuntivo después de **quizás** y **tal vez** (1–3). En todo otro caso se usa el indicativo (4–5).

DIÁLOGO

EMPLEADO: Buenas tardes, señor, ¿ en qué puedo servirle?

SR. BAZÁN: Buenas tardes. Quisiera que me cambiase estos billetes.

EMPLEADO: ¿ Y por qué, señor?

SR. BAZÁN: Yo les pedí dos palcos y me enviaron dos butacas.

EMPLEADO: A ver. Son para el sábado. Lo siento mucho pero no puedo cambiárselos.

SR. BAZÁN: Pero, ¿ si el error es de Vds.?

EMPLEADO: Cuando se trata de una comedia tan popular como ésta, hay que pedir los billetes con mucha anticipación.

SR. BAZÁN: Los pedí hace tres semanas. Si no fuese el cumpleaños de mi mujer, no insistiría en cambiarlos.

EMPLEADO: Si pudiese cambiárselos, lo haría con mucho gusto.

SR. BAZÁN: Si no puede cambiármelos, hablaré con el director.

EMPLEADO: Un momento, señor. Aquí tengo dos billetes que acaban de devolverme. Si quiere . . .

SR. BAZÁN: ¡ Qué suerte! ¡ Dos palcos para el sábado! Los tomo.

EJERCICIOS MODELO

a / *Respuesta sugerida*

1. ¿ Piensa Vd. cambiarlas? (Rita)

         Quisiera [1] que Rita las cambiase.

2. ¿ Intenta Vd. traer los discos? (tú)

3. ¿ Va Vd. a ayudarlos? (mis hijos)

4. ¿ Piensa Vd. lavar las ventanas? (Vd.)

5. ¿ Espera Vd. corregirlo? (vosotros)

b / *Sustitución de persona y de número*

1. Si yo hubiera tenido la oportunidad, se lo habría explicado.

2. — Clemencia ⎯⎯⎯⎯⎯⎯⎯⎯⎯⎯⎯⎯⎯⎯⎯.

3. — tú ⎯⎯⎯⎯⎯⎯⎯⎯⎯⎯⎯⎯⎯⎯⎯⎯⎯.

4. — Diego y Vicente ⎯⎯⎯⎯⎯⎯⎯⎯⎯⎯⎯⎯.

5. — nosotros ⎯⎯⎯⎯⎯⎯⎯⎯⎯⎯⎯⎯⎯⎯.

[1] La forma del imperfecto de subjuntivo que termina en **ra** suele usarse con los verbos **querer, poder** y **deber** para expresar un deseo o una petición, o para expresarse con mayor cortesía.

c / Sustitución de un elemento variable

1. Siempre pregunta por su abuela.
2. _____ ti.
3. _____ sus compañeros de clase.
4. _____ Mercedes.
5. _____ Vd. y Ricardo.

d / Sustitución numérica

1. Si yo pudiese ir, iría.
              Si nosotros pudiésemos ir, iríamos.
2. Si tú fueses nombrado consejero, ¿qué harías?
3. Si el estudiante lo hubiera sabido, habría prestado atención.
4. Si Vd. hubiera tenido más cuidado, habría evitado tal disgusto.
5. Si la viese ahora, se quedaría muy desilusionado.

EJERCICIO MODELO EXTENSO (II)

Cambie Vd. el tiempo de los verbos en estas oraciones por el tiempo pasado sugerido.

1. Si Pepe puede, vendrá a la tertulia.
              Si Pepe pudiera, vendría a la tertulia.
2. Si no los devuelven, ¿qué harás?
3. Si tenemos tiempo, la visitaremos.
4. Si conviene, les llamaré.

5. Si cumplen con su palabra, será magnífico.
6. Si os quedáis, mamá estará muy contenta.
7. Si se lo traemos, no lo apreciarán.
8. Si es necesario, sus padres lo castigarán.

9. Lo negarán, si se les enfrenta con el hecho.
10. ¿Harás ese viaje si tienes el dinero?
11. El médico lo curará, si puede.
12. Le daremos el dinero, si nos lo pide.

13. Si Elena ha estado enferma, me lo dirán.
              Si Elena hubiera estado enferma, me lo habrían dicho.
14. Si el profesorado lo ha permitido, los estudiantes se maravillarán.

15. Si hemos heredado tanto dinero, no nos quedaremos aquí.
16. Si lo han arreglado, nos avisarán.

17. Si lo has devuelto, la bibliotecaria lo sabrá.
18. Si Jaime no lo ha recibido, no le contestará.
19. Si no lo hemos anunciado, ¿cómo lo averiguará Vd.?
20. Si el consejo no lo ha aprobado, lo perderán todo.

21. No te honrarán, si no lo has merecido.
22. Lo tendrá hecho la criada, si se le ha advertido.
23. Se lo guardarán, si se lo ha pedido.
24. No se lo entregarán, si no lo ha pagado.

Una frase condicional consiste de dos cláusulas: una que indica la condición y otra que expresa el resultado (1-24). Cuando la cláusula introducida por **si** denota una situación contraria a la realidad o una que no es probable, o se refiere a un tiempo indeterminado en el futuro, se exige el imperfecto de subjuntivo o el pluscuamperfecto de subjuntivo en esa cláusula y el condicional o el condicional perfecto en la otra cláusula (1-24). En dichas frases no es importante el orden de las cláusulas; **si** siempre va seguido del imperfecto de subjuntivo (1-12) o del pluscuamperfecto de subjuntivo (13-24).

Cuando las anteriores condiciones no existen, **si** traducido como *whether* toma el mismo tiempo de indicativo que el verbo inglés:

1. Quería saber si se habían dado cuenta de su condición.
2. No sé si me acompañaría.

pero

3. Si hace frío, no saldré hoy.
4. Si estaba enferma, nadie nos avisó.[1]

EJERCICIO MODELO EXTENSO (III)

Responda Vd. a las siguientes preguntas según el modelo presentado.

1. ¿Cómo les recibió?
   Como si tuviéramos toda la culpa.

[1] **Si** usado con el significado de *if* no puede ir seguido del futuro, del condicional, ni del presente de subjuntivo.

2. ¿ Cómo les trató?
3. ¿ Cómo les habló?
4. ¿ Cómo les consideró?

5. ¿ Cómo se porta?
     Como si fuera el más importante allí.
6. ¿ Cómo lo presenta?
7. ¿ Cómo se dirige a su jefe?
8. ¿ Cómo le recibe?

9. ¿ Cómo lo aceptaron?
     Como si lo hubiesen conocido toda su vida.
10. ¿ Cómo lo presentaron?
11. ¿ Cómo se lo pidieron?
12. ¿ Cómo se lo dijeron?

Nótese que **como si** (*as if*) siempre va seguido del imperfecto de subjuntivo (1–8) o del pluscuamperfecto de subjuntivo (9–12).

Estudie y note (la correlación de los tiempos)

1. (a) Le digo que
    (b) Le diré que
    (c) Le he dicho que   } regrese temprano.
    (d) Dígale Vd. que
2. (a) Le dije que
    (b) Le diría que
    (c) Le decía que   } regresase temprano.
    (d) Le había dicho que
3. (a) ¿ Dudas que lo traigan?
    (b) ¿ Dudas que lo hayan traído?
4. (a) Esperaba que lo comprases.
    (b) Esperaba que lo hubieses comprado.

pero

5. (a) Siento que Vd. no tuviese éxito.
    (b) Dudan que lo hubiésemos averiguado.
6. Le he dicho que regresase temprano.

En una frase que exige el subjuntivo, el presente, el futuro, el pretérito perfecto de indicativo y el imperativo suelen ir seguidos del presente de subjuntivo (1 y 3a). Si el verbo principal es un pretérito, un condicional, un imperfecto, o un pluscuamperfecto, se requiere el imperfecto de subjuntivo en la cláusula subordinada (2 y 4a). Cuando el verbo subordinado se expresa en inglés en un tiempo compuesto o pasado, se traduce al español con el tiempo correspondiente del subjuntivo (3b, 4b y 5). En una frase que exige el subjuntivo, cuando el verbo principal se expresa en el pretérito perfecto se puede traducir el verbo subordinado por el presente de subjuntivo o por el imperfecto de subjuntivo. (1c y 6).

APUNTES CULTURALES

El Real Monasterio de San Lorenzo del Escorial

E N LAS montañas, a unas veinte millas al norte de Madrid,
se encuentra el Real Monasterio de San Lorenzo del Escorial — el más importante de los monasterios establecidos
por Felipe II. Durante los casi cuatrocientos años de su existencia
5 sufrió guerras, incendios, sacrilegios y saqueos. A pesar de todas
estas vicisitudes, logró perdurar hasta nuestros días como uno de
los monumentos más significativos de la arquitectura española del
siglo XVI. Debe su existencia al agradecimiento de Felipe II por
su victoria sobre Enrique II de Francia en la batalla de San Quin-
10 tín, y a la última voluntad de su difunto padre, Carlos V, de que
construyese un sepulcro donde pudiesen descansar sus restos y
los de su mujer.
      Pero no es éste el sencillo monumento de un hijo fiel. Desde
el principio Felipe lo concibió como algo más grande — tumba de
15 los monarcas, retiro personal, monasterio, centro de estudios religiosos. Felipe lo dirigió todo. Puso a Juan Bautista de Toledo,
quien había trabajado con Miguel Ángel en Roma, como arquitecto. Mandó emplear materiales de todas partes de su reino —
mármol, bronce, oro, jaspe, maderas finas. Artistas distinguidos
20 fueron llamados no sólo de España sino también de Italia para
la decoración interior del Escorial. Una comisión establecida por
el rey viajó por Europa en busca de obras maestras para este
monasterio real.
      Erigido en la forma de una cruz griega, ostenta una cúpula de
25 302 pies de altura y nueve torres. Dicen que contiene ochenta y
seis escaleras, ochenta y ocho fuentes, unas 1.200 puertas y 2.673
ventanas. Entre las 1.600 pinturas guardadas allí figuran obras
de Ticiano, Bosch, El Greco, el Veronés, Cellini, Ribera, Tin-
toretto y otros artistas célebres.
30   Digna de mencionarse es la biblioteca del Escorial — tesoro de
la literatura antigua. Felipe II, al mismo tiempo que reunía lo
mejor del arte de su época, no despreció lo puramente literario.
Quería que el Escorial fuese centro de estudios en apoyo de la

Contrarreforma. Así, entregó 4.000 tomos de su biblioteca personal
para iniciar la del monasterio. Se enriqueció la colección con las
contribuciones de varias personas. Entre las más notables figura
la biblioteca de Muley Zidon, emperador de Marruecos, que
5 consta de 3.000 manuscritos árabes. El rey español dio mucha
importancia a esta biblioteca, no sólo asignando una renta fija
para su sostenimiento, sino también concediéndole el privilegio
de adquirir de balde una copia de todas las obras impresas en el
reino español.

10 Es natural que la historia de un monumento tan extraordinario
incluyese leyendas como, en este caso, la del « perro del Escorial ».
Cuentan que una noche, mientras el monasterio estaba en construcción, se oyeron los aullidos de un perro. Según muchos, que
creían excesivo lo que se gastaba en la erección del monasterio, era
15 una amonestación del cielo. Continuaron los aullidos. Por fin,
una noche dos frailes, menos asustados que los otros, salieron al
jardín donde hallaron un perro que, echando de menos a su amo,
lanzaba los terribles aullidos. Aunque dieron muerte al perro, y
al mismo tiempo a los aullidos, todavía persiste la leyenda.

20 En su habitación personal en el Escorial, Felipe II se enteró de
la victoria de Lepanto. Allí, diez y ocho años después, lo infor-
maron de la destrucción de la Armada Invencible. Y en 1598, en
su querido monasterio, esperó la muerte.

Un autor resumió el espíritu del Escorial cuando escribió que
25 « . . . es majestuoso y sublime como la religión divina que le dio el
ser; severo y melancólico como su augusto fundador ».[1]

EJERCICIOS SUPLEMENTARIOS

A. Anteponga Vd. la expresión **Niegan que** a las frases que
siguen, cambiando el verbo según corresponda.

1. Dimos un paseo. 2. Pagó su cuenta. 3. Has estado conmigo.
4. Vd. va al centro. 5. Me divertí en la tertulia. 6. Antonio sale
para Cuba. 7. Los niños pueden visitarla. 8. Habíamos averiguado la verdad.

[1] *Enciclopedia Universal Ilustrada* (Madrid: Espasa-Calpe, 1926), Vol. 20,
pág. 868.

B. Lea Vd. completamente en español las siguientes frases.

1. Olga me dijo que (*he was sick*). 2. Siente mucho que (*we have read it*). 3. Gloria se alegra de que (*you will be there*). 4. Tan pronto como (*he had written it*), lo echó al correo. 5. Se fue antes de que los otros (*arrived*). 6. (*If it is cold*), póngase Vd. el sombrero. 7. Nos dijo que (*we were to write it*). 8. Lo hizo de manera que (*you would never know*). 9. Dudamos que (*he said it*). 10. Parece mentira que (*he has approved it*). 11. Si Ricardo (*could see*) este piso, le gustaría mucho. 12. Les escribí que (*they send me*) el dinero.

C. Traduzca Vd. al español.

1. If he were to sell it, what would you do? 2. They spend money as if they were the richest people in town. 3. If Frances has the magazine, she will give it to you. 4. Is it true that they have not seen her yet? 5. Mother doubted that they had hurried to get here. 6. Jorge told us that Gloria would want us to do it. 7. That brother of mine always studies as if he were the worst one in the class. 8. They will wait until you have finished your work. 9. If it were cold, Louise would stay at home. 10. We should like to go with them. 11. Sara promised Thomas that we would tell them to come on Friday. 12. Before Mr. Sánchez could give us the contract, he had to approve our plans.

LECCIÓN

5

DIÁLOGO

TERESA: ¡Qué cara tan larga tienes Margarita! ¿Qué te pasa? ¿No fuiste invitada al baile?

MARGARITA: Sí, pero . . .

TERESA: Entonces anímate. Ese baile del Año Nuevo será estupendo.

MARGARITA: Puede ser . . . pero me hallo en un apuro.

TERESA: ¡No me digas! ¿Se trata de algo grave?

MARGARITA: Pues, como sabes, decidí ir al baile con Roberto. El otro día me llamó Manuel, y . . .

TERESA: Te convidó al baile y aceptaste.

MARGARITA: ¡Exactamente! Y ahora no sé qué hacer. El baile es pasado mañana.

TERESA: No te queda otro remedio que ir con los dos. Serás envidiada de todas las otras que vendrán con un solo novio.

MARGARITA: Esta vez sí que tienes razón. ¿Quién imaginaría que a mí me sobrasen novios?

EJERCICIOS MODELO

a / Sustitución numérica

1. El tema fue corregido por el profesor.
   Los temas fueron corregidos por el profesor.
2. El cuarto fue pintado por mi hermano.
3. La flor fue cortada por Elena.
4. El garaje fue construído por su primo.
5. La carta fue escrita por su secretaria.
6. La misa fue celebrada por el padre Álvarez.

b / Respuesta sugerida

1. A mí me sobra tiempo, ¿ y a él?
   A él le sobra tiempo.
2. A él le sobra tiempo, ¿ y a ti?
3. A ti te sobra tiempo, ¿ y a esos señores?
4. A esos señores les sobra tiempo, ¿ y a ti y a Lupe?
5. A ti y a Lupe os sobra tiempo, ¿ y a su tía?
6. A su tía le sobra tiempo, ¿ y a nosotros?

c / Sustitución de un elemento variable

1. Juanita es envidiada de todos.
2. _____ amada _____.
3. _____ respetada _____.
4. _____ admirada _____.
5. _____ temida _____.

d / Sustitución de un elemento variable

1. El problema fue solucionado por León.
2. _____ por la clase.
3. _____ por el consejo.
4. _____ por Ramón y yo.
5. _____ por Vds.

e / Reemplazo de construcción

1. El piso fue lavado por Marta.
   El piso ha sido lavado por Marta.
2. El trabajo fue terminado por Alberto.

3. El motor fue estropeado por mis cuñados.
4. La noticia fue escrita por Joaquina.
5. La blusa fue planchada por mamá.
6. La lección fue repetida por los estudiantes.

EJERCICIO MODELO EXTENSO (I)

Dé Vd. la forma pasiva de las oraciones que siguen.

1. Los niños recitan el verso.
            El verso es recitado por los niños.
2. Pancho compra el abrigo.
3. El cartero trae el paquete.
4. Mi abuelo manda el dinero.

5. Rita prepara la comida.
            La comida es preparada por Rita.
6. Arturo acepta la condecoración.
7. El huracán destruye la tienda.
8. El autor explica la trama.

9. Los turistas perdieron los pasaportes.
            Los pasaportes fueron perdidos por los turistas.
10. Lupe rompió los vasos.
11. El viento dañó los árboles.
12. Andrés escogió los regalos.

13. El profesor explicó esas teorías.
            Esas teorías fueron explicadas por el profesor.
14. Todos leyeron sus cartas.
15. El jardinero regó las flores.
16. El sol blanqueó las servilletas.

17. Paquita celebrará esa fiesta.
            Esa fiesta será celebrada por Paquita.
18. El gerente pagará la cuenta.
19. La compañía realizará una ganancia.
20. El policía prohibirá su entrada.

21. El capitán ha merecido el honor.
            El honor ha sido merecido por el capitán.

22. Pepe ha ayudado al viejo.
23. El profesorado ha exagerado el asunto.
24. Lola ha roto el espejo.

25. La clase respeta al profesor.
> El profesor es respetado de la clase.
26. El pueblo odia al enemigo.
27. Olga ama a sus abuelos.
28. Todos temen la muerte.

29. Sus colegas estimaron a Pablo.
> Pablo fue estimado de sus colegas.
30. Los vecinos quisieron a los Suárez.
31. Su esposo adoró a Anita.
32. Mi tío conoció a sus parientes.

Cambie Vd. las frases siguientes a la voz pasiva. Preste Vd. atención al tiempo de los verbos.

33. Presentaron al alcalde.
> El alcalde fue presentado.
34. No siguieron sus consejos.
35. Acompañaron a las niñas.
36. Consultaron a sus abogados.

37. Recogerán esos documentos.
38. Protegerán la ciudad.
39. Aprobarán su proyecto.
40. Elegirán a Miguel.

41. Han traído los recibos de la oficina.
42. Han entregado los cheques al gerente.
43. Han sugerido una técnica nueva.
44. Han organizado un club.

Cuando el agente se expresa (1–32) o se sobreentiende claramente (33–44), la voz pasiva española suele formarse con **ser** y el participio pasado del verbo que se conjuga (1–44). En esta construcción **ser** sirve de auxiliar. El participio concuerda en número y en género con el sujeto (1–44). Generalmente se emplea la preposición **por** delante del agente (1–24), pero cuando la acción indicada es mental o emocional, se usa **de** (25–32).

Estudie y note (**la hora, el tiempo, la vez** y **el plazo**)

1. (a) ¿ A qué *hora* nos esperan?
   (b) ¿ Qué *hora* es? — Son las cinco.
2. (a) Necesitaremos más *tiempo*.
   (b) Pierde *tiempo* en tonterías.
   (c) El *tiempo* es oro.
3. (a) Esta *vez* dijo que no.
   (b) La visitaron varias *veces* en París.
4. (a) No se puede acabarlo si acortan el *plazo*.
   (b) El abogado indicó el *plazo* y el lugar.

En estas frases, cada una de las palabras en cursiva puede traducirse al inglés por *time*. Sin embargo no pueden intercambiarse. **La hora** se usa en el sentido de lo que indica el reloj (p. ej.: *time of day*); **la vez,** en el sentido del tiempo que puede repetirse (p. ej.: *the first time, the second time, etc.*). **El plazo** se refiere a un período de tiempo señalado o convenido. **El tiempo** es el término genérico que se emplea por *time*. También suele denotar *time* con el significado de extensión o duración del tiempo.

DIÁLOGO

TOÑO: Belita, Belita, ¿ dónde estás?
BELITA: Aquí en la cocina, mi amor.
TOÑO: Ah Belita, no puedes imaginarte las noticias que te traigo. Hoy me ascendieron a gerente.
BELITA: ¿ De toda la oficina?
TOÑO: Sí, y con un generoso aumento en el sueldo también.
BELITA: ¡ Ah, qué bueno, Toño ! Claro que lo merecías.
TOÑO: Pues esta noche te llevo a comer al Gallego, donde se sirve una paella exquisita.
BELITA: Esta noche no podemos.
TOÑO: ¿ Y por qué? ¿ Tenemos invitados?
BELITA: No, es que la comida ya está preparada.
TOÑO: Ponlo todo en el refrigerador, querida mía. Una ocasión como ésta se celebra con vino y música.

EJERCICIOS MODELO

a / *Sustitución numérica*

1. La ventana está lavada.
                   Las ventanas están lavadas.
2. La tesis está corregida.
3. La caja estaba cerrada.
4. El coche está estacionado muy cerca.
5. El pañuelo está planchado.
6. El cuarto estaba ocupado.

b / *Respuesta sugerida*

1. ¿Adónde llevan a sus hijos? (al parque)
                   Los llevan al parque.
2. ¿Adónde lleva a Manuela? (al baile)
3. ¿Adónde lleva la cesta? (a la cocina)
4. ¿Adónde llevan los libros? (a la biblioteca)
5. ¿Adónde llevan a los niños? (al cine)

c / *Sustitución de un elemento variable*

1. Se paga el impuesto aquí.
2. _____ la multa _____.
3. _____ la cuenta _____.
4. _____ el auto _____.
5. _____ el billete _____.

d / *Sustitución numérica*

1. Se cerró el banco.
                   Se cerraron los bancos.
2. Se inició un cambio.
3. Se celebró la fiesta.
4. Se interrumpió la clase.
5. Se organizó un comité.
6. Se eligió al oficial.

EJERCICIO MODELO EXTENSO (II)

En este ejercicio cambie Vd. las frases siguientes usando la construcción sugerida.

1. Oímos un ruido.
                              Se oyó un ruido.
2. Nadie sabía lo que pasó.
3. Repetí ese curso.
4. ¿ Dónde pusieron el retrato?

5. Las secretarias arreglan los papeles.
6. ¿ Cómo realizaron tal ganancia?
7. Celebraremos las bodas mañana.
8. Empezaron el programa.

9. Han traducido el tratado.
10. Hemos mandado los recibos.
11. Miguel había revisado la tesis.
12. Los empleados habían avisado al gerente.

13. En ese hotel todos van a hablar español.
                          En ese hotel se hablará español.
14. Desde hoy en adelante el banco no va a aceptar esos cheques.
15. En este restaurante van a servir sólo comida española.
16. Paco va a vender libros latinoamericanos allí.

Responda Vd. a las preguntas que siguen, usando la forma de la voz pasiva sugerida.

17. ¿ Barrió Joaquina los cuartos de abajo?
                          Sí, los cuartos ya están barridos.
18. ¿ Cambió Vd. esos billetes por otros?
19. ¿ Abrió la cocinera los frascos de encurtidos?
20. ¿ Cerró Diego los archivos?

21. ¿ A qué hora se abre la biblioteca?
                          Ya está abierta.
22. ¿ Cuándo sirve Matilde la comida?
23. ¿ Cuándo se casa Olga?
24. ¿ A qué hora termina la conferencia?

25. ¿ Pusieron Vds. la televisión?
                          No, ya estaba puesta.

26. ¿Arreglaste tú el tocadiscos?
27. ¿Decidieron sus parientes la fecha?
28. ¿Escribió Marina esa noticia?

29. ¿Fregó Vd. los platos?
               No, ya estaban fregados.
30. ¿Borraron los estudiantes las frases?
31. ¿Avisaste a tus parientes de tu llegada?
32. ¿Escribió Anita las invitaciones?

Obsérvese que la voz pasiva también puede indicarse con el pronombre **se** y la tercera persona singular o plural del verbo, especialmente cuando no se expresa el agente (1–16),[1] o con **estar** y el participio pasado de otro verbo (17–32). Expresada con **se** incluye la noción de lo usual, lo acostumbrado. La voz pasiva formada con **estar** difiere de las otras maneras de denotarla en que no expresa la acción, sino el resultado de una acción. En esta construcción el participio concuerda en número y en género con el sujeto (17–32).

Estudie y note (verbos que se parecen pero que no son idénticos: **tomar, quitar** y **llevar**)

1. (a) Tomó el bolígrafo y firmó el cheque.
   (b) Solían tomar avena para el desayuno.
   (c) Tomé dos cursos suyos.
2. (a) El ladrón nos quitó todas nuestras joyas.
   (b) Rafael siempre le quitaba los dulces a su hermanito.
3. (a) Llevaré los paquetes a mi cuarto.
   (b) Siempre llevan mucho dinero cuando viajan.
   (c) Hemos llevado a nuestros padres al concierto.

El verbo inglés *take* puede traducirse al español de varias maneras. La más común, **tomar,** lo traduce con el sentido de usar o disfrutar (1). Si por *take* se indica trasladar a alguien o algo de un lugar a otro, se exige **llevar** (3). Cuando se expresa, o se sobreentiende *away* con el verbo inglés, se dice **quitar** (2).

[1] Las construcciones impersonales inglesas como, por ejemplo, *it is said, it is done,* se traducen al español por medio de la misma construcción, es decir, por **se** y la tercera persona *singular* del verbo: **se dice; se hace.**

APUNTES CULTURALES

Goya — Don Francisco de los Toros

U NA DE LAS personalidades más legendarias del arte español es Francisco Goya y Lucientes — grabador, pintor,
caricaturista — cuya vida parece casi anacrónica en un
siglo conocido por su tono frío, severo y pedantesco. Nació en
5 1746 en un pueblecito cerca de Zaragoza, hijo de un dorador. La
primera noticia que tenemos de él, después de la de su nacimiento,
es que a los catorce años ingresó en el taller de Luzán y Martínez
en Zaragoza. Lo que hizo y lo que le pasó durante los años de su
juventud han quedado ocultos para siempre en el pasado.

10 Debió haber sido un joven típico — impetuoso, apasionado, muy
metido en la vida. A los diecinueve salió de la capital aragonesa.
Según unos tuvo que escaparse a causa de unos amoríos; según
otros, por estar implicado en un crimen. Llegó a Madrid donde
pasó unos años. Huyó de la capital española por las mismas
15 causas que precipitaron su salida de Zaragoza. Pasó algún tiempo
en Italia, viajando por ese país con un grupo de toreros españoles.
Esta afición a los toros, que expresó tan elocuentemente en una
serie de grabados llamada Tauromaquia, duró toda su vida y
le ganó el apodo de don Francisco de los Toros.

20 En 1771 regresó a Zaragoza para cumplir con un encargo
artístico en el Templo del Pilar, trasladándose cuatro años después
a Madrid. Allá se casó con Josefa Bayeu. Tuvo veinte hijos con
ella, de los cuales sólo uno sobrevivió. En Madrid empezó en
serio a dedicarse al arte. Hizo cartones para la Real Fábrica de
25 Tapices, siendo nombrado pintor de dicha institución en 1786.
Hizo retrato tras retrato; produjo grabados excelentes, y publicó
caricaturas de toda clase. Pintó con una facilidad asombradora,
pasando de un género a otro sin la menor dificultad. Solía completar un retrato en una o dos horas. Lo prodigioso de su obra
30 artística recuerda a Lope de Vega. Además de « Los caprichos »
y « Los desastres de la guerra » — dos series de grabados — Goya
legó al mundo más de 2.500 obras, 1.900 de las cuales son retratos. Entre los más conocidos de éstos se cuentan, « La maja
desnuda », « La maja vestida », « El rey Carlos IV con su familia »,

« La duquesa de Alba », « Carlos III de cazador » y « La lechera de Burdeos ».

No obstante, la vida de Goya no fue del todo feliz. Además de la tragedia de sus hijos, tuvo otros disgustos. Se halló acosado por
5 la envidia, desdeñado por los parientes de su mujer, privado totalmente del oído por una enfermedad y despreciado por los académicos que no entendían la intensa individualidad de su arte. Pero estos problemas no lograron desanimarlo. Goya nació para ser pintor, e impulsado por un fuego interior, que quizás
10 ni aun él sabía explicar, continuó pintando.

Goya mismo confesó que tuvo tres maestros: Velázquez, Rembrandt y la naturaleza. Pero si consideramos la obra completa del pintor aragonés, nos damos cuenta de que hay poca naturaleza en sus lienzos. Carecen de árboles y flores y paisajes — todo lo
15 que se denomina comúnmente « naturaleza ». Entonces ¿ a qué se refirió cuando incluyó la naturaleza entre sus maestros? Para averiguarlo hay que mirar sus cuadros, sobre todo los retratos. En éstos Goya no lisonjea a sus sujetos. Los presenta en su realidad tanto física como espiritual. Lo que resulta es una representación
20 verídica, significante, impresionante. No los presenta como se creen ser, sino como su penetrante análisis objetivo los descubre. La naturaleza, maestra de Goya, no es sino el artista mismo.[1]

EJERCICIOS SUPLEMENTARIOS

A. Cambie Vd. las frases que siguen a la voz activa.

Ejemplo: El grupo fue organizado por Martín.
Martín organizó el grupo.

1. Las flores fueron plantadas por Irene. 2. Esa historia fue repetida por mi tío. 3. El cambio será propuesto por Adela. 4. Los ricos son envidiados de los pobres. 5. Los cheques fueron perdidos por su asistente. 6. El mapa será estudiado por el capitán. 7. La luz fue apagada por Rosa. 8. Su solicitud ha sido aprobada por el ministro. 9. Los premios serán conferidos por el profesorado. 10. Esos jóvenes han sido castigados por sus padres. 11. El señor

---

[1] André Malraux, *Saturn — An Essay on Goya* (New York: Phaedon Publishers, Inc., 1957), pág. 10.

Prieto fue estimado de sus colegas. 12. Esta técnica será adoptada por todas las compañías.

B. En las siguientes oraciones sustituya Vd. las palabras en cursiva por las palabras entre paréntesis.

1. *La estufa* estaba descompuesta. (el teléfono, las lámparas, las máquinas, el bolígrafo)
2. *El presidente* fue insultado. (Lupe, las francesas, el policía, los soldados)
3. *La biblioteca* se abre temprano. (el instituto, las oficinas, la librería, los colegios)
4. *El periódico* ya está publicado. (el estudio, la revista, la noticia, el libro)
5. *El administrador* fue herido. (tu hermana, el torero, los revolucionarios, los campesinos)

C. Traduzca Vd. al español.

1. Manuel doubts that our proposal will be accepted by the company. 2. By whom is such a person respected? 3. The building in which we parked the car was built by her uncle. 4. That play of Benavente's was presented two weeks ago by a famous company. 5. The old garden was surrounded by weeds. 6. At what time is the bank opened on Mondays? 7. When I arrived, the secretary had already taken the letters to the post office. 8. After the table was set, Alicia prepared the salad and the dessert. 9. Rita had thought they would speak English at the hotel, but on arriving there she discovered that only Spanish was spoken. 10. Although few young people realize it, they are loved a great deal by their parents. 11. After the storm had passed, we saw that the cottage was completely destroyed. 12. The child was crying because they had taken away his toys.

LECCIÓN

6

INFINITIVO

DIÁLOGO

SRA. DE VALDÉS: ¡ Ruth ! ¡ Qué sorpresa ! ¿ Cómo le fue el viaje a Colombia ?

RUTH: Magnífico, señora. Espero poder volver, pronto.

SRA. DE VALDÉS: ¿ Hizo el viaje con una amiga ?

RUTH: No, fui sola. Al llegar a Bogotá, me esperaban mis primos.

SRA. DE VALDÉS: El viajar es aun más interesante cuando una tiene conocidos en un lugar.

RUTH: ¡ Claro ! Mis primos me hicieron verlo todo.

SRA. DE VALDÉS: ¿ Visitó a Zipaquirá donde se encuentra la famosa Catedral de Sal ?

RUTH: ¡ Por supuesto !

SRA. DE VALDÉS: ¿ Y qué le pareció ?

RUTH: Sin exagerar una jota, le confieso que al entrar en ese templo sentí escalofríos en la espina dorsal.

SRA. DE VALDÉS: Hace tanto tiempo que sueño con ver esa maravilla . . .

RUTH: Ojalá que la vea un día. Bien vale la pena.

EJERCICIOS MODELO

a / Sustitución de un elemento variable

1. El esquiar con cuidado es saludable.
2. El nadar mucho _____.
3. El pasearse al sol _____.
4. El jugar al golf _____.
5. El acostarse temprano _____.

b / Adición fija

1. Espero volver pronto.
                    Espero poder volver pronto.
2. Piensan visitarla.
3. Querían asistir al concierto.
4. El rector espera conferir los títulos.
5. El cónsul esperaba evitar el incidente.

c / Reemplazo de construcción

1. Cuando lo recibió, me llamó.
                    Al recibirlo, me llamó.
2. Cuando salgas, pon la llave en el apartado.
3. Cuando le vieron, le expresaron su pésame.
4. Cuando la acabemos, te avisaremos.
5. Cuando oí la noticia, me desmayé.

d / Adición fija y reemplazo de construcción

1. No repite el curso.
                    Ojalá que no repita el curso.
2. No tienes que pagar.
3. Paco recibe el premio.
4. Acortan el examen.
5. Gozas de tus vacaciones.

e / Respuesta sugerida

1. ¿Tiene ganas de irse o *de quedarse?*
                    Tiene ganas de quedarse.
2. ¿Saldremos antes de almorzar o *después de almorzar?*

3. ¿ Vinieron para discutir el asunto o *para convencernos?*
4. ¿ Piensa en alargar el plazo o *en acortarlo?*
5. ¿ Tienen intención de contestar a esa carta o *de ignorarla?*

EJERCICIO MODELO EXTENSO (I)

Anteponga Vd. el verbo indicado a la expresión en cursiva en las frases que siguen.

a / usar

1. Prefiero *el cepillo.*
                          Prefiero usar el cepillo.
2. Necesitaban *el diccionario.*
3. Deseamos *la enciclopedia.*
4. Temían *esa máquina* nueva.

b / tener

5. Queremos *nuestras vacaciones.*
6. Paco preferiría *más tiempo.*
7. Los jóvenes merecen *toda consideración.*
8. Mamá necesitaba *más reposo.*

c / conseguir

9. ¿ Olvidó Vd. *los boletos?*
10. Importa *un empleo bueno.*
11. ¿ Necesitarás tú *su permiso?*
12. Dolores espera *una entrevista personal.*

d / cambiar

13. Mandaré *los documentos.*
14. El gerente querrá *esa oficina.*
15. Anita necesita *estos recibos.*
16. ¿ Sabrán *la noticia?*

e / considerar

17. Proponen *otro método.*
18. La profesora sugiere *este texto.*
19. Preferían *un contrato nuevo.*
20. Necesito *un cambio.*

Conteste Vd. a las preguntas que siguen según la respuesta sugerida.

21. ¿ Tomó Jorge un taxi?
    Sí, lo vimos tomar un taxi.
22. ¿ Salieron las niñas de la librería?
23. ¿ Llegaron los soldados con carabinas?
24. ¿ Puso Ana el calendario en el escritorio?

25. ¿ Explicó el doctor Salgado el problema?
    Sí, León lo oyó explicar el problema.
26. ¿ Recitaron los estudiantes las reglas?
27. ¿ Le pedimos más tiempo?
28. ¿ Les sugirió el capitán tal acción?

29. ¿ Por qué cambiaste el regalo?
    Papá me hizo cambiarlo.
30. ¿ Por qué salieron Vds. temprano?
31. ¿ Por qué trajo Felipe sus discos?
32. ¿ Por qué devolvió Inés la blusa?

33. ¿ Por qué vendió su negocio?
    El Sr. Salcedo le mandó venderlo.
34. ¿ Por qué la copió la secretaria?
35. ¿ Por qué lo elegisteis?
36. ¿ Por qué echaron las tarjetas al correo?

En español el infinitivo suele seguir al verbo sin la intervención de una preposición (1–20).[1] En vez del gerundio generalmente usado en inglés, en español se emplea el infinitivo después de verbos de percepción (21–28) y verbos de causa (29–36).

EJERCICIO MODELO EXTENSO (II)

Combine Vd. en una oración los siguientes pares de frases, empleando la preposición presentada.

a / sin

1. Sancho dejó sus gafas en casa. No lo sabía.
   Sancho dejó sus gafas en casa sin saberlo.

[1] Cuando el infinitivo sigue a los verbos de movimiento (**correr, ir, salir, venir,** etc.), se usa la preposición **a.** También se usa **a** después de los verbos **aprender, ayudar, comenzar, empezar, enseñar** e **invitar.** Para otros verbos que toman la preposición, véase Apéndice A.

2. No podré hacerlo. Estudio mucho.
3. Nos prestó cien dólares. No nos pidió interés.
4. Nos lo describieron. No omitieron el menor detalle.

b / para

5. Marta salió. Devolvió los libros.
          Marta salió para devolver los libros.
6. Mi tío me escribió. Me felicitó.
7. Los soldados se quedaron. Lo discutieron con el general.
8. Te prestaremos el dinero. Te ayudaremos.

c / antes de

9. Suelen lavarse. Almuerzan.
          Suelen lavarse antes de almorzar.
10. Diego irá a su oficina. Nos traerá el auto.
11. Tienen que aprobar tu tesis. Te conceden el título.
12. Necesitaremos examinarlo. Lo compraremos.

d / en vez de

13. Fingiré no verla. La saludo.
          Fingiré no verla en vez de saludarla.
14. Decídanlo Vds. Lo discuten tanto.
15. Le mandaron una carta. Le avisaron personalmente.
16. Juanita continuará su programa. Lo abandonará.

e / hasta

17. Trabajó. No pudo más.
          Trabajó hasta no poder más.
18. Pablo estudió. Se durmió.
19. Continuamos pidiéndole su permiso. Lo conseguimos.
20. No te vayas. Oye toda la conferencia.

    Reemplace Vd. la expresión en cursiva por **al** y el infinitivo del verbo en dicha expresión.

21. *Cuando me vio*, no me reconoció.
          Al verme, no me reconoció.
22. *Cuando leí* tu carta, me puse furioso.
23. *Cuando salgan*, cierren Vds. la puerta con llave.
24. *Cuando Victoria recibió* el cheque, nos pagó lo que nos debía.

25. *Mientras me levantaba,* sonó el despertador.
26. *Mientras daban un paseo* por el parque, se encontraron con Luis.
27. *Mientras el rector hacía* el anuncio, todos aplaudimos.
28. *Mientras regresábamos* a casa, vimos un choque.

La preposición española va seguida del infinitivo en vez del gerundio (1–20). La expresión inglesa *on* o *upon* seguida del gerundio, se traduce al español por **al** y el infinitivo (21–28).

EJERCICIO MODELO EXTENSO (III)

Responda Vd. a las preguntas que siguen, según el modelo sugerido.

1. ¿ Qué es preferible, *el ir al cine* o el estudiar?
   El ir al cine es preferible.
2. ¿ Qué es preferible, *el visitarla* o el escribirle una carta?
3. ¿ Qué es preferible, *el comprarlo* o el pedirlo prestado?
4. ¿ Qué es preferible, *el obedecerles* o el ser castigado?

5. ¿ Qué vale más, *el ayudarla* o el ignorarla?
   El ayudarla vale más.
6. ¿ Qué vale más, *el hacerlo con cuidado* o el hacerlo sin cuidado?
7. ¿ Qué vale más, *el asistir a la conferencia* o el quedarse en casa?
8. ¿ Qué vale más, *el llegar tarde a la clase* o el perderla?

9. ¿ Qué exige más disciplina, criticar o *callarse?*
   Callarse exige más disciplina.
10. ¿ Qué exige más tiempo, estudiar ahora o *repetir el curso?*
11. ¿ Qué exige más trabajo, copiarlo o *traducirlo?*
12. ¿ Qué exige más humildad, perder o *ganar?*

Como sujeto de un verbo, se emplea el infinitivo en vez del gerundio (1–12). Usado así, el infinitivo puede ir acompañado del artículo definido (1–8), aunque no se requiere absolutamente (9–12).[1]

---

[1] A veces el infinitivo se usa como complemento del verbo, por ejemplo: **Prefiero jugar al golf.**

DIÁLOGO

TOÑO: ¡ Por fin, Adela ! ¿ Por qué tardaste tanto en llegar ?

ADELA: Lo siento mucho Toño, pero perdí el autobús y tuve que esperar el otro más de media hora.

TOÑO: Pues lo importante es que ya estás aquí. Dime, ¿ te gustaría comer en La Casa Vasca o en El Pollo Dorado ?

ADELA: Si no te importa, me gustaría más La Casa Vasca.

TOÑO: ¡ De acuerdo ! Pero, ¿ por qué prefieres comer allí ?

ADELA: Sirven una paella magnífica. No le falta absolutamente nada.

TOÑO: ¡ Ah, es eso ! Apuesto que piensas empezar con una sopa de mejillones.

ADELA: Y acabar con una ensalada y un flan.

TOÑO: ¡ La influencia que tenemos el uno sobre el otro !

ADELA: ¿ Por qué dices eso ?

TOÑO: Recién llegada, buscabas sólo la comida americana y ahora comes como si hubieses nacido en España.

ADELA: En cambio a ti se te antoja la comida de mi país.

TOÑO: ¡ Precisamente ! ¿ Sabes lo que pensaba pedir ?

ADELA: No, dímelo.

TOÑO: Un biftec a la parrilla, patatas fritas, una ensalada y café.

EJERCICIOS MODELO

a / Sustitución de persona y de número

1. Tú tardaste en llegar.
2. Laura _____.
3. Los jefes _____.
4. Martín y yo _____.
5. El bibliotecario _____.
6. Carlota y tú _____.

b / Sustitución numérica

1. Me gusta la película.
                    Me gustan las películas.
2. Me gusta el poema.
3. Me gusta el postre.

4. Me gusta la revista.
5. Me gusta el baile.

c / Respuesta sugerida

1. A Pepe no le hace falta nada, ¿ y a ti?
                    A ti no te hace falta nada.
2. A ti no te hace falta nada, ¿ y a Marta?
3. A Marta no le hace falta nada, ¿ y a las taquígrafas?
4. A las taquígrafas no les hace falta nada, ¿ y a nosotros?
5. A nosotros no nos hace falta nada, ¿ y a vosotros?
6. A vosotros no os hace falta nada, ¿ y a mí?

d / Adición fija

1. Le gustan los dulces.
                    A él le gustan los dulces.
2. Le hacía falta dinero.
3. No le importará mucho.
4. Le falta tiempo.
5. No le parecía bien hecho.

EJERCICIO MODELO EXTENSO (IV)

En las oraciones siguientes sustituya Vd. el verbo en cursiva por la forma que corresponda del verbo sugerido.

a / gustar

1. Él *quiere* la carne.
                    Le gusta la carne.
2. Vd. *quiere* el té caliente.
3. *Quiero* la tranquilidad.
4. ¿ *Quieres* esa foto?

5. Vds. *quieren* cenar tarde.
                    Les gusta cenar tarde.
6. *Queremos* ir a la playa.
7. *Queréis* un auto más grande.
8. Ellos *quieren* ese estilo.

9. De joven, yo *quería* los dulces.
                    De joven, me gustaban los dulces.

10. ¿ *Querrá* ella las chuletas a la parrilla?
11. *Querrás* esos cambios.
12. Vd. *quería* siempre esas poesías.

13. Nosotros *querríamos* esos discos.
            Nos gustarían esos discos.
14. Vds. *querrán* esos cuentos.
15. ¿ *Queríais* las galletas?
16. Ellos *querían* las corbatas.

b / hacer falta

17. Yo *necesitaba* dos pesos.
            Me hacían falta dos pesos.
18. ¿ *Necesitará* Vd. este diccionario?
19. *Necesitas* otros sobres.
20. Ella no *necesita* nada.

21. Vds. *necesitarán* más tiempo.
22. *Necesitáis* paciencia.
23. *Necesitábamos* los recibos.
24. *Necesitaré* estos documentos.

c / quedar

25. *Tendrá* diez copias.
            Le quedarán diez copias.
26. Yo *tenía* mucho tiempo.
27. ¿ No *tienes* nada de interés?
28. *Tengo* dos pares de guantes.

29. ¿ *Tendréis* algo extra?
30. *Tenían* demasiados dulces.
31. *Tenemos* unos muebles magníficos.
32. ¿ No *tienen* Vds. bastante?

Cambie Vd. las frases que siguen según el modelo sugerido.

33. Pedro quiere los autos italianos.
            A Pedro le gustan los autos italianos.
34. Los jóvenes querían el rosbif.
35. Laura querrá esa regla.
36. Anita y Marta querían las películas policíacas.

37. El gerente tenía interés en tu progreso.
       Al gerente le interesaba tu progreso.
38. Nuestro jefe tendrá mucho interés en ese informe.
39. Luisa y Olga tienen interés en las lenguas extranjeras.
40. Martín tiene interés en los estudios científicos.

41. Margarita no tendrá nada.
               A Margarita no le quedará nada.
42. Esos mecánicos no tienen mucho trabajo.
43. El zapatero no tenía muchos clientes.
44. Mis padres tienen muchas cuentas que pagar.

Repita Vd. las oraciones de este ejercicio, agregando la frase preposicional que corresponda.

45. Te queda demasiado trabajo.
               A ti te queda demasiado trabajo.
46. Nos interesan las novelas históricas.
47. Me harán falta los chanclos.
48. Les gustaba el club.

49. ¿ Os harán falta estas herramientas?
50. Le interesarían sus comentarios.
51. Te gustaría visitar ese monumento.
52. No me quedaban dos pesetas.

Con el verbo **gustar** y verbos semejantes, la construcción usada es el reverso de la construcción inglesa. El sujeto inglés se convierte en el complemento indirecto en español, y el objeto inglés es el sujeto en español (1–52). Si el sujeto inglés es un sustantivo, no sólo se repite el sustantivo en español sino que se agrega también el pronombre complemento indirecto (33–44). Para énfasis, se puede anteponer una frase preposicional a la oración (45–52).

Estudie y note (**tener** para traducir *to be*)

1. Cuando tenemos hambre, comemos.
2. Si tienes sueño, acuéstate.
3. Pablo tenía tanta sed que bebió dos vasos de agua.
4. Al matricularse en la universidad, tenía diez y seis años.
5. Se puso el abrigo porque tenía mucho frío.

6. De joven, has tenido mucho éxito.

7. ¿Cómo es que los padres siempre tienen razón?

En ciertas expresiones idiomáticas donde se emplean *to be* y el adjetivo en inglés para describir condiciones mentales o físicas de personas y animales, se usan **tener** y el sustantivo en español (1–7).[1] En estas expresiones se usa el adjetivo en vez del adverbio como modificante (3, 5 y 6).

[1] Otras expresiones semejantes son: **tener calor** *to be warm;* **tener cuidado** *to be careful;* **tener ganas de** *to feel like, be anxious to;* **tener miedo** *to be afraid;* **tener prisa** *to be in a hurry.*

APUNTES CULTURALES

La Alhambra

SITUADO en una colina al sudeste de Granada y rodeado de murallas fortificadas, hoy como en el tiempo de los moros, el antiguo palacio-fortaleza conocido como La Alhambra domina no sólo la vega granadina, sino también la mayor parte de la ciudad. Construída entre 1240 y 1350, fue concebida por los sultanes como castillo, fortaleza y residencia. A pesar de los estragos del tiempo, y los cambios efectuados por los reyes españoles, todavía se distingue el genio de los artistas desconocidos que nos legaron esta joya del arte musulmán.

Según unos eruditos, el nombre del castillo viene del árabe « Aljamrá » que significa « la roja » — derivación lógica en vista del color de los muros exteriores de La Alhambra. Otros, de acuerdo con el significado del nombre, opinan que no se refiere al color de las tapias, sino a la luz proyectada por las antorchas que los moros usaban mientras trabajaban de noche en la construcción del palacio. En cambio, ciertas autoridades insisten en que el nombre se deriva de la expresión árabe « Dar al Amra » que quiere decir « casa del amo ». Si todavía existen dudas sobre el significado del nombre, no existe ninguna en cuanto a la hermosura del monumento árabe.

Por toda La Alhambra se nota la preocupación del moro por rodearse de belleza, tanto artística como natural. Hizo de la naturaleza una parte íntegra de su arquitectura, colocando esta joya en medio de un lozano jardín plantado de rosales, naranjos y arrayanes. Intercalados entre las varias salas se hallan patios, cada uno con su fuente melódica o su charca refrescante. La luz del sol flota por los delicados arcos que sirven de ventanas para entrelazarse con las sombras del interior.

No obstante, el verdadero genio artístico del moro es esencialmente decorativo. En esto también acude a la naturaleza para sus motivos, aprovechándose de la gracia linear de las plantas y los colores primarios, utilizando éstos según los principios observados en la naturaleza misma.[1] En La Alhambra el artista árabe

[1] El Corán, el libro sagrado de los moros, prohibe la representación de seres animados.

se excede en la gracia elegante de las columnas y las delicadas tracerías de yeso que adornan el palacio. Tan intrincadas son éstas, y tan ingeniosamente concebidas, que hasta nuestros días nadie ha logrado determinar precisamente donde empieza y donde
5 termina un diseño. Parece una línea continua.

Esta consonancia de arte y naturaleza da al castillo moro un ambiente de reposo y de tranquilidad y una belleza casi sensual. El desconocido arquitecto lo hizo todo buscando únicamente el solaz y el regalo de sus amos. Por ejemplo, los baños de los sultanes
10 fueron tallados de un solo bloque de mármol blanco. Después de colocar cada baño en su cuarto propio, los artistas los decoraron con mosaicos de magníficos colores y con filigranas de yeso tan delicadas que parecen encajes. Cuentan que en el suelo, a la entrada del gabinete de la sultana, había aberturas en las cuales
15 se quemaban hierbas aromáticas de modo que ella gozase constantemente de su perfume.

El inevitable pasar de los años no ha logrado alterar la hermosura del castillo, ni borrar la invisible presencia de los antiguos moros que la habitaban. Según la leyenda, al crepúsculo — esa
20 hora mágica en que la noche empieza a envolver al mundo en su manto negro — todavía se oye el dulce charlar de las damas del Harén en el maravilloso Patio de los Leones, y los últimos suspiros de agonía de los traicionados abencerrajes en la sala que lleva su nombre. Cuando el último tenue rayo del sol, en acto de despedida,
25 acaricia las torres del antiguo palacio, entre los susurros del viento a través de las hojas de los viejos arrayanes, aun se pueden oír los sollozos de Boabdil — el último rey moro — el que perdió La Alhambra.

EJERCICIOS SUPLEMENTARIOS

A. Lea Vd. completamente en español las siguientes frases.

1. Trabajen Vds. hasta (*finishing it all*). 2. No podrán aceptarlo (*without paying you*). 3. Nos oyó (*laughing*). 4. Le escribió una carta (*without signing it*). 5. (*Cooking*) es un arte difícil. 6. (*On reading it*) me di cuenta de la verdad. 7. Nos vieron (*washing ourselves*). 8. Me enseña (*to dance*). 9. Además de (*being sick*), no tenía dinero. 10. Le ayudaron (*to clean it*). 11. Me hicieron (*abandon my project*). 12. No te vayas antes de (*fixing your desk*).

13. (*Traveling*) es muy interesante. 14. No me gusta (*lending my tools*).

B. Repita Vd. las frases que siguen, sustituyendo la expresión en cursiva por las expresiones entre paréntesis.

1. Martín siempre piensa en *cambiarlos*. (progresar, heredar una fortuna, hacer un viaje a Madrid)
2. No puedes realizarlo sin *dedicarte más*. (tener más cuidado, organizar las cosas, entenderlo, practicar mucho)
3. ¿La oíste *dictar la clase?* (explicar la teoría, tocar el piano, hablar árabe, discutir el plan)
4. Tenga Vd. cuidado de *llegar a la hora señalada*. (tratarla con cortesía, prestarles el auto, traducirlo exactamente, expresar su opinión)

C. Conteste Vd. a las siguientes preguntas afirmativamente.

Ejemplo: ¿ Te gustaba la función?
        Sí, me gustaba.

1. ¿Les hacen falta a Vds. unos pesos? 2. ¿Le importa a Juan la proclamación del gobierno? 3. ¿Os quedan unas invitaciones? 4. ¿Me interesaría ese estudio? 5. ¿Le importaba a Vd. el color del abrigo? 6. ¿Le gustan a Tomás los postres ricos? 7. ¿Les queda bastante tiempo a los estudiantes? 8. ¿Le habría gustado a Vd. visitarla? 9. ¿Le hacían falta a Pedro los mapas? 10. ¿Te interesaría acompañarme a la conferencia?

D. Traduzca Vd. al español.

1. If she had had enough money left, Lupe would have bought the ticket. 2. Although Richard saw them fighting, he said nothing to their parents. 3. On arriving in Chicago, don't forget to send us a telegram. 4. You are right. She is always in a hurry and that is not good. 5. Winning is always pleasant. 6. He did not know that I liked flowers. 7. Will Antonio come to say good-by to us before leaving for the university? 8. How many Spanish coins does Henry need to complete his collection? 9. We were in such a hurry that we passed Lola without seeing her. 10. Although Robert likes to swim, he is more interested in playing golf.

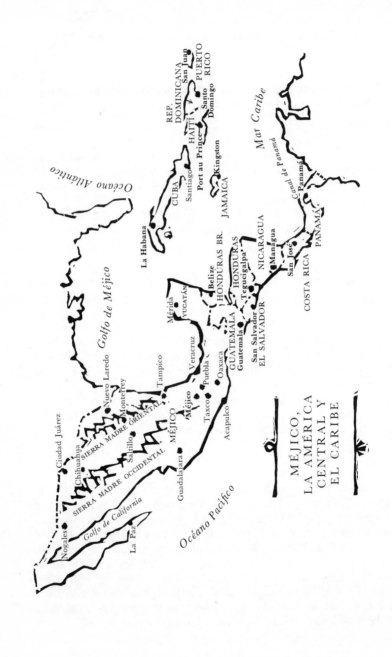

MÉJICO,
LA AMÉRICA
CENTRAL Y
EL CARIBE

SECCIÓN

———

QUINTA

LECCIÓN

***

ÚNICA

« PARA » Y « POR »

DIÁLOGO

JULIÁN: ¡ Marcos, tú por aquí ! Yo creía que te habías ido a tu casa para las Navidades.

MARCOS: Pues, salgo esta noche.

JULIÁN: Viajas por avión, ¿ no ?

MARCOS: ¡ Claro ! Por tren no llegaría a tiempo para la fiesta.

JULIÁN: ¿ Por qué te quedaste por aquí hasta hoy ? ¿ No pudiste conseguir una reserva ?

MARCOS: Es que todavía me quedan dos regalos que comprar — uno para Luis y otro para mi tía.

JULIÁN: Luis es tu hermano menor, el que estudia para biólogo, ¿ no ?

MARCOS: Sí, empezó sus estudios este año.

JULIÁN: Pues, cómprale un microscopio.

MARCOS: ¡ Pero hombre ! ¿ Me tienes por millonario ?

JULIÁN: No te cobrarán tanto por uno — sólo ochenta u ochenta y cinco dólares.

MARCOS: ¡ Mil gracias ! Para un amigo íntimo, te permites unas sugerencias raras.

EJERCICIOS MODELO

a / Sustitución de un elemento variable

1. Me tiene por millonario.
2. _____ tonto.
3. _____ conservador.
4. _____ novicio.
5. _____ sabio.

b / Respuesta sugerida

1. ¿ Para quién es esa carta, para Luisa?
                    Sí, es para Luisa.
2. ¿ Para quién es el disco, para Toño?
3. ¿ Para quién son estas herramientas, para papá?
4. ¿ Para quién son los planes, para el arquitecto?
5. ¿ Para quién son las pastillas, para la vieja?

c / Sustitución de un elemento variable

1. Prefieren viajar por auto.
2. _____ avión.
3. _____ vapor.
4. _____ autobús.
5. _____ tren.

d / Adición fija

1. ¿ Tenéis un examen la semana que viene?
       ¿ Tenéis un examen para la semana que viene?
2. Se citaron el jueves.
3. Llegaré la Nochebuena.
4. Prepare Vd. el informe pasado mañana.
5. La necesitaremos esta noche.

EJERCICIO MODELO EXTENSO (I)

Usando la preposición **para,** junte Vd. los pares de frases que aparecen en la página siguiente según el modelo presentado.

1. Eres norteamericana. Hablas nuestro idioma muy bien.
   Para una norteamericana, hablas nuestro idioma muy bien.
2. Es viejo. Don Pablo es vivaracho.
3. La casa era nueva. Carecía de muchas comodidades modernas.
4. Es una persona rica. No se viste con mucha elegancia.

5. Son estudiantes del primer año. Saben mucho.
6. Sois técnicos. Sois algo descuidados.
7. Las máquinas eran viejas. Funcionaban muy bien.
8. Son rubíes artificiales. Parecen genuinos.

9. Saldré por la mañana. Llegaré a tiempo.
         Saldré por la mañana para llegar a tiempo.
10. ¿ Qué haces? ¿ Te ganas la vida?
11. Los García fueron a Manizales. Visitaron a sus hijos.
12. Aceptamos su decisión. Evitamos más disputas.

13. Enrique y Luisa ahorran su dinero. Se casarán en junio.
14. Le concedí hasta la semana entrante. Terminará el trabajo.
15. ¿ No te aprovechaste de esa oportunidad? Gozaste de unas
    horas de reposo.
16. Hable Vd. en voz baja. No despierte a los niños.

17. Nos mandaron la invitación. Será la semana entrante.
    Nos mandaron la invitación para la semana entrante.
18. Aquí tienes el trabajo. Lo necesitas el lunes.
19. No olviden Vds. nuestra cita. Los espero mañana.
20. Arreglaré la reunión. Será el diez de enero.

21. ¿ Puede Vd. lavar estas camisas? Las necesitamos el martes.
22. Marta tiene una entrevista con el rector. Es esta tarde.
23. Hacemos planes para una fiesta. Será el domingo próximo.
24. Tendrás el dinero. Te lo entregaré mañana.

25. Llegó un telegrama. Iba dirigido a Patricia.
          Llegó un telegrama para Patricia.
26. Lupe mandó un regalo. Es de mamá.
27. Los Paez me dieron un cheque. Tengo que darlo a Roberto.
28. Compré unas copas de cristal. Las regalé a Victoria.

29. Salieron ayer. Fueron a Miami.
          Salieron ayer para Miami.
30. Ya se fue. Estaría en su oficina.

31. Ramón y yo estudiamos. Queremos ser médicos.
32. ¿A qué hora tienes que salir? ¿Vas a la fábrica?

Se usa **para** cuando se indica comparación (1–8), propósito (9–16), tiempo definido en el futuro (17–24) y destino o intento (25–32).[1]

Estudie y compare

1. (a) Nos sirvió una copa de champaña.
   (b) Nos regaló una docena de copas para champaña.
2. (a) Inés compró una cesta de pan.
   (b) Inés compró una cesta para pan.
3. (a) En su oficina hay dos estantes de libros.
   (b) En su oficina hay dos estantes para libros.

Para expresa también el uso de las cosas.

EJERCICIO MODELO EXTENSO (II)

Una Vd. las oraciones que siguen según el modelo sugerido.

1. Me mandaron a la tienda. Compré mantequilla.
        Me mandaron a la tienda por mantequilla.
2. Anita volvió a la escuela. Buscó su paraguas.
3. El buen clérigo se sacrifica mucho. Su fe es fuerte.
4. Vaya Vd. a la farmacia. Tendrán su medicina.

5. No lo hicimos. Nos enojó eso.
6. El soldado se arriesga. Ama su patria.
7. Guillermo fue suspendido. Era perezoso.
8. ¿Por qué no subiste? Necesitas tus guantes.

9. El doctor pagó dos mil dólares. Compró un auto.
        El doctor pagó dos mil dólares por un auto.
10. Te daré quince dólares. Quiero el cuadro.
11. ¿Cuánto pagaron? La silla es magnífica.
12. Pensamos cambiar este escritorio. Necesitamos otro.

[1] Hay varios modismos que exigen **para,** como: **para siempre** *forever;* **estar para** *to be about to,* etc.

13. ¿ Cuánto piden? Los huevos son frescos.
14. Lupe me dio once pesetas. El chal era de lana.
15. ¿ Cuántos sucres nos darán? El dólar vale mucho.
16. El niño cambió su violín. Recibió una trompeta.

En su respuesta a las preguntas de este ejercicio, use Vd. la
segunda de las dos posibilidades sugeridas.

17. ¿ Se calienta el piso por vapor o por gas?
                    Se calienta por gas.
18. ¿ Llegarán por avión o por tren?
19. ¿ Mandaste los documentos por correo o por mensajero?
20. ¿ Se efectuó su cura por drogas o por terapéutica?

21. ¿ Nos avisarán por carta o por telegrama?
22. ¿ Piensas ir a Caracas por auto o por tren?
23. ¿ Subieron por la escalera o por el ascensor?
24. ¿ Se transportan por barco o por camión?

25. ¿ Estudió Jaime por una hora o por dos horas?
                    Estudió por dos horas.
26. ¿ Fuiste a Inglaterra por unos meses o por un año?
27. ¿ Estarán aquí por un mes o sólo por unos días?
28. ¿ Hace mucho calor por marzo o por agosto?

29. ¿ Piensan ir a la playa por todo el verano o por parte del
    verano?
30. ¿ Practicó Anita por quince minutos o por media hora?
31. ¿ Lograste charlar con él por un rato o sólo por unos momentos?
32. ¿ Guardó cama por dos semanas o por tres semanas?

33. ¿ Entró el ladrón por la puerta o por la ventana?
                    Entró por la ventana.
34. ¿ Te paseabas por el jardín o por el parque?
35. ¿ Lo vio Paco por esta calle o por la otra?
36. ¿ Pasará el desfile por la Quinta Avenida o por la Avenida
    Bolívar?

37. ¿ Votaron por tu propuesta o por la propuesta de León?
                    Votaron por la propuesta de León.
38. ¿ Ruega el párroco por sí mismo o por sus feligreses?
39. ¿ Se interesa el abogado por el acusador o por el acusado?
40. ¿ Hablarás tú por el rector o por el vicerrector?

Por se usa para denotar el objeto o la razón de una acción (1–8), el cambio o el precio (9–16), el medio por el cual se realiza algo (17–24), y en expresiones de tiempo que indican la duración del tiempo o un plazo indeterminado de éste (25–32). Se emplea también con expresiones de lugar para traducir *through*, *by* o *along*, (33–36), y para traducir *for* cuando significa *on behalf of*, *in favor of*, *for the sake of*, o *in place of* (37–40).[1]

PRONOMBRES Y ADJETIVOS INDEFINIDOS [2]

PRONOMBRES:	algo, alguien, alguno(–os), alguna(–as)
ADJETIVO:	(algún)alguno, –a, –os, –as
ADVERBIO:	algo

DIÁLOGO

SR. VELASCO: Buenas tardes, señorita. ¿ Puede Vd. ayudarme?

DEPENDIENTA: A sus órdenes, señor. ¿ Qué desea?

SR. VELASCO: Busco un regalo para mi sobrina. ¿ Puede sugerirme alguna cosa?

DEPENDIENTA: Con mucho gusto. ¿ Desea Vd. un recuerdo sencillo o algo especial?

SR. VELASCO: Deseo un recuerdo para su cumpleaños.

DEPENDIENTA: Ah, entonces quiere algo distinto. Aquí tiene unas blusas de seda importada.

SR. VELASCO: Son lindas, pero no sirven.

DEPENDIENTA: ¿ Qué tal le parece un perfume francés, o este alfiler de oro?

SR. VELASCO: ¡ Magníficos ! Pero, cuestan demasiado.

DEPENDIENTA: Pues, ¿ por qué no escoge Vd. algunos pañuelos finos? Le salen más baratos.

SR. VELASCO: Tampoco. Mi sobrina es algo ingenua. Quizás una muñeca.

DEPENDIENTA: ¡ Una muñeca ! ¡ Señor !

SR. VELASCO: ¿ Y por qué no?

---

[1] Se usa **por** en ciertas expresiones idiomáticas como: **estar por** *to be in favor of;* **por ahora** *for the time being;* **tener por** *to consider*, etc.

[2] Véase Sección Tercera, Lección 2, para los pronombres y adjetivos indefinidos negativos.

DEPENDIENTA: ¿ Cuántos años cumplirá su sobrina?
SR. VELASCO: Dispense señorita. Mi sobrina no es una joven sino
una niñita de cinco años.

EJERCICIOS MODELO

a / Sustitución de un elemento variable

1. Lupe cumplirá veinte años pasado mañana.
2. _____ diez _____.
3. _____ treinta y cinco _____.
4. _____ catorce _____.
5. _____ ochenta _____.

b / Sustitución numérica

1. ¿ Te sobra algún libro?
                      ¿ Te sobran algunos libros?
2. Os toca hacer algún trabajo.
3. Me queda algún tema que corregir.
4. Le hace falta algún utensilio.
5. Necesitas algún día de descanso.

c / Reemplazo de construcción

1. Marta no es pobre. Es rica.
                      Marta no es pobre sino rica.
2. No nos casamos en mayo. Nos casamos en abril.
3. No tenemos clase a las ocho. La tenemos a las nueve.
4. Los Rubio no vinieron de Colombia. Vinieron del Perú.
5. La función no empezó temprano. Empezó tarde.

d / Respuesta sugerida

1. ¿ Piensas en Paco o *en Arnaldo?*
                      Pienso en Arnaldo.
2. ¿ Piensas en quedarte o en irte?
3. ¿ Piensas en tus estudios o en tus vacaciones?
4. ¿ Piensas en tus amigos o en tus padres?
5. ¿ Piensas en la conferencia o en el examen?

EJERCICIO MODELO EXTENSO (III)

En estas frases, sustituya Vd. la palabra en cursiva por la palabra sugerida.

a / algo

1. Le hace falta *dinero*.
   Le hace falta algo.
2. ¿ Olvidaste *la llave?*
3. Les mandaré *un recuerdo*.
4. Me toca decir *unas palabras*.

5. *Una desgracia* terrible ocurrirá.
6. Hay que hacer *tanto*.
7. *Un producto químico* más fuerte lo disolverá todo.
8. *Esta blusa* debe gustarle.

b / alguien

9. *Victoria* necesita hablarte.
   Alguien necesita hablarte.
10. La oí disciplinar a *la criada*.
11. ¿ Te dio permiso *don Rafael?*
12. Escribí a *mis clientes*.

13. Suele viajar acompañada de *una secretaria*.
14. *Miguel* fue herido gravemente.
15. *Lola* te lo prestará.
16. ¿ Piensan Vds. repartirlo con *Antonio?*

Añada Vd. la palabra indicada a las frases que siguen, según el modelo presentado.

a / algo

17. Las muchachas son habladoras.
    Las muchachas son algo habladoras.
18. Nos parecía curioso.
19. El pobre quedó atónito.
20. Margarita llegó cansada.

21. ¿ No te parecen costosos?
22. Al oírlo, se puso pálido.

23. La vieja era preguntona.
24. Nos recibieron fríamente.

b / algún

25. Mostró interés.
                    Mostró algún interés.
26. Merecían honor.
27. ¿Necesitas trabajo?
28. Nos dejó dinero.

c / alguna

29. Merecéis consideración.
                    Merecéis alguna consideración.
30. Se te debía atención.
31. Al menos muéstrele Vd. cortesía.
32. Se exige moderación.

d / algunos

33. Estará charlando con amigos.
                    Estará charlando con algunos amigos.
34. Buscan asistentes.
35. Ese pobre tiene derechos.
36. Ha publicado libros importantes.

e / algunas

37. ¿Lograron ganancias de ese negocio?
                    ¿Lograron algunas ganancias de ese negocio?
38. Vaya Vd. a la tienda por peras.
39. Le quedan cuentas que pagar.
40. Solía tomar el té con amigas.

Responda Vd. a las preguntas que siguen según la respuesta sugerida.

41. Tengo uvas buenas, ¿las quiere?
                    Quiero algunas.
42. ¿Vendrán todas las personas que invité?
43. ¿Les sobran a Vds. billetes para la función?

44. ¿ Le gustarán a Jaime estos cuadros?
45. ¿ Conoces a todos los presentes?
46. ¿ Avisó Vd. a los jefes?
47. ¿ Os hacen falta bolígrafos?
48. ¿ Se pusieron en contacto con sus colegas?

Nótese que **algo** y **alguien** se usan como pronombres. **Algo** se refiere sólo a las cosas (1–8), mientras que **alguien** se emplea con referencia a las personas (9–16). **Algo** sirve también de adverbio (17–24). Usado de esta manera se traduce *somewhat* o *rather*. Los adjetivos **alguno(–os)** y **alguna(–as)** concuerdan en número y en género con la palabra que modifican (25–40). La forma masculina suprime la **o** final delante de un sustantivo masculino singular (25–28). Estos adjetivos pueden servir de pronombres solamente cuando aluden a un grupo mencionado anteriormente (41–48).

« *PERO, SINO, SINO QUE* »

EJERCICIO MODELO EXTENSO (IV)

Junte Vd. los pares de oraciones que siguen, usando la conjunción sugerida según el modelo presentado.

a / pero

1. Olga viene. No se queda mucho tiempo.
      Olga viene, pero no se queda mucho tiempo.
2. Lo quiero. Cuesta demasiado.
3. No me mandaron una respuesta. Sé que asistirán.
4. El profesor Salcedo no le dio una « A ». Tampoco le suspendió.
5. Inés no es linda. Es simpática.
6. No estaba en buenas condiciones. Miguel y yo lo compramos.
7. Nunca te reciben con cariño. Tampoco te reciben con desprecio.
8. Quisiéramos acompañarte. Tenemos otra cita.

b / sino

9. No eligieron a Felipe. Eligieron a Antonio.
   No eligieron a Felipe sino a Antonio.
10. Sara no se puso la blusa de seda. Se puso la de algodón.
11. No regresaste temprano. Regresaste tarde.
12. La culpa no es de Vds. Es de nosotros.

13. El rector no habla rápidamente. Habla lentamente.
14. No les gusta nadar. Les gusta patinar.
15. La paella no está caliente. Está fría.
16. La vieja no bebía café. Bebía té.

c / sino que

17. No dije que vendría. Trataría de venir.
    No dije que vendría sino que trataría de venir.
18. No le escribimos. Le hablamos por teléfono.
19. Sus padres no salieron anoche. Se quedaron en casa.
20. No aceptarán tu propuesta. La rechazarán.

But suele traducirse por **pero** y equivale a **sin embargo** (1–8).
Sino sólo se emplea cuando una negación precede *but* y una
afirmación en contraposición con lo que se expresa en la negación
lo sigue (9–16). Si el contraste existe entre dos cláusulas, se usa
sino que (17–20). El concepto esencial de **sino** y **sino que** es
but, but on the contrary y *not this, but that.*[1]

Estudie y note (**e** por **y, u** por **o**)

1. (a) Discutíamos ideas y conceptos.
   (b) Discutíamos conceptos e ideas.
2. (a) Elena era inteligente y alegre.
   (b) Elena era alegre e inteligente.
3. (a) No parecen hija y madre.
   (b) No parecen madre e hija.
4. (a) Piensan casarse en octubre o septiembre.
   (b) Piensan casarse en septiembre u octubre.

---

[1] Cuando *but* significa *except*, se denota con **menos**, p. ej.:
Todos fueron menos Carlos. *Everyone went but Charles.*

5. (a) ¿ Vendrás hoy o mañana?
   (b) ¿ Vendrás mañana u hoy?
6. (a) ¿ Asistió Olga o Lupe?
   (b) ¿ Asistió Lupe u Olga?

And se traduce por **e** en vez de **y** delante de una palabra que empieza en **i** o **hi** (1–3).[1] *Or* suele traducirse por **u** delante de una palabra que comienza en **o** u **ho** (4–6).

[1] Note: **confusión e histeria,** pero **sangre y hierro.**

APUNTES CULTURALES

Don Juan de Austria

LA VIDA, lo mismo que la personalidad de don Juan de
Austria, ofrece ciertos contrastes con la de su hermanastro
Felipe II. Ambos fueron hijos de Carlos I, rey de España
y conocido también como Carlos V, emperador de Alemania —
5   pero bajo circunstancias distintas. Felipe era hijo legítimo del
emperador, mientras que don Juan era hijo natural. Se guardó
el secreto del nacimiento de don Juan hasta la muerte del emperador en 1558.

Un mayordomo del rey, Luis de Quijada, crió secretamente a
10 este hijo de Carlos a quien se le había dado el nombre de Jerónimo.
El joven no sabía que llevaba sangre real en sus venas. Se le crió
en un ambiente sencillo, sin esa etiqueta que gobierna hasta la
menor acción de los futuros reyes. Así careció de la sospecha, la
reserva, la melancolía y la gravedad de su hermanastro Felipe. A
15 instancias del emperador, que quería admirar el donaire de su
hijo, fue llevado al monasterio de San Jerónimo de Yuste, donde
Carlos V se había retirado. No viajó como hijo de emperador sino
« como si se tratase de un paje de su ayo ».[1] Tan ignorante de su
origen estaba el príncipe que no se dio cuenta de que estaba en
20 presencia de su padre.

A la muerte del emperador, se reveló el secreto que se había
guardado durante trece años. En su testamento Carlos lo reconoció como hijo suyo. Felipe, siguiendo las recomendaciones de
su padre, reconoció a su recién descubierto hermanastro y lo
25 instaló en la corte con todos los honores que le correspondían al
hijo menor del emperador. Si este reconocimiento le concedió a
don Juan lo que se le debía desde hacía muchos años, al mismo

---

[1] *Enciclopedia Universal Ilustrada* (Madrid: Espasa-Calpe, 1926), Vol. 28,
pág. 3010.

tiempo puso en evidencia la diferencia entre su estado y el de
Felipe.

Sin embargo, aunque Felipe lo aceptó públicamente, no lo
acogió privadamente. Don Juan presentaba un contraste muy
5 favorable en comparación con su grave y taciturno hermanastro.
Era bien parecido, genial, cortés, con personalidad. De presencia
inspiradora, parecía la personificación del héroe ideal. La gallardía
y el donaire de don Juan, la atracción personal que tenía para
todo el mundo, sus hazañas — todo infundió al Rey Prudente
10 sospechas y celos hasta tal grado que no le concedió a su hermanastro el título que le correspondía de Infante de España.

Su padre había querido dedicarle a la iglesia, pero siendo de
un temperamento belicoso más bien que contemplativo, el joven
don Juan se hizo militar. Tuvo una carrera distinguida. El rey le
15 nombró capitán general del Mediterráneo y del Adriático, con-
fiándole cargos militares de gran importancia. Luchó contra
moros y berberiscos. Fue jefe de la flota que logró la victoria de
Lepanto. Puso fin a la herejía morisca en Granada. Por orden de
su hermanastro, capitaneó una flota de 104 galeras y 20.000
20 hombres que salió de Sicilia en 1573 y tomó a Túnez y a Bizerta.
Sirvió en Italia como lugarteniente del rey. En 1576 marchó a
los Países Bajos como capitán general de las tropas españolas.

No obstante, las ventajas ganadas por estas victorias desapa-
recieron rápidamente, porque el español victorioso no las con-
25 solidó. Este error táctico no puede atribuirse a don Juan, sino a
Felipe II. El rey vivía en un terror mortal, nutrido por la sospecha,
de que su hermanastro estableciese un reino independiente y
traicionase a España. Esta misma actitud hacia su hermanastro
le hizo ignorar las sugerencias de sus consejeros y nombrar gober-
30 nador general de los Países Bajos a Luis de Requeséns y no al
príncipe. Por fin, tuvo que mandar a don Juan a estos países
como sucesor de Requeséns. La situación allá se había empeorado
tanto que todos los esfuerzos de don Juan resultaron frustrados.
Por fin don Juan le pidió a su hermanastro que lo llamase a
35 España. El rey, sabiendo que don Juan proyectaba casarse con
María Stuart, la reina de Escocia, y motivado por el miedo y la
envidia, vaciló otra vez. Finalmente decidió llamarle a la corte —
pero fue demasiado tarde. Don Juan había enfermado gravemente
y murió. Es curioso notar que este nieto de Juana la Loca — la que
40 sufrió tanto a causa de los celos — fuese también víctima de los
celos.

EJERCICIOS SUPLEMENTARIOS

A. Cambie Vd. las frases de este ejercicio de negativas a afirmativas.

1. Nadie lo sabrá. 2. No necesitan ningún recibo. 3. Esta película no es nada interesante. 4. No recibimos nada. 5. Ningún estudiante preguntó por Vd. 6. No le gustaría ninguno de éstos. 7. Don Ramón no merecía ninguna consideración. 8. No te ofreceremos nada.

B. Complete Vd. las frases que siguen con **para o por**, según corresponda.

1. Papá le tiene _____ loco. 2. Estaré allí _____ dos semanas. 3. Ese amor durará _____ siempre. 4. Estaba _____ salir. 5. Estudia _____ ingeniero. 6. Este edificio se calienta _____ vapor. 7. Regresó a la oficina _____ los contratos. 8. _____ un ecuatoriano, sabía mucha de nuestra historia. 9. Álvaro recibió diez pesos _____ cada dólar. 10. Elena se sacrificó _____ los suyos. 11. ¿ Qué hiciste con la taza _____ café? 12. Estas rosas eran _____ Ana. 13. Salieron _____ Lima _____ avión. 14. Le dimos mil dólares _____ el cuadro. 15. Mi tío estará _____ ese proyecto.

C. Complete Vd. las oraciones de este ejercicio con **pero, sino o sino que**, según corresponda.

1. No eran bonitas _____ feas. 2. El gerente lo hizo _____ no le gustó. 3. A Jorge no le gustaba estudiar _____ jugar. 4. Su padre no era ingeniero _____ abogado. 5. Esos jóvenes no querrán leche _____ café. 6. Lupe no lo ha terminado _____ puedes verlo. 7. No escogieron el amarillo _____ el rojo. 8. Sé que es verdad _____ no puedo creerlo. 9. Lo importante no es el dinero _____ el tiempo. 10. No sólo lo preparó _____ lo sirvió.

D. Traduzca Vd. al español.

1. Luis and Irene decided to stay with us for Christmas. 2. Miguel never thinks of anyone but himself. 3. Marcos did not tell us everything, but we do know that he will go to London on Thursday. 4. All of the inhabitants of Sucre, but one, know how to read and

write. 5. How many people voted for Manuel? 6. We missed the first part of the film because we arrived late. 7. Do you have any stamps left? I need some. 8. Rita almost broke the tea cups that her aunt gave her for her birthday. 9. On Friday we hope to leave for Bermuda by boat. 10. Some day you will learn that you and Albert were wrong.

SECCIÓN

—

SEXTA

LECCIÓN

1

INTERROGATIVOS

PRONOMBRES: ¿ qué ?, ¿ quién (quiénes) ?, ¿ cuál (cuáles) ?,
¿ cuánta (cuántas) ?, ¿ cuánto (cuántos) ?
ADJETIVOS: ¿ qué ?, ¿ cuánto(–a, –os, –as) ?
ADVERBIOS: ¿ dónde ?, ¿ cuándo ?, ¿ cómo ?, ¿ por qué ?

DIÁLOGO

ÁGATA: Ah, llegó una carta.
RITA: ¿ Para quién?
ÁGATA: Para mí.
RITA: ¿ Quién te escribió?
ÁGATA: No te lo digo. Es asunto mío.
RITA: Pues la letra del sobre parece de hombre.
ÁGATA: Acertaste, es de un hombre.
RITA: A ver, ¿ cuál de los dos te habrá escrito, Eduardo o Tomás?
ÁGATA: Ni el uno ni el otro. ¿ A que no sabes de quién es?
RITA: No sé . . . ¿ Otro novio?
ÁGATA: No he tenido tiempo para eso. Hace dos semanas que no hago otra cosa sino estudiar.
RITA: Pues, me doy por vencida.
ÁGATA: ¡ No me digas ! ¡ Qué fácilmente te gané ! Es una carta de papá.
RITA: ¡ Qué tonta soy ! Ni siquiera pensé en tu padre.

240

EJERCICIOS MODELO

a / Sustitución numérica

1. ¿ Quién te avisó?
> ¿ Quiénes te avisaron?
2. ¿ Quién me ayudará?
3. ¿ Quién lo propuso?
4. ¿ Quién ha de matricularse?
5. ¿ Quién asistirá?

b / Respuesta sugerida

1. Me doy por vencido, ¿ y Sancho?
> Sancho se da por vencido también.
2. Sara se dio por vencida, ¿ y las otras?
3. Los dos se dieron por vencidos, ¿ y tú?
4. Andrés se dará por vencido, ¿ y nosotros?
5. El jefe se da por vencido, ¿ y el grupo?

c / Sustitución de un elemento variable

1. No hacen otra cosa sino criticar.
2. _____ quejarse.
3. _____ escribir recibos.
4. _____ leer.
5. _____ ir de visita.

d / Reemplazo de construcción

1. Luis me encontrará mañana.
> ¿ Cuándo me encontrará Luis?
2. Los Sánchez te recibirán el lunes por la tarde.
3. Las tropas pasaron por aquí anoche.
4. Tú volverás dentro de poco.
5. Le dio su permiso ayer.

e / Reemplazo de construcción

1. El profesor le suspendió.
> ¿ Por qué le suspendió el profesor?
2. La ignoraste.
3. Roberto rehusa hacerlo.
4. Rita lo negó.
5. Vd. no nos ayuda.

EJERCICIO MODELO EXTENSO (I)

Cambie Vd. a preguntas las oraciones que siguen, sustituyendo la expresión en cursiva por el interrogativo sugerido.

a / ¿ qué?

1. Eduardo dijo *unas tonterías.*
                    ¿ Qué dijo Eduardo?
2. Lucía te prestará *su batidora eléctrica.*
3. Los soldados limpiaron *sus carabinas.*
4. Nosotros hemos aplazado *la función.*

5. Tú has estropeado *ese aparato.*
6. Prefieren *otro horario.*
7. Tuvieron que pagar *una multa.*
8. Roberto les trajo *una sandía.*

9. Papá se preocupa de *las cuentas.*
                    ¿ De qué se preocupa papá?
10. Isabel pensaba en *sus vacaciones.*
11. Los niños jugaban con *una pelota.*
12. Vds. insisten en *pagarlo.*

13. No se atreve a *negarlo.*
14. El sastre cosía en *una máquina vieja.*
15. Te escribo para *felicitarte.*
16. Esos viejos tienen miedo de *los aviones.*

17. Pepa se ha puesto *esa* blusa.
                    ¿ Qué blusa se ha puesto Pepa?
18. Prefieren *los* pañuelos *de algodón.*
19. Tú sueles beber vino *tinto.*
20. Les gustan *las* películas *policíacas.*

21. Arturo repitió el curso *de química.*
22. La secretaria le entregó *unos* documentos.
23. Nos toca pagar *el* impuesto *federal.*
24. Lola comprará muebles *nuevos.*

25. *Su presencia* nos enoja.
                    ¿ Qué nos enoja?
26. *El huracán* destruyó el edificio.
27. *El examen* fue aplazado.
28. *La tragedia* es inevitable.

b / ¿ *quién* (*quiénes*) ?

29. *Su padre* se lo negará.
            ¿ Quién se lo negará ?
30. *Manuela* te lo explicará.
31. *Ese viejo* perdió sus llaves.
32. *Los niños* se comieron todos los caramelos.

33. *El cajero* rehusó cambiar el cheque.
34. *Lupe e Irene* te invitaron.
35. *Los médicos* insistieron en la operación.
36. *El agente* no aceptará ese billete.

37. Luisa charlaba con *una amiga.*
            ¿ Con quién charlaba Luisa ?
38. Él se refiere a *su profesor.*
39. Invitaremos a *todos nuestros colegas.*
40. Vd. hablará por *el vicerrector.*

41. Los aretes serán para *Anita.*
42. Marta tenía celos de *sus compañeras.*
43. El señor Martín no está contento con *su asistente.*
44. Los Arango pensaban con frecuencia en *sus hijos ausentes.*

c / ¿ *cuál* (*cuáles*) ?

45. *Ésta* parece cosa nuestra.
            ¿ Cuál parece cosa nuestra ?
46. *El primero* es auténtico.
47. *Los otros* no vendrán.
48. *Ésa* será la única solución.

49. Le gustan estas blusas *de seda.*
            ¿ Cuáles de estas blusas le gustan ?
50. *Tres* de esos mozos nos acompañarán.
51. *Dos* de los experimentos fracasaron.
52. Tú piensas llevar *una* de estas maletas.

d / ¿ *cuándo* ?

53. Tenemos esta entrevista *a las dos.*
            ¿ Cuándo tenemos esta entrevista ?
54. El dependiente te entregará el paquete *dentro de poco.*
55. La vieron *ayer por la tarde.*
56. *Nunca* les dio su permiso.

57. Dolores lo supo *anteayer*.
58. Vd. debe esperarlos hasta *las cinco*.
59. Se lo prometimos para *el lunes*.
60. Piensan casarse *pronto*.

e / ¿ cómo?

61. El profesor López habla *lentamente*.
                          ¿ Cómo habla el profesor López?
62. Los jóvenes se portaron *mal*.
63. Roberto solía comer *rápidamente*.
64. Aquel sastre trabaja *con mucho cuidado*.

f / ¿ dónde?

65. Te encontraremos *en ese café*.
                          ¿ Dónde te encontraremos?
66. Puso los contratos *en su escritorio*.
67. Los oficiales piensan reunirse *en su oficina*.
68. Hiciste tus estudios *en Salamanca*.

g / ¿ cuánto(-a, -os, -as)?

69. Perdió *mucho* dinero.
                          ¿ Cuánto dinero perdió?
70. Les hace falta *más* tiempo.
71. Se requiere *mucha* leche en esa receta.
72. Merecían *más* atención.

73. El grupo presentó *más de diez* programas.
74. Marta e Inés escribieron *cien* invitaciones.
75. Tendrás *dos* semanas de vacaciones.
76. Prepararemos *la mayoría de los* ejercicios.

77. *Todos los invitados* asistirán.
                          ¿ Cuántos asistirán?
78. Piensas comprar *muchos manuscritos*.
79. Nos cobrarán *mucho*.
80. Logró salvar *todas sus joyas*.

El interrogativo suele colocarse al comienzo de la frase (1–80).
¿ **Qué**? se traduce por *what* o *which* y se emplea como pronombre
(1–16, 25–28) y como adjetivo (17–24). El pronombre interroga-

tivo ¿ quién (quiénes) ? (*who* o *whom*), se refiere sólo a personas (29–44).[1] ¿ Cuál (cuáles) ? denota *which* o *which one(s)*. La idea de elección está implícita en ¿ cuál (cuáles) ? Generalmente se usa como pronombre (45–52). ¿ Cuánto(-a, –os, –as) ? (*how much* o *how many*) se emplea como adjetivo (69–76) y como pronombre (77–80). Siempre concuerda con la palabra que modifica o a la cual se refiere (69–80). Los adverbios interrogativos se usan generalmente como en inglés (53–68).[2]

Estudie y compare (¿ qué ? o ¿ cuál ?)

1. (a) ¿ Cuál es el examen más importante ?
   (b) ¿ Qué es un examen ?
2. (a) ¿ Cuáles son los ríos que forman el Ohio ?
   (b) ¿ Qué es un río ?
3. (a) ¿ Cuál de las metáforas le impresionó más ?
   (b) ¿ Qué es una metáfora ?

¿ Qué ? se usa con *ser* sólo cuando se exige una definición (1b, 2b, 3b). Si se indica una selección, se emplea ¿ cuál ? (1a, 2a, 3a).

DIÁLOGO

PEDRO: Tomás, ¿ qué estás haciendo a estas horas ?
TOMÁS: Vistiéndome. Levántate, Pedro.
PEDRO: Pero Tomás, ¿ no te has dado cuenta de la hora ?
TOMÁS: Date prisa o llegarás tarde a la universidad.
PEDRO: ¡ Hombre ! Son las cinco de la mañana, y nuestra primera clase es a las diez.

[1] *Whose* se traduce por ¿ de quién (quiénes) ?, p. ej. :

¿ De quién es el paraguas ? — Es de Marina.

[2] *Where* suele traducirse por ¿ dónde ? Cuando *where* se usa con un verbo de movimiento que indica el lugar al cual uno se dirige o del cual uno procede, se puede emplear ¿ adónde ? o ¿ de dónde ? respectivamente, p. ej. :

¿ Adónde se va ? — Se va al centro.
¿ De dónde vienen Vds. ? — Venimos de Caracas.

Hay otras preposiciones que pueden usarse con ¿ dónde ? como ¿ en dónde ?, ¿ por dónde ?, etc., pero no se emplean con mucha frecuencia.

TOMÁS: Lo sé, pero hoy tengo que entregar mi trabajo escrito sobre Blasco Ibáñez.

PEDRO: Si no lo has acabado, entrégalo mañana. Le dará igual al profesor.

TOMÁS: Ya lo acabé y el profesor Salcedo lo quería para hoy, pero . . .

PEDRO: ¿ Pero qué ?

TOMÁS: Pues, lo perdí. Busqué por todo el piso anoche y no di con él.

PEDRO: Lo habrás dejado en la universidad.

TOMÁS: Por eso quería salir temprano.

PEDRO: Tomás, ¿ lo has buscado en tu cuaderno ?

TOMÁS: A ver . . . sí, ¡ aquí lo tengo ! . . . exactamente donde lo puse anoche.

EJERCICIOS MODELO

a / Sustitución de persona y de número

1. Pedro dio con las llaves.
2. Tú _____.
3. Luis y yo _____.
4. El portero _____.
5. Estos mozos_____.

b / Sustitución de un elemento variable

1. ¿ No te has dado cuenta de la hora ?
2. ¿ _____ el gasto ?
3. ¿ _____ la situación ?
4. ¿ _____ el peligro ?
5. ¿ _____ la dificultad ?

c / Adición fija

1. La evitaron.
                              Por eso la evitaron.
2. Lo hicimos rápidamente.
3. No te contestó.

4. Salieron sin despedirse de nadie.
5. No cumplí con mi deber.

EJERCICIO MODELO EXTENSO (II)

En estas frases, sustituya Vd. la expresión en cursiva por la forma correcta de la expresión sugerida.

a / dar un paseo +o take a walk

1. Mi abuelo *se paseaba* todos los días.
   Mi abuelo daba un paseo todos los días.
2. *Me paseé* por el parque antes de la comida.
3. ¿No suelen Vds. *pasearse* por la tarde?
4. ¿*Te paseas* por tu salud?

5. ¿Os gustaría *pasearos* por la playa?
6. *Nos paseábamos* siempre al anochecer.
7. Rosa y su esposo acostumbran a *pasearse* por el bosque.
8. Ayer los dos *se pasearon* por primera vez.

b / darse cuenta de +o realize

9. ¿Cuándo *te enteraste de* la verdad?
   ¿Cuándo te diste cuenta de la verdad?
10. El médico *se enteró de* lo grave de su condición.
11. ¿*Conocen* Vds. los problemas inherentes a esta técnica?
12. *Nos enteramos de* tu situación personal.

13. Paco *supo* que no tenían dinero.
    Paco se dio cuenta de que no tenían dinero.
14. Al verla, *supe* que estaba enferma.
15. *Sabíamos* que le faltaba lo más esencial.
16. Al recibir el telegrama, *supieron* que había muerto.

c / dar con +o meet

17. ¿Dónde *hallaron* las perlas?
    ¿Dónde dieron con las perlas?
18. *Encontrarás* los papeles perdidos.

19. ¡ Ojalá que *hallásemos* esas llaves !
20. Pablo *se encontró con* el profesor en el centro.

Conteste Vd. a las preguntas que siguen, usando el modismo sugerido.

a / darle a uno igual to be all the same to one

21. ¿ Prefiere Toño salir ahora o más tarde?
                                        A él le da igual.
22. ¿ Te gustaría esta silla u otra?
23. ¿ Querrán los jóvenes acompañarnos hoy o mañana?
24. ¿ Desea Anita una entrevista para las dos o para las tres?

b / dar a to face

25. ¿ Se ve la plaza desde su cuarto?
                                        Mi cuarto da a la plaza.
26. ¿ Se observa la catedral desde su piso?
27. ¿ Se distingue el palacio desde su casa?
28. ¿ Se ve la fuente desde su tienda?

c / darse prisa to hurry

29. ¿ Llegará Paco a tiempo?
                                        Si se da prisa, llegará a tiempo.
30. ¿ La acabarán Vds. para esta tarde?
31. ¿ Lo alcanzarás?
32. ¿ Verán el desfile?

Obsérvese que el verbo **dar** se usa en varios modismos españoles (1–32). Entre los más comunes se encuentran: **dar un paseo** *to take a walk* (1–8); **darse cuenta de** *to realize* (9–16); **dar con** *to come across, find, meet* (17–20); **darle a uno igual** *to be all the same to one* (21–24); **dar a** *to face, overlook* (25–28); y **darse prisa** *to hurry* (29–32). El uso de **dar** en estas expresiones idiomáticas no modifica de manera alguna la conjugación del verbo.

Estudie y note (**preguntar, preguntar por, pedir, hacer una pregunta**)

1. (a) Voy a preguntarle el precio del jarro.
   (b) Me pidió un precio exorbitante.

2. (a) ¿ Le preguntaste la hora de la conferencia?
   (b) ¿ Le pediste el favor que querías?
3. (a) Preguntará por nosotros.
   (b) Nos pedirá más dinero.
4. (a) Le preguntamos al profesor el significado de esa palabra.
   (b) El profesor nos hizo una pregunta difícil.
5. (a) Pregúntele Vd. si las conoce.
   (b) Siempre pregunto por su familia.
   (c) ¿ Te pidieron permiso?
   (d) Nos hizo unas preguntas personales.

To ask puede traducirse al español de diversas maneras (1–5). Si se busca información se emplea **preguntar** (1a, 2a, 4a, 5a); si se quiere algo de alguien, se usa **pedir** (1b, 2b, 3b, 5c). **Preguntar por** significa *to ask about someone or something* (3a y 5b), mientras que *to ask a question* se indica por **hacer una pregunta** (4b y 5d).

APUNTES CULTURALES

El camino de Santiago de Compostela

SEGÚN la leyenda, a principios del siglo IX un obispo devoto, guiado por una luz misteriosa, descubrió cerca de la antigua ciudad gallega de Iria Flavia, los restos de Sant Iago, el apóstol que cristianizó a España. Las posibilidades inherentes a este acontecimiento no se le escaparon al rey Alfonso II, el   5 Casto, quien mandó construir un templete en aquel lugar en honor del patrón de España. Si los moros tenían a Mahoma como adalid en su guerra santa contra los españoles, éstos tenían ahora al apóstol.

Santiago figura en varias leyendas y crónicas medievales. Uno de   10 los primeros y más significantes relatos que tenemos de él trata de la legendaria batalla de Clavijo en la cual, Santiago, montado en un caballo blanco, llevando una espada reluciente en una mano y una bandera blanca con una cruz roja en la otra, intervino milagrosamente, conduciendo a los españoles a una victoria in-   15 esperada sobre los moros. Desde entonces los españoles suelen referirse al santo con el apodo de Santiago Matamoros. De esa batalla vino también el grito de guerra adoptado por los españoles — « ¡ Santiago y cierra España ! »

Tal fue la fe del pueblo español en Santiago que motivó una   20 devoción ferviente al santo. En el sitio donde se halló su cadáver, Alfonso III, un devoto del apóstol, mandó erigir la primera catedral en su honor. Alrededor de estos primeros monumentos sagrados, aparecieron otros edificios hasta que el sencillo santuario se convirtió en la ciudad de Compostela — centro importante del   25 cristianismo en la Edad Media, objeto de peregrinaciones de miles de fieles.

Había varias vías para llegar a la famosa ciudad, pero hoy, como en aquella época, la mayoría de las rutas coinciden en la amurallada ciudad histórica de Puente la Reina. Fundada en el   30 siglo XI, la ciudad debe su nombre al magnífico puente abovedado construído allí por la Reina Estefanía. El presente Camino de Santiago, como el de otras edades, pasa por pueblos y paisajes que recuerdan la historia épica y legendaria de España.

En Puente la Reina el antiguo camino cruza el Río Arga, pasando por Estella e Irache, llegando por fin a Logroño. Sale de Logroño rumbo a Nájera, sede en los siglos X y XI de los reyes de Navarra, sitio también de la famosa iglesia de Santa María
5 la Real, cuyo claustro se considera una de las obras maestras del arte renacentista en España. Un pueblo típico, entre los muchos que nacieron a lo largo del Camino de Santiago en la época de las primeras peregrinaciones, es Santo Domingo de la Calzada. Su catedral, que como el pueblo lleva el nombre del santo a quien
10 debe su existencia, tiene fama de ser uno de los mejores ejemplos de la arquitectura franco-gótica. Desde Santo Domingo, la ruta continúa por aldeas pintorescas que evocan recuerdos fugaces de los primeros romeros, hasta llegar a Burgos — ciudad que dio a luz al famoso Cid Campeador.
15 Se sigue la ruta original hasta Sahagún donde, en vez de cruzar el Río Cea a Calzada del Coto, uno sale rumbo a Mansilla de las Mulas donde se emprende de nuevo el antiguo camino. Al llegar a León el peregrino se halla en la antigua capital del reino. Su célebre catedral se parece a la de Reims — evidencia concreta
20 de las muchas influencias culturales aportadas por estos viajeros al santuario del apóstol.
La vía continúa hacia Galicia, pasando por verdes y tranquilos campos, y sitios poéticos como El Cebrero, Samos y Puerto Marín, hasta que por fin se divisa Santiago de Compostela, meta del
25 peregrino. Meca del cristianismo en la Edad Media — de igual importancia que Roma y Jerusalén como objetos de peregrinaciones — todavía sirve como fuente de inspiración religiosa. Hoy día su fama descansa no sólo en su importancia como centro religioso, sino también como centro artístico. La catedral, con su magnífico
30 Pórtico de la Gloria, figura entre los principales monumentos artísticos de esta ciudad gallega. Centro universitario, joya de arte, ambiente medieval, fruto de fervor religioso, síntesis de lo moderno y lo antiguo, atmósfera de leyenda y milagro, encanto y misterio — todo esto es la Ciudad del Apóstol.

EJERCICIOS SUPLEMENTARIOS

A. Repita Vd. las frases que aparecen en la página siguiente, haciendo los cambios indicados.

1. ¿ Qué hará el profesorado en contra de la huelga?
2. ¿ —————— los profesores —————————?
3. ¿ ——————————— en cuanto a ————?
4. ¿ —————————————— esas noticias?
5. ¿ —————— el rector —————————?
6. ¿ —————————————— aquellas ——?

1. ¿ Cuál será el propósito fundamental de la organización?
2. ¿ ——————————— principal —————————?
3. ¿ Cuáles ———————————————————?
4. ¿ —————— las intenciones —————————?
5. ¿ ————————————————— administración?
6. ¿ —————— las objeciones —————————?

1. ¿ Quién se dio cuenta de lo imposible del proyecto?
2. ¿ ——————————— lo difícil —————?
3. ¿ ————————————————— plan?
4. ¿ Quiénes ———————————————?
5. ¿ ——— se enteraron de —————————?
6. ¿ ——————————— lo práctico ————?

B. Complete Vd. las frases de este ejercicio con el interrogativo que corresponda.

1. ¿ ——— es una tesis? 2. ¿ ——— te gustó más, el primero o el segundo? 3. ¿ ——— los acompañó hasta aquí? 4. ¿ ——— se fueron tan temprano? 5. ¿ ——— cobrarán por ese servicio? 6. ¿ ——— falda te pusiste? 7. ¿ A ——— personas invitaron, a quince o a veinte? 8. ¿ ——— de éstas sería mejor? 9. ¿ Con ——— charlaban? 10. ¿ ——— pensáis salir, mañana o pasado mañana? 11. ¿ ——— sueles viajar, por tren o por autobús? 12. ¿ ——— son las ciudades importantes de la Argentina? 13. ¿ ——— nos ayudarán a resolverlo? 14. ¿ ——— tiempo nos queda? 15. ¿ ——— es una metáfora?

C. Traduzca Vd. al español.

1. The policeman wanted to ask him some questions. 2. Even if it should cost him his life, he would not hurry. 3. Mother insists on knowing where you are going and with whom. 4. Lupe is going to ask him the price of the tickets. 5. Which room would you prefer, the one that faces the patio or the one that faces the square? 6. Which of these will Alice like, the blue one or the green one?

7. Ask her if she would like to take a walk this afternoon. 8. The man with whom I have just spoken, confirmed it. 9. How did the thief enter the office, through the window or through the door? 10. How much did those earrings cost you?

LECCIÓN

2

RELATIVOS: que, quien (quienes), el que (la que, los que, las que), el cual (la cual, los cuales, las cuales), lo que, lo cual, cuyo (cuya, cuyos, cuyas)

Los relativos indican la relación entre dos palabras o dos grupos de palabras.

DIÁLOGO

RICARDO: Bueno Ágata, nos reuniremos a las dos, ¿ no?

ÁGATA: Pues, claro mi amor, ¿ pero dónde?

RICARDO: A la entrada de González y Compañía.

ÁGATA: ¿ González y Compañía? No sé dónde está.

RICARDO: ¡ Sí, que lo sabes! Es el almacén delante del cual estacionaste el auto anteayer.

ÁGATA: Ya recuerdo, y el policía me hizo moverlo, lo que me enojó mucho.

RICARDO: Y te puso una multa que te costó el sombrero que pensabas comprarte.

ÁGATA: No me lo recuerdes.

RICARDO: Quien disputa con un policía de tránsito siempre pierde.

ÁGATA: Y aun más el que se empeña en recordarle sus defectos a su mujer.

RICARDO: Sólo estaba bromeando. Pues, ¿ a las dos?

ÁGATA: Más bien a las dos y media.

RICARDO: ¿ Y eso?

ÁGATA: Pienso ir primero al Almacén Alicia, cuya dueña todavía me guarda ese sombrero nuevo.

EJERCICIOS MODELO

a / Sustitución de un elemento variable

1. Aquí tienes la cafetera que compré.
2. _____ la maleta _____.
3. _____ el abrigo _____.
4. _____ los zapatos _____.
5. _____ las cucharas _____.
6. _____ los pañuelos _____.

b / Sustitución numérica

1. Quien estudia, aprende.
                    Quienes estudian, aprenden.
2. Quien trabaja, gana.
3. Quien sueña, se engaña.
4. Quien miente, tiene la culpa.
5. Quien sirve a los otros, merece respeto.

c / Adición fija

1. Le puso una multa.
                    Le puso una multa lo cual le enojó.
2. Cambiaron los planes.
3. No se lo permitimos.
4. Los olvidaste.
5. No aprobé su propuesta.

d / Respuesta sugerida

1. Paco se empeña en negárselo, ¿ y tú?
                    Tú te empeñas en negárselo.
2. Tú te empeñas en negárselo, ¿ y los otros?
3. Los otros se empeñan en negárselo, ¿ y Vd.?
4. Vd. se empeña en negárselo, ¿ y yo?
5. Yo me empeño en negárselo, ¿ y Victoria?

EJERCICIO MODELO EXTENSO (I)

Combine Vd. en una oración los pares de frases que siguen, según el modelo sugerido.

a / que

1. El hombre es mi tío. Llamó.
           El hombre que llamó es mi tío.
2. Esa señora vino de Bogotá. Acaba de entrar.
3. Los ladrones fueron presos. Me robaron.
4. El abogado tiene mucho talento. Los defendió.

5. El estudio es interesante. Acabo de leer.
6. Las copas costaron mucho. Tú recibiste.
7. El piso le gusta mucho. Pensamos alquilar.
8. El cambio no le parecía práctico. Los técnicos sugirieron.

9. El proyecto fracasó. Nos referimos a eso.
           El proyecto a que nos referimos, fracasó.
10. El hotel era viejo. Se alojó en él.
11. Aquí tienes el bolígrafo. El presidente firmó el pacto con él.
12. Estos cambios son imposibles. Vd. insiste en ellos.

b / quien (quienes)

13. La mujer es muy célebre. Charlaba con ella.
           La mujer con quien charlaba, es muy célebre.
14. Ese gerente es muy exigente. Tú me hablaste de él.
15. Aquel joven trabaja en nuestra oficina. Vds. estudiaban con él.
16. Esa muchacha es inteligente. Yo te presenté a ella.

17. Los Pérez no te lo agradecerán. Hiciste tanto por ellos.
           Los Pérez por quienes hiciste tanto, no te lo agradecerán.
18. Los oficiales no lo recibieron. Trajo recomendaciones para ellos.
19. Esas señoritas son mis primas. Vds. me vieron con ellas.
20. Tus tías han hecho mucho por ti. Tú te quejas de ellas.

c / cuyo(-a, -os, -as)

21. El profesor se jubiló ayer. Su hija acaba de saludarnos.
           El profesor cuya hija acaba de saludarnos, se jubiló ayer.
22. Los Velasco tienen mucho dinero. Su finca está en el sur.
23. Mi tía te entregará el contrato. Su hijo la acompañará.

24. Carlos tiene fama de poeta. Su primer libro aparecerá esta semana.

25. Martín piensa hacerse arquitecto. Sus primos viven con nosotros.

26. El señor Álvaro acaba de publicar otro drama. Sus obras son aplaudidas por todos.

27. El club se reúne los sábados. Sus miembros son hombres universitarios.

28. Esa señora sufrió un derrame cerebral. Sus hijos lloran.

d / lo cual

29. Se casaron. Nos gustó.

    Se casaron lo cual nos gustó.

30. Viajaremos por España. Debe interesarnos.

31. Patricio murió joven. Fue muy triste.

32. Nunca nos olvida. Nos agrada mucho.

e / lo que

33. Rehusó verla. Nos parecía descortés.

    Rehusó verla lo que nos parecía descortés.

34. Se disculpó. Me parecía indispensable.

35. Los trata siempre con respeto. Es admirable.

36. Suele llegar tarde. Indica su irresponsabilidad.

Junte Vd. las oraciones que siguen, sustituyendo la expresión en cursiva por la preposición sugerida.

a / al lado de

37. Éste es el edificio. Estacioné el auto *aquí*.

    Éste es el edificio al lado del que estacioné el auto.

38. Aquí tiene Vd. los estantes. Quiero mi escritorio *muy cerca*.

39. Ésa es la escalera. Pepe dejó los paquetes *allí*.

40. ¿Dónde se halla la muralla? Deben plantar los árboles *allá*.

b / sobre

41. Buscan una mesa. Pondrán los mapas *en ella*.

    Buscan una mesa sobre la cual pondrán los mapas.

42. ¿Dónde hay una pizarra? Podemos escribir *allí*.

43. Aquí tienes un sofá. Puedes acostarte *en él*.

44. ¿Dónde está esa silla? Dejé mi abrigo *allá*.

c / detrás de

45. Éste es el cuadro. Escondieron los papeles *allí.*
    Éste es el cuadro detrás del cual escondieron los papeles.
46. Aquí viene el señor. Me senté *allí* anoche.
47. ¿ Conoces a esas señoritas? Estábamos *cerca de ellas* en el tren.
48. Nos gusta aquel parque. Nuestro hotel se halla *muy cerca.*

Complete Vd. las frases de este ejercicio agregando la forma que corresponda del pronombre sugerido.

a / el (la, los, las) que

49. _____ estudia, aprende.
                    El que estudia, aprende.
50. _____ sufre, es el pobre.
51. _____ se casa, debe preocuparse por su casa.
52. _____ es bella, suele tener muchos novios.

53. _____ nos defienden, merecen nuestro respeto.
54. _____ entienden, son compasivos.
55. _____ despiertan nuestra simpatía, son las madres.
56. _____ se alaban a sí mismas, aburren a todos.

b / quien (quienes)

57. _____ trabaja, suele ganarse la vida.
                    Quien trabaja, suele ganarse la vida.
58. _____ se calla, vence.
59. _____ ama, sufre.
60. _____ presta a un amigo, lo pierde.

61. _____ piden poco, suelen merecer más.
62. _____ exigen más, son los profesores nuevos.
63. _____ critican constantemente, son celosos.
64. _____ trabajan con cuidado, tienen éxito.

El más común de los pronombres relativos es **que.** Puede traducirse por *that, which, who* o *whom.* Se refiere a las cosas y a las personas (1–12). Si sigue a una preposición se refiere sólo a las cosas (9–12). **Quien** alude sólo a las personas y concuerda en número con su antecedente. Generalmente va precedido de una preposición (13–20). También puede usarse impersonalmente, y traduce *he who, those who, the one who, whoever* (57–64). **Cuyo(–a, –os, –as),** el adjetivo relativo, traducido por *whose,* se emplea con referencia tanto a las personas como a las cosas. Como todos los posesivos, concuerda en género y en número con lo que se posee (21–28). **Lo que** y **lo cual,** traducidos por *what* o *which,* son las formas neutras del relativo. No aluden a una persona o a un objeto específico, sino a una idea o a un concepto (29–36). Las diversas formas de **el que** y **el cual** suelen usarse en vez de **que** después de preposiciones formadas por dos sílabas o más (37–48) y después de **por** y **sin.**[1] **El que (la que, los que, las que)** también suele usarse impersonalmente, y denota *he who, those who* (49–56).[2]

NÚMEROS

Los números cardinales son:

1–9	10–19	20–90	100–2.000.000
un(o), una	diez	veinte	cien(to)
dos	once	veinte y un(o), –a [3]	doscientos, –as
tres	doce	treinta	trescientos, –as
cuatro	trece	cuarenta	cuatrocientos, –as
cinco	catorce	cincuenta	quinientos, –as
seis	quince	sesenta	seiscientos, –as
siete	diez y seis [3]	setenta	setecientos, –as
ocho	diez y siete	ochenta	ochocientos, –as
nueve	diez y ocho	noventa	novecientos, –as
	diez y nueve		mil
			un millón (de)
			dos millones

[1] Si hay dos antecedentes en una frase, se emplean las varias formas de **el que** o **el cual** en vez de **que** para poner en claro el antecedente a que se refiere, p. ej.:

El abuelo de Paca, la que salió para Madrid, se enfermó.

Le mando las obras completas de los Quintero, las cuales deben interesarle.

[2] Hay otras palabras que se usan a veces como los relativos, p. ej.:

Hice cuanto me mandó hacer. *I did all that he told me to do.*

[3] Los números desde diez y seis hasta diez y nueve, y desde veinte y uno hasta veinte y nueve, pueden escribirse como una palabra en vez de tres, p. ej.: **dieciséis, diecisiete, dieciocho, diecinueve; veintiuno (veintiún), veintidós, veintitrés, veinticuatro, veinticinco, veintiséis, veintisiete, veintiocho, veintinueve.**

Los números ordinales son:

primer(o), –a	sexto, –a
segundo, –a	séptimo, –a
tercer(o), –a	octavo, –a
cuarto, –a	noveno, –a
quinto, –a	décimo, –a

DIÁLOGO

ARTURO: Diego, ¿ cómo te fue en el examen de física?

DIEGO: Mal, muy mal. Tuve más de quince errores.

ARTURO: ¿ Te suspendieron?

DIEGO: Claro — había solamente treinta preguntas en el examen.

ARTURO: Pues, no te preocupes. Es la primera vez que te sucede tal cosa.

DIEGO: No es la primera sino la tercera.

ARTURO: Eso sí que es más grave. Puede ser que repitas el curso.

DIEGO: ¿ Quién se lo explicará a papá? Le gusta recordarme que invierte más de mil dólares por año en mi educación.

ARTURO: Lo comprenderá. Después de todo tus tres hermanos se licenciaron y no eran genios.

DIEGO: Pero tenían becas, así que papá pagó sólo dos o trescientos dólares por año.

ARTURO: Y bien, ¿ cómo intentas resolver tu problema?

DIEGO: Nos quedan seis semanas antes de los exámenes finales, así que . . .

ARTURO: Así que te toca dedicarte exclusivamente al estudio para salir aprobado en el curso.

EJERCICIOS MODELO

a / Sustitución de número y de persona

1. Paco salió aprobado en el curso.
2. Vosotros _____.
3. Inés y yo _____.
4. Tú _____.
5. Martín y Luis _____.
6. Su sobrino _____.

b / *Adición fija*

1. Llegaron veinte invitados.
   Llegaron *veinte y cinco* invitados.
2. Le prestamos treinta dólares.
3. Pagué más de cuarenta pesos.
4. Necesitarás cincuenta cuadernos.
5. Asistirán sesenta ingenieros.
6. Habrá setenta problemas en el examen.

c / *Respuesta sugerida*

1. A Juan, ¿qué le toca hacer?
   Le toca dedicarse al estudio.
2. A ti, ¿qué te toca hacer?
3. A mí, ¿qué me toca hacer?
4. A los jóvenes, ¿qué les toca hacer?
5. A Marta y a ti, ¿qué os toca hacer?
6. A Vd. y a mí, ¿qué nos toca hacer?

d / *Sustitución numérica*

1. Al manuscrito le falta la primera página.
   Al manuscrito le faltan las primeras páginas.
2. El gerente fue el tercero en llegar.
3. ¿Me dejaste una copia del segundo anuncio?
4. Oí el primer programa de la serie.
5. El mecánico fue el cuarto en protestar.

EJERCICIO MODELO EXTENSO (II)

Repita Vd. las frases que siguen, agregando el número indicado
al número en cursiva en la frase.

a / *cinco*

1. Comí *una* galleta.
                    Comí seis galletas.
2. Hicieron *dos* copias.
3. Te mandamos *tres* cartas.
4. La criada rompió *cuatro* vasos.

5. Le hacen falta *cincuenta y tres* dólares.

6. Pedimos más de *ochenta* sillas.
7. La clase copió *treinta y tres* versos.
8. Había *cuarenta y dos* páginas en el informe.

9. Corregí *veinte y nueve* exámenes.
10. Luisa pagó *noventa y cuatro* sucres.
11. ¿ Planchaste *quince* camisas?
12. El señor Sánchez tiene *diez y ocho* nietos.

b / doce

13. *Setecientas* personas asistieron.
            Setecientas doce personas asistieron.
14. Vendieron *trescientas quince* docenas.
15. Más de *quinientas* mujeres participarán.
16. Manuel sacó *doscientas cincuenta* fotos.

17. Pintaron *doscientos noventa* escritorios.
18. *Ochocientos cuarenta* autos pasan por ese túnel.
19. *Cuatrocientos veinte y ocho* soldados murieron.
20. Descartamos *seiscientos* ejemplares.

c / tres

21. Se casaron en *mil novecientos sesenta*.
            Se casaron en mil novecientos sesenta y tres.
22. Marcos terminará sus estudios en *mil novecientos sesenta y ocho*.
23. Los americanos vencieron en la guerra de *mil ochocientos doce*.
24. El instituto se estableció en *mil novecientos cincuenta y siete*.

25. Le pagaron *dos mil cuatrocientas dos* pesetas.
26. Había más de *mil novecientas ochenta y dos* páginas en el manuscrito.
27. El piso se alquila por *diez mil noventa y siete* pesos al mes.
28. Pedro recibió más de *cinco mil ciento veinte* votos.

Excepto **uno,** los números hasta noventa y nueve son invariables, esto es, no sufren cambios en su forma (1–12).[1] Los múltiplos de **ciento** concuerdan en género con la palabra que modifican (13–20). **Mil** es invariable también (21–28).

---

[1] Cuando **uno,** –a forma parte de otro número, se suprime la **o** final delante de los sustantivos masculinos, mientras se conserva la **a** delante de los sustantivos femeninos, p. ej.: **cincuenta y un soldados; setenta y una sillas.**

Estudie y note (**cien, ciento**)

1. Le otorgaron cien mil dólares.
2. Nos hacen falta cien sillas.
3. Nombraron a cien oficiales nuevos.

   pero

4. Te cobrarán ciento treinta sucres.
5. Noventa y nueve y uno son ciento.

Si **ciento** precede a un sustantivo o a un número más grande, se suprime la terminación **to** (1–3). En todo otro caso se conserva la terminación (4–5).

EJERCICIO MODELO EXTENSO (III)

Complete Vd. las frases de este ejercicio, agregando la forma que corresponda del ordinal sugerido.

a / primero

1. ¿ Recibiste la ____ copia?

   ¿ Recibiste la primera copia?
2. Su ____ esposa se llamaba Alicia.
3. Las ____ frutas siempre son deliciosas.
4. Se trabaja más durante las ____ horas del día.

5. El ____ auto no costó tanto.

   El primer [1] auto no costó tanto.
6. El ____ piso no era tan cómodo.
7. Me gustaban los ____ programas.
8. Los ____ colonos vinieron de España.

b / quinto

9. A Anita le interesará el ____ concierto.
10. Aceptó la ____ revisión.
11. El ____ verso es asonante.
12. La ____ vez será la última.

---

[1] Recuérdese que **primero** y **tercero** suprimen la **o** final antes de un sustantivo masculino singular.

c / segundo

13. La ____ foto nos parece mejor.
14. Su ____ hijo se hizo abogado.
15. Los ____ cambios parecen más realistas.
16. Las ____ son más claras.

d / décimo

17. El ____ estudiante fue suspendido.
18. Aquel edificio no tiene un ____ piso.
19. La ____ fila es la más corta.
20. Pepa perdió el ____ tomo.

Los números ordinales concuerdan en género y en número con los sustantivos que modifican (1–20), y generalmente los preceden.[1] En español después del décimo por lo general se usan los cardinales en vez de los ordinales. Los cardinales siguen al nombre.[2] También para expresar la fecha se usan los cardinales en vez de los ordinales, con la excepción del primer día del mes.

Estudie y note (**ante, antes de, delante de**)

1. (a) Lo llevaron ante el rey.
   (b) Antes de irse, pase Vd. por mi oficina.
2. (a) Ante tal fe, la ciencia parece inútil.
   (b) Antes de que regreses, lo tendré listo.
3. (a) Ante el gerente Pedro se calló.
   (b) Pedro se sentó delante del gerente.
4. (a) Antes de mirarlo, nos llamó.
   (b) Siguió mirando la fotografía que tenía delante de sus ojos.

Before se traduce al español de diversas maneras. Si *before* denota **en la presencia de,** se traduce por *ante* (1a, 2a, 3a). Si se refiere a sucesión de tiempo, se emplea **antes de** (1b, 2b, 4a). **Delante de** se usa con relación a la posición física (3b, 4b).

---

[1] Si se indica la sucesión de monarcas o papas, el ordinal sigue al nombre: **Isabel Segunda; el Papa Pablo Sexto.**
[2] **El siglo veinte,** pero la **Quinta Avenida.**

APUNTES CULTURALES

Teresa de Ávila — una mujer moderna del siglo XVI

AL OÍR pronunciar la palabra « santo » o « místico », la
mayoría de nosotros suele pensar en una persona sobrenatural, una persona que no participa de la misma índole
que los otros mortales. Se nos representa una estatua con la mirada
vacía en un oscuro rincón de una iglesia, o el relato de hechos y   5
sacrificios extraordinarios. Y todo esto, por parecernos tan ajeno
e inalcanzable, acaba por convencernos de que el santo no tiene
nada en común con los otros seres humanos. Lo erróneo de este
punto de vista se nos hace evidente al leer la vida, por ejemplo,
de Teresa de Ávila, quien, en una época cuando la actividad de   10
la mujer estaba severamente limitada, llevó a cabo mucho más
que cualquier mujer del siglo XX.

Nació Teresa el 28 de marzo de 1515, hija de don Alonso Sánchez
y Cepeda y de doña Beatriz de Ahumada. Como cualquier hija
de familia noble, gozó de todas las comodidades y de todos los   15
privilegios que correspondían a su posición. Pasó su niñez en el
jardín de la espaciosa residencia familiar, inventando juegos u
oyendo los relatos de los criados. Fue la favorita mimada de sus
hermanos. Aun a esa tierna edad dio evidencia de ese encanto
personal que más tarde atraería a todos.   20

Rebosando de buena salud, inteligente y cariñosa, fue más
atrevida que todos sus hermanos. Fue Teresa, quien, a los siete
años, persuadió a Rodrigo, su hermano mayor, a que huyese
secretamente con ella a tierra de moros. Fascinada por la lectura,
devoraba cuantos libros le venían a la mano, y sobre todo los de   25
caballerías. Eran éstos sus libros favoritos. Como ella misma nos
confiesa, dedicaba varias horas todos los días a la lectura de estas
aventuras de caballerías. Sabiendo que a su padre no le gustaba
que sus hijos leyesen tales materias, al oírlo acercarse a su cuarto,
ella solía esconder el libro prohibido debajo de una almohada.   30

Según lo que se relata de ella, fue Teresa una joven extremadamente bella. De estatura mediana y bien proporcionada, tuvo un
rostro extraordinario, con ojos negros chispeantes, frente ancha y

sonrisa encantadora, coronado todo por un magnífico pelo rizado
que servía de marco a su cara animada. En todo, daba muestra
del esmero con que cuidaba de su persona.

Unidas a estas dotes físicas hay otras de distinta índole. Bailaba
5 bien. Jugaba al ajedrez con destreza. Fue jinete excelente. Tenía
fama de buena cocinera. Podía organizar y dirigir una casa. De
sentido común, ingenio despierto, conversación amena, poseía el
don de convertir el regalo más insignificante en joya riquísima
por la gracia con que lo recibía. Sincera, chistosa, de espíritu
10 vigoroso, se decía en Ávila que a Teresa Cepeda y Ahumada
nadie le proporcionaría un esposo, sino que ella misma deter-
minaría quién sería.

Y esa palabra — determinar — es la clave de la personalidad
de esta mujer dinámica. Aparece repetidas veces tanto en sus
15 libros como en su correspondencia personal. Caracteriza a la
niña que soñaba con aventuras fantásticas y a la mística que
ocupa la primera posición entre las escritoras españolas. Sus
logros no ocurrieron por casualidad sino por determinación. Teresa
no se dejó llevar por la corriente. Sólo después de haber analizado
20 y ponderado una situación lo más enteramente posible, tomaba
su decisión — esto es, se determinaba. Cuando abandonó todo
lo que la rodeaba para hacerse religiosa — a parientes y a amigos
queridos, al joven de quien andaba enamorada y los privilegios
de hija de familia noble y rica — lo hizo plenamente consciente
25 de lo que dejaba y de lo que ganaba.

Mujer sumamente práctica y de singular talento organizador,
mujer ingeniosa y discreta — fundó unas veinte casas religiosas,
escribió varios libros considerados aun hoy día como obras
maestras de la literatura universal, dejó más de cuatrocientas
30 cartas personales comparables a las de la francesa Madame de
Sevigné. Mujer de acción, culta y a la vez profundamente humana,
tiene un parentesco espiritual con la mujer del siglo XX.

EJERCICIOS SUPLEMENTARIOS

A. Repita Vd. las frases que aparecen en la página siguiente,
haciendo los cambios indicados.

1. Le toca revisar el sexto capítulo.
2. _____ cuarto _____.
3. Nos _____.
4. _____ copiar _____.
5. _____ verso.
6. Me _____.

1. Martín se empeña en pedirle quinientos veinte dólares.
2. _____ setecientos quince _____.
3. _____ prestarle _____.
4. _____ se empeñaba en _____.
5. Sus padres _____.
6. _____ pesos.

1. El consejo aprobó el proyecto sobre el que había tantas disputas.
2. _____ el plan _____.
3. _____ el cual _____.
4. _____ dudas.
5. El gerente _____.
6. _____ rechazó _____.
7. _____ acerca de _____.
8. _____ el diseño _____.

B. Lea Vd. completamente en español las siguientes frases.

1. (*Those who*) sueñan, se engañan. 2. Halló un empleo (*that*) le gustó. 3. La vieja (*who*) murió anoche era amiga mía. 4. El pueblecito (*through which*) pasamos se llama Río Frío. 5. (*He who*) roba, pierde. 6. Mandé dos copias del plan (*which*) estaban impresas. 7. El edificio (*beside which*) se halla el banco, es muy moderno. 8. Lola (*whose*) esposo vino de Lima, habla un español perfecto. 9. El abuelo de Margarita, (*who*) murió hace unos años, le dejó su fortuna. 10. Nos rehusó su permiso sin (*which*) es imposible continuar.

C. Traduzca Vd. al español.

1. More than 357 people died as a result of the hurricane. 2. Elizabeth II, Queen of England, was born in 1926. 3. They kept on talking, which was impolite. 4. Those who are careless are never successful. 5. We must give some of the money which we earn to our parents. 6. Write us immediately if you want to buy the first

five volumes. 7. A little before two-thirty they brought him before the judge. 8. They introduced me to a beautiful blonde whose uncle is a very good friend of mine. 9. George and his chief, who has just finished his university studies, will attend the meeting. 10. Those who laughed at her a few weeks ago, regret their mistake now. 11. Here is the proposal about which they argued. 12. The chair on which you are sitting is over one hundred years old.

APÉNDICES

APÉNDICE

A

Tabla de verbos que suelen ser seguidos de preposiciones

abandonar	*to abandon*
acercarse	*to approach*
acostumbrar	*to accustom*
adherir(se)	*to adhere to*
aficionarse	*to take a liking to*
aplicarse	*to apply oneself*
aprender	*to learn*
apresurarse	*to hurry*
atreverse	*to dare*
ayudar	*to help*
comenzar	*to begin*
contribuir	*to contribute*
correr	*to run*
decidirse	*to decide*
dedicarse	*to dedicate oneself*
determinarse	*to determine, come to a decision*
disponerse	*to get ready*
empezar	*to begin*
enseñar	*to teach*
forzar	*to force*
inspirar	*to inspire*
invitar	*to invite*
ir	*to go*
mandar	*to order*
negarse	*to refuse*
oponerse	*to oppose*
persuadir	*to persuade*
principiar	*to begin*
resignarse	*to resign oneself*
resistirse	*to resist; refuse*
salir	*to leave, go out*
venir	*to come*

abstenerse	*to abstain*
aburrirse	*to be weary of, bored*
acordarse	*to remember*
alegrarse	*to be glad*
aprovecharse	*to take advantage*
bajar	*to get off (a vehicle)*
cesar	*to cease*
dejar	*to stop*
desdeñarse	*to disdain, loathe*
detenerse	*to stop, pause*
disuadir	*to dissuade*
gozar	*to enjoy*
olvidarse	*to forget*

consentir	*to consent*
convenir	*to agree*
divertirse	*to amuse oneself, have a good time*
empeñarse	*to insist, persist*
fijarse	*to notice; be intent on*
insistir	*to insist*
persistir	*to persist*
tardar	*to be long (in)*

272

Tabla de verbos

LOS VERBOS REGULARES

Infinitivo			
llevar	meter *to put in*	dividir	

Presente de indicativo

llev		met		divid	
	o		o		o
	as		es		es
	a		e		e
	amos		emos		imos
	áis		éis		ís
	an		en		en

Imperfecto

llev		met		divid	
	aba		ía		ía
	abas		ías		ías
	aba		ía		ía
	ábamos		íamos		íamos
	abais		íais		íais
	aban		ían		ían

Pretérito

llev		met		divid	
	é		í		í
	aste		iste		iste
	ó		ió		ió
	amos		imos		imos
	asteis		isteis		isteis
	aron		ieron		ieron

Futuro *All have same endings*

llevar		meter		dividir	
	é		é		é
	ás		ás		ás
	á		á		á
	emos		emos		emos
	éis		éis		éis
	án		án		án

Condicional All have same endings

llevar ía	meter ía	dividir ía
ías	ías	ías
ía	ía	ía
íamos	íamos	íamos
íais	íais	íais
ían	ían	ían

Presente de subjuntivo

llev e	met a	divid a
es	as	as
e	a	a
emos	amos	amos
éis	áis	áis
en	an	an

Imperfecto de subjuntivo (*a*)

lleva ra	metie ra	dividie ra
ras	ras	ras
ra	ra	ra
'ramos	'ramos	'ramos
rais	rais	rais
ran	ran	ran

Imperfecto de subjuntivo (*b*)

lleva se	metie se	dividie se
ses	ses	ses
se	se	se
'semos	'semos	'semos
seis	seis	seis
sen	sen	sen

Participio presente

llevando	metiendo	dividiendo

Participio pasado

llevado	metido	dividido

Pretérito perfecto

he ⎫	llevado
has ⎬	metido
ha ⎭	dividido

Pretérito perfecto (cont.)

hemos ⎫ llevado
habéis ⎬ metido
han ⎭ dividido

Pluscuamperfecto

había ⎫
habías ⎪
había ⎬ llevado
habíamos ⎪ metido
habíais ⎪ dividido
habían ⎭

Futuro perfecto

habré ⎫
habrás ⎪
habrá ⎬ llevado
habremos ⎪ metido
habréis ⎪ dividido
habrán ⎭

Condicional perfecto

habría ⎫
habrías ⎪
habría ⎬ llevado
habríamos ⎪ metido
habríais ⎪ dividido
habrían ⎭

Pretérito perfecto de subjuntivo

haya ⎫
hayas ⎪
haya ⎬ llevado
hayamos ⎪ metido
hayáis ⎪ dividido
hayan ⎭

Pluscuamperfecto de subjuntivo (a)

hubiera ⎫
hubieras ⎪
hubiera ⎬ llevado
hubiéramos ⎪ metido
hubierais ⎪ dividido
hubieran ⎭

Pluscuamperfecto de subjuntivo (*b*)

hubiese
hubieses
hubiese   } llevado
hubiésemos   } metido
hubieseis   } dividido
hubiesen

Imperativo (*fam.*)

| lleva (tú) | mete (tú) | divide (tú) |
| llevad (vosotros) | meted (vosotros) | dividid (vosotros) |

LOS VERBOS IRREGULARES

(Los tiempos que no aparecen son regulares. El infinitivo y las formas
irregulares están escritos en **negritas**.)

andar

Pretérito

anduve, anduviste, anduvo, anduvimos, anduvisteis, anduvieron

Imperfecto de subjuntivo

**anduviera, anduvieras, anduviera, anduviéramos, anduvierais,
anduvieran**

**anduviese, anduvieses, anduviese, anduviésemos, anduvieseis, andu-
viesen**

asir

Presente de indicativo

asgo, ases, ase, asimos, asís, asen

Presente de subjuntivo

asga, asgas, asga, asgamos, asgáis, asgan

caber   to fit, fall to

Presente de indicativo

quepo, cabes, cabe, cabemos, cabéis, caben

Pretérito

cupe, cupiste, cupo, cupimos, cupisteis, cupieron

Futuro
cabré, cabrás, cabrá, cabremos, cabréis, cabrán

Condicional
cabría, cabrías, cabría, cabríamos, cabríais, cabrían

Presente de subjuntivo
quepa, quepas, quepa, quepamos, quepáis, quepan

Imperfecto de subjuntivo
cupiera, cupieras, cupiera, cupiéramos, cupierais, cupieran
cupiese, cupieses, cupiese, cupiésemos, cupieseis, cupiesen

caer

Presente de indicativo
caigo, caes, cae, caemos, caéis, caen

Pretérito
caí, caíste, cayó, caímos, caísteis, cayeron

Presente de subjuntivo
caiga, caigas, caiga, caigamos, caigáis, caigan

Imperfecto de subjuntivo
cayera, cayeras, cayera, cayéramos, cayerais, cayeran
cayese, cayeses, cayese, cayésemos, cayeseis, cayesen

Participio pasado
caído

Participio presente
cayendo

dar

Presente de indicativo
doy, das, da, damos, dais, dan

Pretérito
di, diste, dio, dimos, disteis, dieron

Presente de subjuntivo
dé, des, dé, demos, deis, den

Imperfecto de subjuntivo
diera, dieras, diera, diéramos, dierais, dieran
diese, dieses, diese, diésemos, dieseis, diesen

Presente de indicativo
digo, dices, dice, decimos, decís, **dicen**

Pretérito
dije, dijiste, dijo, dijimos, dijisteis, dijeron

Futuro
diré, dirás, dirá, diremos, diréis, dirán

Condicional
diría, dirías, diría, diríamos, diríais, dirían

Presente de subjuntivo
diga, digas, diga, digamos, digáis, digan

Imperfecto de subjuntivo
dijera, dijeras, dijera, dijéramos, dijerais, dijeran
dijese, dijeses, dijese, dijésemos, dijeseis, dijesen

Participio pasado
dicho

Participio presente
diciendo

Imperativo (fam.)
di, decid

Presente de indicativo
estoy, estás, está, estamos, estáis, **están**

Pretérito
estuve, estuviste, estuvo, estuvimos, estuvisteis, estuvieron

Presente de subjuntivo
esté, estés, esté, estemos, estéis, estén

Imperfecto de subjuntivo
estuviera, estuvieras, estuviera, estuviéramos, estuvierais, estuvieran
estuviese, estuvieses, estuviese, estuviésemos, estuvieseis, estuviesen

haber

Presente de indicativo
he, has, ha, hemos, habéis, **han**

Pretérito
hube, hubiste, hubo, hubimos, hubisteis, hubieron

Futuro
habré, habrás, habrá, habremos, habréis, habrán

Condicional
habría, habrías, habría, habríamos, habríais, habrían

Presente de subjuntivo
haya, hayas, haya, hayamos, hayáis, hayan

Imperfecto de subjuntivo
hubiera, hubieras, hubiera, hubiéramos, hubierais, hubieran
hubiese, hubieses, hubiese, hubiésemos, hubieseis, hubiesen

 hacer

Presente de indicativo
hago, haces, hace, hacemos, hacéis, hacen

Pretérito
hice, hiciste, hizo, hicimos, hicisteis, hicieron

Futuro
haré, harás, hará, haremos, haréis, harán

Condicional
haría, harías, haría, haríamos, haríais, harían

Presente de subjuntivo
haga, hagas, haga, hagamos, hagáis, hagan

Imperfecto de subjuntivo
hiciera, hicieras, hiciera, hiciéramos, hicierais, hicieran
hiciese, hicieses, hiciese, hiciésemos, hicieseis, hiciesen

Participio pasado
hecho

Imperativo (fam.)
haz, haced

ir

Presente de indicativo
voy, vas, va, vamos, vais, van

Imperfecto
iba, ibas, iba, íbamos, ibais, iban

Pretérito
fui, fuiste, fue, fuimos, fuisteis, fueron

Presente de subjuntivo
vaya, vayas, vaya, vayamos, vayáis, vayan

Imperfecto de subjuntivo
fuera, fueras, fuera, fuéramos, fuerais, fueran
fuese, fueses, fuese, fuésemos, fueseis, fuesen

Participio presente
yendo

Imperativo (fam.)
ve, id

oír

Presente de indicativo
oigo, oyes, oye, oímos, oís, oyen

Pretérito
oí, oíste, oyó, oímos, oísteis, oyeron

Presente de subjuntivo
oiga, oigas, oiga, oigamos, oigáis, oigan

Imperfecto de subjuntivo
oyera, oyeras, oyera, oyéramos, oyerais, oyeran
oyese, oyeses, oyese, oyésemos, oyeseis, oyesen

Participio presente
oyendo

poder　　to be able

Presente de indicativo
puedo, puedes, puede, podemos, podéis, pueden

Pretérito
pude, pudiste, pudo, pudimos, pudisteis, pudieron

Futuro
podré, podrás, podrá, podremos, podréis, podrán

Condicional
podría, podrías, podría, podríamos, podríais, podrían

Presente de subjuntivo [1]
pueda, puedas, pueda, podamos, podáis, puedan

Imperfecto de subjuntivo
pudiera, pudieras, pudiera, pudiéramos, pudierais, pudieran
pudiese, pudieses, pudiese, pudiésemos, pudieseis, pudiesen

Participio presente
pudiendo

 **poner** to put, place

Presente de indicativo
pongo, pones, pone, ponemos, ponéis, ponen

Pretérito
puse, pusiste, puso, pusimos, pusisteis, pusieron

Futuro
pondré, pondrás, pondrá, pondremos, pondréis, pondrán

Condicional
pondría, pondrías, pondría, pondríamos, pondríais, pondrían

Presente de subjuntivo
ponga, pongas, ponga, pongamos, pongáis, pongan

Imperfecto de subjuntivo
pusiera, pusieras, pusiera, pusiéramos, pusierais, pusieran
pusiese, pusieses, pusiese, pusiésemos, pusieseis, pusiesen

Participio pasado
puesto

Imperativo (fam.)
pon, poned

[1] Véase la nota al pie de la página 154.

X **querer**

Presente de indicativo
quiero, quieres, quiere, queremos, queréis, **quieren**

Pretérito
quise, quisiste, quiso, quisimos, quisisteis, quisieron

Futuro
querré, querrás, querrá, querremos, querréis, querrán

Condicional
querría, querrías, querría, querríamos, querríais, querrían

Presente de subjuntivo [1]
quiera, quieras, quiera, queramos, queráis, **quieran**

Imperfecto de subjuntivo
quisiera, quisieras, quisiera, quisiéramos, quisierais, quisieran
quisiese, quisieses, quisiese, quisiésemos, quisieseis, quisiesen

X **saber**

Presente de indicativo
sé, sabes, sabe, sabemos, sabéis, saben

Pretérito
supe, supiste, supo, supimos, supisteis, supieron

Futuro
sabré, sabrás, sabrá, sabremos, sabréis, sabrán

Condicional
sabría, sabrías, sabría, sabríamos, sabríais, sabrían

Presente de subjuntivo
sepa, sepas, sepa, sepamos, sepáis, sepan

Imperfecto de subjuntivo
supiera, supieras, supiera, supiéramos, supierais, supieran
supiese, supieses, supiese, supiésemos, supieseis, supiesen

X **salir**

Presente de indicativo
salgo, sales, sale, salimos, salís, salen

[1] Véase la nota al pie de la página 154.

Futuro
saldré, saldrás, saldrá, saldremos, saldréis, saldrán

Condicional
saldría, saldrías, saldría, saldríamos, saldríais, saldrían

Presente de subjuntivo
salga, salgas, salga, salgamos, salgáis, salgan

Imperativo (fam.)
sal, salid

ser

Presente de indicativo
soy, eres, es, somos, sois, son

Imperfecto
era, eras, era, éramos, erais, eran

Pretérito
fui, fuiste, fue, fuimos, fuisteis, fueron

Presente de subjuntivo
sea, seas, sea, seamos, seáis, sean

Imperfecto de subjuntivo
fuera, fueras, fuera, fuéramos, fuerais, fueran
fuese, fueses, fuese, fuésemos, fueseis, fuesen

Imperativo (fam.)
sé, sed

tener

Presente de indicativo
tengo, tienes, tiene, tenemos, tenéis, tienen

Pretérito
tuve, tuviste, tuvo, tuvimos, tuvisteis, tuvieron

Futuro
tendré, tendrás, tendrá, tendremos, tendréis, tendrán

Condicional
tendría, tendrías, tendría, tendríamos, tendríais, tendrían

Presente de subjuntivo
tenga, tengas, tenga, tengamos, tengáis, tengan

Imperfecto de subjuntivo
tuviera, tuvieras, tuviera, tuviéramos, tuvierais, tuvieran
tuviese, tuvieses, tuviese, tuviésemos, tuvieseis, tuviesen

Imperativo (fam.)
ten, tened

traducir [1]

Pretérito
traduje, tradujiste, tradujo, tradujimos, tradujisteis, tradujeron

Imperfecto de subjuntivo
tradujera, tradujeras, tradujera, tradujéramos, tradujerais, tradujeran
tradujese, tradujeses, tradujese, tradujésemos, tradujeseis, tradujesen

 traer

Presente de indicativo
traigo, traes, trae, traemos, traéis, traen

Pretérito
traje, trajiste, trajo, trajimos, trajisteis, trajeron

Presente de subjuntivo
traiga, traigas, traiga, traigamos, traigáis, traigan

Imperfecto de subjuntivo
trajera, trajeras, trajera, trajéramos, trajerais, trajeran
trajese, trajeses, trajese, trajésemos, trajeseis, trajesen

Participio pasado
traído

Participio presente
trayendo

[1] Véase Apéndice D, pág. 293, número 8, para los cambios ortográficos que tiene este verbo en el presente de indicativo y subjuntivo.

valer

Presente de indicativo
valgo, vales, vale, valemos, valéis, valen

Futuro
valdré, valdrás, valdrá, valdremos, valdréis, valdrán

Condicional
valdría, valdrías, valdría, valdríamos, valdríais, valdrían

Presente de subjuntivo
valga, valgas, valga, valgamos, valgáis, valgan

Imperativo (fam.)
val (*o* vale), valed

 ## venir

Presente de indicativo
vengo, vienes, viene, venimos, venís, **vienen**

Pretérito
vine, viniste, vino, vinimos, vinisteis, vinieron

Futuro
vendré, vendrás, vendrá, vendremos, vendréis, vendrán

Condicional
vendría, vendrías, vendría, vendríamos, vendríais, vendrían

Presente de subjuntivo
venga, vengas, venga, vengamos, vengáis, vengan

Imperfecto de subjuntivo
**viniera, vinieras, viniera, viniéramos, vinierais, vinieran
viniese, vinieses, viniese, viniésemos, vinieseis, viniesen**

Participio presente
viniendo

Imperativo (fam.)
ven, venid

ver

Presente de indicativo
veo, ves, ve, vemos, veis, ven

Imperfecto
veía, veías, veía, veíamos, veíais, veían

Pretérito
vi, viste, **vio,** vimos, visteis, vieron

Presente de subjuntivo
vea, veas, vea, veamos, veáis, vean

Imperfecto de subjuntivo
viera, vieras, viera, viéramos, vierais, vieran
viese, vieses, viese, viésemos, vieseis, viesen

Participio pasado
visto

Los verbos que diptongan la vocal de la raíz

CONJUGACIÓN DE VERBOS TÍPICOS

PRIMERA CLASE

acostar $A \rightarrow ue$

Presente de indicativo
acuesto, acuestas, acuesta, acostamos, acostáis, **acuestan**

Presente de subjuntivo
acueste, acuestes, acueste, acostemos, acostéis, **acuesten**

Imperativo (fam.)
acuesta, acostad

entender $e \rightarrow ie$

Presente de indicativo
entiendo, entiendes, entiende, entendemos, entendéis, **entienden**

Presente de subjuntivo
entienda, entiendas, entienda, entendamos, entendáis, **entiendan**

Imperativo (fam.)
entiende, entended

SEGUNDA CLASE

morir $o \rightarrow ue$

Presente de indicativo
muero, mueres, muere, morimos, morís, **mueren**

Pretérito
morí, moriste, **murió,** morimos, moristeis, **murieron**

Presente de subjuntivo
muera, mueras, muera, muramos, muráis, mueran

Imperfecto de subjuntivo
muriera, murieras, muriera, muriéramos, murierais, murieran
muriese, murieses, muriese, muriésemos, murieseis, muriesen

Participio presente
muriendo

Imperativo (fam.)
muere, morid

sentir e → ie - Class 1
Presente de indicativo
siento, sientes, siente, sentimos, sentís, **sienten**

Pretérito
sentí, sentiste, **sintió,** sentimos, sentisteis, **sintieron**

Presente de subjuntivo
sienta, sientas, sienta, sintamos, sintáis, sientan

Imperfecto de subjuntivo
sintiera, sintieras, sintiera, sintiéramos, sintierais, sintieran
sintiese, sintieses, sintiese, sintiésemos, sintieseis, sintiesen

Participio presente
sintiendo

Imperativo (fam.)
siente, sentid

TERCERA CLASE

pedir e → i
Presente de indicativo
pido, pides, pide, pedimos, pedís, **piden**

Pretérito
pedí, pediste, **pidió,** pedimos, pedisteis, **pidieron**

Presente de subjuntivo
pida, pidas, pida, pidamos, pidáis, pidan

Imperfecto de subjuntivo
pidiera, pidieras, pidiera, pidiéramos, pidierais, pidieran
pidiese, pidieses, pidiese, pidiésemos, pidieseis, pidiesen

Participio presente
pidiendo

Imperativo (fam.)
pide, pedid

Tabla de verbos que sufren cambios radicales

VERBO	CLASE	SIGNIFICADO	VERBO	CLASE	SIGNIFICADO
absolver	1	to absolve	costar	1	to cost
acertar	1	to hit (a target, mark); guess right	defender	1	to defend
			demoler	1	to demolish
			demostrar	1	to demonstrate
acordar	1	to remember	descender	1	to descend
acostarse	1	to go to bed	descontar	1	to discount
adherir	2	to adhere	despertar	1	to awaken
advertir	2	to warn	desterrar	1	to exile
almorzar	1	to lunch	devolver	1	to give back
amoblar	1	to furnish	digerir	2	to digest
apretar	1	to press; squeeze	disolver	1	to dissolve
aprobar	1	to approve	divertirse	2	to have a good time
arrepentirse	2	to repent			
ascender	1	to ascend	doler	1	to ache, hurt
atravesar	1	to cross	dormirse	2	to fall asleep
calentar	1	to heat	elegir	3	to elect
cerrar	1	to close	empezar	1	to begin
colgar	1	to hang	encender	1	to kindle, light
comenzar	1	to begin	entender	1	to understand
concebir	3	to conceive	enterrar	1	to bury
conmover	1	to affect, move	envolver	1	to wrap
conseguir	3	to get	extender	1	to extend
consolar	1	to console	forzar	1	to force
contar	1	to count	fregar	1	to scrub
convertir	2	to convert	freír	3	to fry
corregir	3	to correct	gemir	3	to groan, moan

gobernar	1	*to govern*	referir	2	*to refer*
helar	1	*to freeze*	reforzar	1	*to strengthen; reinforce*
herir	2	*to wound*	regir	3	*to rule*
hervir	2	*to boil*	rendirse	3	*to surrender*
inferir	2	*to infer*	reñir	3	*to quarrel*
invertir	2	*to invert*	repetir	3	*to repeat*
llover	1	*to rain*	reprobar	1	*to reprove*
manifestar	1	*to manifest*	resentir	2	*to resent*
medir	3	*to measure*	rogar	1	*to entreat, beg*
mentir	2	*to lie*	seguir	3	*to follow; continue*
morder	1	*to bite*	sentar	1	*to seat*
morir	2	*to die*	sentir	2	*to feel sorry, regret*
mostrar	1	*to show*	servir	3	*to serve*
mover	1	*to move*	sonar	1	*to sound*
negar	1	*to deny*	soñar	1	*to dream*
nevar	1	*to snow*	sosegar	1	*to appease, calm*
pedir	3	*to ask*	sugerir	2	*to suggest*
pensar	1	*to think*	tender	1	*to stretch (out)*
perder	1	*to lose*	tentar	1	*to tempt*
perseguir	3	*to pursue*	tostar	1	*to toast*
preferir	2	*to prefer*	tropezar	1	*to stumble*
presentir	2	*to foresee*	vestir	3	*to dress*
probar	1	*to prove*	volar	1	*to fly*
recomendar	1	*to recommend*	volver	1	*to return*
recordar	1	*to remember*			

Los verbos con cambios ortográficos

1. Los verbos que terminan en **gar** cambian la **g** en **gu** antes de **e**.

llegar

Pretérito
llegué, llegaste, llegó, llegamos, llegasteis, llegaron

Presente de subjuntivo
llegue, llegues, llegue, lleguemos, lleguéis, lleguen

2. Los verbos que terminan en **car** cambian la **c** en **qu** antes de **e**.

tocar

Pretérito
toqué, tocaste, tocó, tocamos, tocasteis, tocaron

Presente de subjuntivo
toque, toques, toque, toquemos, toquéis, toquen

3. Los verbos que terminan en **zar** cambian la **z** en **c** antes de **e**.

empezar [1]

Pretérito
empecé, empezaste, empezó, empezamos, empezasteis, empezaron

Presente de subjuntivo
empiece, empieces, empiece, empecemos, empecéis, empiecen

4. Los verbos que terminan en **ger** cambian la **g** en **j** antes de **o** y **a**.

---

[1] Este verbo también sufre cambios radicales.

escoger

Presente de indicativo
escojo, escoges, escoge, escogemos, escogéis, escogen

Presente de subjuntivo
escoja, escojas, escoja, escojamos, escojáis, escojan

5. Los verbos que terminan en **gir** cambian la **g** en **j** antes de **o** y **a.**

elegir [1]

Presente de indicativo
elijo, eliges, elige, elegimos, elegís, eligen

Presente de subjuntivo
elija, elijas, elija, elijamos, elijáis, elijan

6. Los verbos que terminan en **guir** cambian la **gu** en **g** antes de **o** y **a.**

distinguir

Presente de indicativo
distingo, distingues, distingue, distinguimos, distinguís, distinguen

Presente de subjuntivo
distinga, distingas, distinga, distingamos, distingáis, distingan

7. Los verbos que terminan en **cer,** precedido por una vocal, cambian
la **c** en **zc** antes de **o** y **a.**

conocer

Presente de indicativo
conozco, conoces, conoce, conocemos, conocéis, conocen

Presente de subjuntivo
conozca, conozcas, conozca, conozcamos, conozcáis, conozcan

[1] Este verbo también sufre cambios radicales.

8. Los verbos que terminan en **cir,** precedido por una vocal, cambian la **c** en **zc** antes de **o** y **a.**[1]

lucir

Presente de indicativo
luzco, luces, luce, lucimos, lucís, lucen

Presente de subjuntivo
luzca, luzcas, luzca, luzcamos, luzcáis, luzcan

9. Los verbos que terminan en **cer,** precedido por una consonante, cambian la **c** en **z** antes de **o** y **a.**

vencer

Presente de indicativo
venzo, vences, vence, vencemos, vencéis, vencen

Presente de subjuntivo
venza, venzas, venza, venzamos, venzáis, venzan

10. Los verbos que terminan en **cir,** precedido por una consonante, cambian la **c** en **z** antes de **o** y **a.**

esparcir

Presente de indicativo
esparzo, esparces, esparce, esparcimos, esparcís, esparcen

Presente de subjuntivo
esparza, esparzas, esparza, esparzamos, esparzáis, esparzan

11. Algunos verbos que terminan en **iar** llevan acento escrito en la **i** en todo el singular y en la tercera persona del plural del presente de indicativo y de subjuntivo.

---

[1] Los verbos que terminan en **ducir** sufren cambios irregulares en el pretérito y imperfecto de subjuntivo. Véase Apéndice B, pág. 284, **traducir.**

enviar

Presente de indicativo
envío, envías, envía, enviamos, enviáis, envían

Presente de subjuntivo
envíe, envíes, envíe, enviemos, enviéis, envíen

12. Los verbos que terminan en uar llevan acento escrito en la u en todo el singular y en la tercera persona del plural del presente de indicativo y de subjuntivo.

continuar

Presente de indicativo
continúo, continúas, continúa, continuamos, continuáis, continúan

Presente de subjuntivo
continúe, continúes, continúe, continuemos, continuéis, continúen

13. Los verbos que terminan en **guar** llevan diéresis escrita en la u antes de **e.**

averiguar

Pretérito
averigüé, averiguaste, averiguó, averiguamos, averiguasteis, averiguaron

Presente de subjuntivo
averigüe, averigües, averigüe, averigüemos, averigüéis, averigüen

14. Los verbos que terminan en **quir** cambian la **qu** en **c** antes de **o** y **a.**

delinquir

Presente de indicativo
delinco, delinques, delinque, delinquimos, delinquís, delinquen

Presente de subjuntivo
delinca, delincas, delinca, delincamos, delincáis, delincan

Los países

EL PAÍS	NOMBRES Y ADJETIVOS GENTILICIOS
Alemania, *Germany*	alemán, –ana
la Argentina, *Argentina*	argentino, –a
Australia, *Australia*	australiano, –a
Austria, *Austria*	austríaco, –a
Bélgica, *Belgium*	belga (bélgico, –a)
Bolivia, *Bolivia*	boliviano, –a
el Brasil, *Brazil*	brasileño, –a
el Canadá, *Canada*	canadiense
Colombia, *Colombia*	colombiano, –a
Costa Rica, *Costa Rica*	costarricense (costarriqueño, –a)
Cuba, *Cuba*	cubano, –a
Chile, *Chile*	chileno, –a
(la) China, *China*	chino, –a
Dinamarca, *Denmark*	dinamarqués, –esa (danés, –esa)
el Ecuador, *Ecuador*	ecuatoriano, –a
El Salvador, *El Salvador*	salvadoreño, –a
Escocia, *Scotland*	escocés, –esa
España, *Spain*	español, –ola
los Estados Unidos, *the United States*	estadounidense (norteamericano, –a)
Francia, *France*	francés, –esa
Grecia, *Greece*	griego, –a
Guatemala, *Guatemala*	guatemalteco, –a
Haití, *Haiti*	haitiano, –a
Holanda, *Holland*	holandés, –esa
Honduras, *Honduras*	hondureño, –a
Hungría, *Hungary*	húngaro, –a
la India, *India*	indio, –a
Inglaterra, *England*	inglés, –esa
Irlanda, *Ireland*	irlandés, –esa
Italia, *Italy*	italiano, –a

el Japón, *Japan*	japonés, –esa
Méjico, *Mexico*	mejicano, –a
Nicaragua, *Nicaragua*	nicaragüense
Noruega, *Norway*	noruego, –a
Panamá, *Panama*	panameño, –a
el Paraguay, *Paraguay*	paraguayo, –a
el Perú, *Peru*	peruano, –a
Polonia, *Poland*	polaco, –a
Portugal, *Portugal*	portugués, –esa
Puerto Rico, *Puerto Rico*	puertorriqueño, –a
la República Dominicana, *Dominican Republic*	dominicano, –a
Rumania, *Rumania*	rumano, –a
Rusia, *Russia*	ruso, –a
Suecia, *Sweden*	sueco, –a
Suiza, *Switzerland*	suizo, –a
Turquía, *Turkey*	turco, –a
el Uruguay, *Uruguay*	uruguayo, –a
Venezuela, *Venezuela*	venezolano, –a
Yugo(e)slavia, *Yugoslavia*	yugo(e)slavo, –a

VOCABULARIO

Se suprimen en este vocabulario todos los cognados idénticos, los artículos y los adverbios que terminan en **mente** si se dan los adjetivos de los cuales se derivan.

Después de los infinitivos se indica entre paréntesis la irregularidad que corresponde a cambios del radical.

Se usan las siguientes abreviaturas en las lecciones y en el vocabulario:

adj. adjetivo
adv. adverbio
art. artículo
art. def. artículo definido
conj. conjunción
cont. continúa
def. definido
dem. demostrativo
ecl. eclesiástico
etc. etcétera
f. femenino
fam. familiar
ger. gerundio
gram. gramática
imp. imperativo
imp. sing. imperativo singular
imperf. imperfecto
imperf. subj. imperfecto de subjuntivo
ind. indicativo
indef. indefinido
inf. infinitivo
m. masculino
n. nombre
n.f. nombre femenino
n.f.pl. nombre femenino plural
n.m. nombre masculino

n.m.f. nombre masculino y femenino
n.m.pl. nombre masculino plural
p. persona
pág. página
part. pres. participio presente
p. ej. por ejemplo
perf. perfecto
pers. personal
pl. plural
p.p. participio pasado
prep. preposición
pres. presente
pres. ind. presente de indicativo
pres. subj. presente de subjuntivo
pret. pretérito
pron. pronombre
pron. pers. pronombre personal
pron. reflex. pronombre reflexivo
reflex. reflexivo
sing. singular
subj. subjuntivo
teat. teatro
1ra primera
2da segunda
3ra tercera

A

a to, at; in; **a las tres** at three o'clock; **a tiempo** in (on) time; **a través de** through, across; **al nivel con** even with

abajo down; downstairs; **calle abajo** down the street

abandonar to abandon

abanico (*m.*) fan

abencerraje (*m.*) *name of Moorish family in Granada in fifteenth century*

abertura (*f.*) opening

abierto, –a open

abogado (*m.*) lawyer

abovedado, –a arched, vaulted

abrasar to burn, set afire

abrazar to embrace

abreviación (*f.*) abbreviation

abreviado, –a abbreviated; abridged

abreviatura (*f.*) abbreviation

abrigo (*m.*) overcoat, wrap; shelter

abril (*m.*) April

abrir to open

abrumar to crush, weary, oppress

absoluto, –a absolute

absolver (1) to absolve

abstracto, –a abstract

absurdo, –a absurd

abuela (*f.*) grandmother

abuelo (*m.*) grandfather

aburrido, –a bored, boring

aburrir to bore

acá here; **más acá** closer

acabar to end, finish; **acabar de** + *inf.* to have just + *verb*

académico, –a academic

acariciar to caress; to cherish

acaso perhaps; by chance; **por si acaso** in case

accidente (*m.*) accident

acción (*f.*) action

aceite (*m.*) oil

acento (*m.*) accent

acentuar to accentuate; to accent

aceptar to accept

acercar to draw close; **acercarse a** to approach

acertar (1) to hit, hit the mark; to guess right

aclarar to clarify

acoger to welcome, receive; to shelter

acometer to attack; to undertake

acomodar to arrange; to accommodate

acompañar to accompany, go with

aconsejar to advise

acontecer to happen, come about

acontecimiento (*m.*) happening, event

acordar(se) (de) (1) to remember

acortar to shorten

acosar to harass, vex

acostar (1) to put to bed; **acostarse** to go to bed

acostumbrar to accustom; to be accustomed

actividad (*f.*) activity

activo, –a active

acto (*m.*) act

actriz (*f.*) actress

actual present (*with reference to time*)

actualidad (*f.*) present time

acudir to resort; to respond; to come up to

acuerdo (*m.*) agreement; **¡ de acuerdo !** agreed !; **estar de acuerdo** to agree; **ponerse de acuerdo** to arrive at *or* come to an agreement

acusación (f.) accusation
acusado (m.) accused, defendant
acusador (m.) prosecutor
acusar to accuse
adalid (m.) chief; rallying point
Adela Adele
adelantar to advance
adelante forward; **de aquí en adelante** from now on, henceforth; **más adelante** farther on
además de besides
adherir (2) to adhere to
adición (f.) addition
adivinar to guess; to prophesy
adjetivo, –a adjective, adjectival; (n.m.) adjective; **adjetivo demostrativo** demonstrative adjective; **adjetivo descriptivo** descriptive adjective; **adjetivo posesivo** possessive adjective; **adjetivo relativo** relative adjective
administración (f.) administration
administrador (m.) administrator, manager
administrar to administer
admiración (f.) admiration
admirar to admire
admisible admissible
admitir to admit
adonde where
¿adónde? where?
adoptar to adopt
adoración (f.) adoration
adorar to adore
adornar to adorn, decorate
adquirir to acquire
adverbio (m.) adverb
advertir (2) to warn, advise; to point out
aeroplano (m.) airplane
aeropuerto (m.) airport
afectación (f.) affectation
afecto (m.) affection, fondness
afición (f.) fondness, liking; taste

afiliación (f.) affiliation
afirmación (f.) affirmation
afirmar to affirm
afirmativo, –a affirmative
afrontar to face, confront
afuera out, outside
Ágata Agatha
agente (m.) (gram.) agent (referring to person or thing which performs the action in a passive statement)
agitar to agitate; to stir
agonía (f.) agony
agosto (m.) August
agradable pleasant, agreeable
agradar to please, be pleasing
agradecer to be grateful for; to thank
agradecimiento (m.) gratefulness
agravio (m.) insult, injury
agregar to add
agricultura (f.) agriculture
agua (f.) water
aguardar to wait for, expect
aguinaldo (m.) Christmas gift
Agustín Augustine
agustino, –a Augustinian
ahí there
ahijado (m.) godchild
ahora now; **ahora mismo** right now
ahorrar to save
airado, –a angry, irate
aire (m.) air; **al aire libre** in the open air, outdoors
ajedrez (m.) chess
ajeno, –a foreign; contrary; outside; different
ajustar to adjust, fit
ala (f.) wing
alabar to praise
alarde (m.) show, display
alargamiento (m.) elongation; lengthening
alargar to lengthen, stretch
Alberto Albert

alcahueta (*f.*) procurer, go-between

alcalde (*m.*) mayor; justice of the peace

alcanzar to overtake, catch up to; to reach

alcázar (*m.*) fortress; castle

alcoba (*f.*) bedroom

aldea (*f.*) village

aldeano, –a village, rustic; (*n.m.f.*) villager

alegrar(se) to be happy, glad

alegre happy, glad, joyful

alegría (*f.*) gladness, happiness

alemán, –ana (*adj. y n.*) German

Alemania (*f.*) Germany

alerto, –a alert

alfiler (*m.*) pin

alfombra (*f.*) rug, carpet

Alfredo Alfred

algo (*pron.*) something, anything; (*adv.*) somewhat, rather

algodón (*m.*) cotton

alguien someone, somebody, anyone

alguno (algún), –a some, any; (*pron.*) someone; (*pl.*) some

Alicia Alice

alimento (*m.*) food; encouragement

alma (*f.*) soul

almacén (*m.*) store, department store

almohada (*f.*) pillow

almorzar (1) to have lunch

almuerzo (*m.*) lunch

alojar(se) to lodge, take lodgings

alquilar to rent

alquimia (*f.*) alchemy

alrededor (de) around, about

alrededores (*n.m.pl.*) outskirts, environs

alterar to alter; to disturb

alto, –a tall; high

altura (*f.*) height, altitude

aludir to allude

alumna (*f.*) student

alumno (*m.*) student

allá there; back there, long ago; **allá para** at about, around

allí there

amable amiable, lovable

amado, –a loved; loving; (*n.m.f.*) beloved one

amanecer to dawn; (*n.m.*) daybreak

amante (*n.m.f.*) lover

amar to love

amargo, –a bitter

amarillento, –a yellowish

amarillo, –a yellow

ambiente (*m.*) atmosphere

ambigüedad (*f.*) ambiguity

ambos, –as both

amenazar to threaten

ameno, –a agreeable, pleasant

americano, –a (*adj. y n.*) American; Spanish American

amiga (*f.*) friend

amigo (*m.*) friend

amo (*m.*) master; owner

amonestación (*f.*) warning, admonition

amor (*m.*) love

amorío (*m.*) love affair; flirtation

amoroso, –a loving, affectionate

amuleto (*m.*) amulet

amurallado, –a walled

Ana Ann(e), Anna

anacrónico, –a anachronistic

análisis (*n.m.f.*) analysis

analizar to analyze

anciano, –a old, aged

ancho, –a wide, broad

andaluz, –uza Andalusian

andar to walk; to go

Andrés Andrew

anécdota (*f.*) anecdote

ángel (*m.*) angel

angosto, –a narrow

anhelar to desire eagerly, long for

anhelo (*m.*) desire, longing

anillo (*m.*) ring

animado, –a animated, lively; animate

animar to enliven; to animate; **animarse** to take heart, feel encouraged

aniversario (*m.*) anniversary

anoche last night

anochecer to grow dark; (*n.m.*) dusk

Anselmo Anselm

ante before, in the presence of

anteayer (*m.*) day before yesterday

antecedente (*m.*) antecedent

anteojos (*n.m.pl.*) eyeglasses

antepasados (*n.m.pl.*) ancestors

anteponer to place before

anterior preceding; above; former

antes (**de**) before; **cuanto antes** as soon as possible

anticipación (*f.*) anticipation; advance

anticipar to anticipate; to advance

anticuado, –a antiquated

antigüedad (*f.*) antiquity

antiguo, –a ancient; old

antojar to take a fancy to; to seem, seem likely

Antonio Anthony

antorcha (*f.*) torch

anunciar to announce

anuncio (*m.*) announcement

añadir to add

año (*m.*) year; **el año bisiesto** leap year; **el año pasado** last year; **el año que viene** next year

apagar to put out, extinguish

aparato (*m.*) apparatus, device

aparecer to appear; to turn up

aparente apparent

apariencia (*f.*) appearance

apartado (*m.*) post-office box; side room

apartamiento (*m.*) separation; apartment

apartar to separate; to set aside; to turn aside

aparte aside, apart

apasionado, –a passionate

apellido (*m.*) name; family name

apenado, –a painful; sorrowing

apenas hardly, scarcely

apéndice (*m.*) appendix

aplaudir to applaud

aplauso (*m.*) applause

aplazar to postpone

apodar to nickname

apodo (*m.*) nickname

aportar to bring, contribute

apostar (1) to bet

apóstol (*m.*) apostle

apoyo (*m.*) support; backing, aid

apreciar to appreciate; to esteem

apremiar to urge; to force; to harass

aprender to learn

aprendizaje (*m.*) apprenticeship

aprensión (*f.*) apprehension

apretar (1) to tighten; to squeeze

aprobación (*f.*) approval

aprobado, –a approved; excellent; **salir aprobado** to pass an examination *or* a course, *etc.*

aprobar (1) to approve; to pass

apropiado, –a appropriate, proper

aprovechar to make use of, profit by; **aprovecharse de** to avail oneself of, take advantage of

aproximar to approximate

apunte (*m.*) note

apurar to verify; to hurry; to annoy; **apurarse** to hurry, hasten

apuro (*m.*) need; difficulty, affliction

aquel, aquella (*adj. dem.*) that, that yonder; (*pl.*) those

aquél, aquélla (*pron. dem.*) that one, the former; (*pl.*) those

aquello (*pron. dem. neutro*) that
aquí here; **aquí lo tiene** here it
is; **aquí me tiene** here I am
árabe Arab, Arabic
aragonés, –esa Aragonese
árbol (*m.*) tree
arbusto (*m.*) bush
arco (*m.*) arch
archiduque (*m.*) archduke
archivo (*m.*) archive(s)
arete (*m.*) earring
argentino, –a (*adj. y n.*) Argentine
argumento (*m.*) argument; plot
(*of a story or play*)
arma (*f.*) arms (*weapon*)
armado, –a armed
armar to arm
Arnaldo Arnold
aromático, –a aromatic
arqueólogo (*m.*) archeologist
arquitecto (*m.*) architect
arquitectura (*f.*) architecture
arrayán (*m.*) myrtle
arrebatar to snatch; to carry off
arreglar to arrange; to fix
arrepentimiento (*m.*) repentance
arrepentir (2) to repent; **arrepen-
tirse de** to repent
arrestar to arrest
arresto (*m.*) arrest
arriba above; up; **calle arriba**
up the street
arriesgar to risk, hazard
arroz (*m.*) rice
arte (*n.m.f.*) art; cunning
artículo (*m.*) article; **artículo
definido** definite article; **artículo indefinido** indefinite article; **artículo neutro** neuter
article
artificio (*m.*) artifice, ruse; device
artista (*n.m.f.*) artist
artístico, –a artistic
Arturo Arthur
asar to roast

ascender (1) to ascend; to be
promoted
ascensor (*m.*) elevator
asegurar to secure; to assure,
guarantee
asesino (*m.*) murderer, assassin
así so, thus; in this way, like this
asiento (*m.*) seat
asignar to assign
asignatura (*f.*) subject, course
asir to seize
asistente (*m.*) assistant
asistir to assist; to attend
asombrador, –ora amazing, as-
tonishing
asonante assonant
aspecto (*m.*) aspect
áspero, –a harsh; rough
astigmatismo (*m.*) astigmatism
Asunción (*f.*) (*ecl.*) Assumption
asunto (*m.*) matter; business; subject; plot
asustar to frighten, scare
atar to tie
ataúd (*m.*) coffin, casket
atención (*f.*) attention; **prestar
atención** to pay attention
aterrizar to land
atisbo (*m.*) watching, spying
atleta (*n.m.f.*) athlete
atlético, –a athletic
atmósfera (*f.*) atmosphere
atónito, –a astonished, over-
whelmed
atracción (*f.*) attraction
atraer to attract
atrasado, –a late; slow (*of clocks*)
atrever to dare; **atreverse a** to
dare to, venture
atrevido, –a daring
atribuir to attribute
auditorio (*m.*) audience
augusto, –a august
aula (*f.*) classroom; lecture hall
aullido (*m.*) howl
aumentar to increase, augment

aumento (*m.*) increase; promotion; raise (*in salary*)
aun even, although
aun cuando even though
aún even, yet, still
aunque even if, although
ausencia (*f.*) absence
ausentar(se) to absent oneself
ausente absent
auténtico, –a authentic
auto (*m.*) automobile, car
autobús (*m.*) bus
automático, –a automatic
automóvil (*m.*) automobile
autor (*m.*) author
autoridad (*f.*) authority; expert
auxiliar auxiliary
avanzado, –a advanced
avanzar to advance
avaricia (*f.*) avarice
avena (*f.*) oats; oatmeal
avenida (*f.*) avenue
aventura (*f.*) adventure
averiguar to ascertain
avión (*m.*) airplane
avisar to inform, advise
ayer (*m.*) yesterday
ayo (*m.*) tutor
ayuda (*f.*) help, aid
ayudar to help, aid
azúcar (*m.*) sugar
azul blue

B

bacía (*f.*) basin
bachillerato (*m.*) bachelor's degree
bailar to dance
bailarín (*m.*) dancer
baile (*m.*) dance
bajar to go down, come down; to get out of (*a plane, auto*)
bajo, –a low; short
balde (*m.*) bucket; **de balde** free; **en balde** in vain
banco (*m.*) bench; bank

bandeja (*f.*) tray
bandera (*f.*) flag, banner
banquete (*m.*) banquet
bañar to bathe; **bañarse** to take a bath
baño (*m.*) bath; **cuarto de baño** bathroom
barato, –a cheap
barbero (*m.*) barber
barco (*m.*) boat
barra (*f.*) bar, beam
barrer to sweep
basar to base
base (*f.*) base; basis
básico, –a basic
basílica (*f.*) basilica
básquetbol (*m.*) basketball
bastante enough; rather
batalla (*f.*) battle
batería (*f.*) battery
batidora: batidora eléctrica electric mixer
baúl (*m.*) trunk
bautizar to baptize
Beatriz Beatrice
bebé (*m.*) baby
beber to drink
beca (*f.*) scholarship
béisbol (*m.*) baseball
belicoso, –a bellicose
Belita *shortened form of* **Isabel**
belleza (*f.*) beauty
bello, –a beautiful
berberisco, –a Berber
Bernardo Bernard
besar to kiss
Biblia (*f.*) Bible
bibliografía (*f.*) bibliography
biblioteca (*f.*) library
bibliotecaria (*f.*) librarian
bibliotecario (*m.*) librarian
bien well; **bien parecido, –a** good-looking; **más bien** rather; somewhat
biftec (*m.*) beefsteak
billete (*m.*) ticket; bill

biología (*f.*) biology
biólogo (*m.*) biologist
bizcocho (*m.*) cake; biscuit
Bizerta Bizerte (*seaport in Northern Tunisia*)
blanco, –a white
blandamente softly
blanquear to whiten, bleach
bloque (*m.*) block
blusa (*f.*) blouse
boca (*f.*) mouth
bocadillo (*m.*) snack; sandwich
boda (*f.*) wedding
boleto (*m.*) ticket
bolígrafo (*m.*) ball-point pen
bolsa (*f.*) purse
bolsillo (*m.*) pocket
bombardear to bomb; to bombard
bondad (*f.*) kindness; excellence, good point; **tenga Vd. la bondad de** please
bondadoso, –a kind
bonito, –a pretty
borrador (*m.*) eraser
borrar to erase, rub out
bosque (*m.*) woods, forest
botella (*f.*) bottle
brazo (*m.*) arm
breve brief, short
brillar to shine
bromear to joke, jest
bronce (*m.*) bronze
bruja (*f.*) witch
bueno, –a good; **estar bueno** to be well
burlador (*m.*) seducer
burlar to trick; to ridicule; to seduce; **burlarse de** to make fun of
busca (*f.*) search; **andar en busca de** to go in search of
buscar to look for; to search
busto (*m.*) bust
butaca (*f.*) armchair; orchestra seat

C

cabal exact; perfect; **estar en sus cabales** to be in one's right mind
caballería (*f.*) chivalry, knighthood
caballero (*m.*) knight; horseman; **caballero andante** knight errant
caballo (*m.*) horse
cabello (*m.*) hair (*usually used in plural*)
caber to fit, fall to, befall; **no cabe duda** there is no doubt
cabeza (*f.*) head
cada each; every
cadáver (*m.*) cadaver, corpse
caer to fall; **caerle (bien)** to fit (well); **caerse** to fall down
café (*m.*) coffee; café
cafetera (*f.*) coffee pot
caja (*f.*) box
cajero (*m.*) cashier
cajón (*m.*) large box, case
calamidad (*f.*) calamity
calcular to calculate
calendario (*m.*) calendar
calentar (1) to heat; to warm up
calidad (*f.*) quality; qualification
cálido, –a hot, warm, burning
caliente hot, warm
calificar to characterize; to rate, judge
caliza (*f.*) limestone
calmar to calm
calor (*m.*) heat; **hacer calor** to be warm (*of weather*); **tener calor** to be warm (*of people*)
callar to silence, quiet; **callarse** to keep quiet, silent
calle (*f.*) street; **calle abajo** down the street; **calle arriba** up the street
cama (*f.*) bed; **guardar cama** to stay in bed
camarera (*f.*) waitress; maid

camarero (*m.*) waiter; valet

cambiar to change; to exchange

cambio (*m.*) change; exchange; **en cambio** on the other hand; (*gram.*) **cambio ortográfico** orthographic change; **cambio radical** radical change

Camila Camilla

caminar to walk, go

caminero, -a walking, traveling

camino (*m.*) road, way; **ponerse en camino** to start on one's way

camión (*m.*) bus

camisa (*f.*) shirt

campana (*f.*) bell

campeón (*m.*) champion

campeonato (*m.*) championship

campesino (*m.*) farmer; peasant

campo (*m.*) field; country

cáncer (*m.*) cancer

canción (*f.*) song

canónigo (*m.*) canon

cansado, -a tired; **ser cansado** to be boring

cansancio (*m.*) tiredness, fatigue

cansar to tire out; **cansarse de** to get tired of

cantar to sing

cántaro (*m.*) pitcher

cantidad (*f.*) quantity

capaz capable, able

capital (*adj.*) main, principal; (*n.m.*) capital (*money*); (*n.f.*) capital (*city*)

capitán (*m.*) captain

capitanear to captain; to lead

capítulo (*m.*) chapter

capricho (*m.*) caprice, whim

captar to captivate, attract, capture

cara (*f.*) face; side (*of coins*); **cara a cara** face to face; **tener buena cara** to look well; **traer cara de pocos amigos** to have a long face, look ill-tempered

carabina (*f.*) carbine

carácter (*m.*) character

característica (*f.*) characteristic

caracterización (*f.*) characterization

caracterizar to characterize

caramelo (*m.*) caramel

carbón (*m.*) coal

cárcel (*f.*) jail

cardenal (*m.*) (*ecl.*) cardinal

carecer (**de**) to lack, not have, be in need of

cargar to load; to burden

cargo (*m.*) weight, burden; job; responsibility

caricaturista (*n.m.f.*) caricaturist

cariño (*m.*) fondness; affection

cariñoso, -a affectionate, loving

Carlos Charles

Carlota Charlotte

carne (*f.*) meat; flesh; **carne asada** roast beef

carnero (*m.*) sheep

carnicero (*m.*) butcher

caro, -a dear, expensive

carpintero (*m.*) carpenter

carrera (*f.*) career; race

carta (*f.*) letter

cartera (*f.*) wallet; pocketbook

cartero (*m.*) postman

cartón (*m.*) cardboard; cartoon (*model for a tapestry*)

casa (*f.*) house; **fuera de casa** outdoors

casar to marry; **casarse con** to get married to

caso (*m.*) case

castaño, -a brown, chestnut-colored

castigar to punish

castillo (*m.*) castle

casualidad (*f.*) chance; **por casualidad** by chance

Catalina Catherine

catálogo (*m.*) catalogue

cátedra (*f.*) professorship, chair

catedral (*f.*) cathedral

catedrático (*m.*) professor
católico, –a Catholic
causa (*f.*) cause; **a causa de** because of
caza (*f.*) hunt, chase
cazador (*m.*) hunter
ceder to give up, cede
celebración (*f.*) celebration
celebrar to celebrate
célebre celebrated, famous
celo (*m.*) envy; (*pl.*) jealousy; **tener celos** to be jealous
celoso, –a jealous, distrustful
cenar to have supper
centavo (*m.*) cent
centenario (*m.*) centenarian; centenary
centro (*m.*) center; **ir al centro** to go downtown
cepillo (*m.*) brush
cerca (de) near, nearby
cercano, –a near, close; adjoining
cerrar (1) to close; **cerrar con llave** to lock
cerveza (*f.*) beer
cesta (*f.*) basket
cicatriz (*f.*) scar
ciego, –a blind
cielo (*m.*) sky, heaven
ciencia (*f.*) science; learning; **a ciencia cierta** with certainty
científico, –a scientific
cierto, –a certain, sure
cigarillo (*m.*) cigarette
cine (*m.*) movie, movies; **ir al cine** to go to the movies
circunstancia (*f.*) circumstance
cita (*f.*) date, appointment
citar to make a date with; to quote
ciudad (*f.*) city
claridad (*f.*) clarity; brightness
clarificar to clarify; to brighten
claro, –a clear; bright; **¡ claro !** of course !; **poner en claro** to make plain, explain
clase (*f.*) class

clásico, –a classic, classical
claustro (*m.*) cloister
cláusula (*f.*) clause; **cláusula dependiente** dependent clause; **cláusula nominativa** nominative clause
clave (*f.*) key (*to a puzzle, etc.*)
Clemencia Clementine
clérigo (*m.*) clergyman
cliente (*n.m.f.*) customer, client
clima (*m.*) climate
cobrar to collect; to charge; to recover
cocina (*f.*) kitchen
cocinera (*f.*) cook
coco (*m.*) coconut; bogeyman
coche (*m.*) car; coach
codiciar to covet
coger to catch; to seize; to gather
cognado (*m.*) cognate
coincidir to coincide
col (*f.*) cabbage
cola (*f.*) tail
colaboración (*f.*) collaboration
colección (*f.*) collection
colega (*m.*) colleague
colegio (*m.*) secondary school; college
colgar (1) to hang; to drape
coliflor (*f.*) cauliflower
colina (*f.*) hill
colmo (*m.*) height, limit; **llegar a colmo** to attain perfection
colocación (*f.*) location; position; job
colocar to place; to locate
colombiano, –a Colombian
Colón Columbus
colonizar to colonize
colono (*m.*) colonist
columna (*f.*) column
collar (*m.*) necklace
comadrona (*f.*) midwife
combate (*m.*) combat; struggle
combatir to combat, fight; to struggle

combinar to combine

comedia (*f*.) play; comedy

comedor (*m*.) dining room

comendador (*m*.) commander (*of a military order*); prelate (*of a religious order*)

comentar to comment

comentario (*m*.) commentary

comenzar (1) to begin

comer to eat; comerse to eat up

comercial commercial

comerciante (*m*.) merchant, tradesman

comercio (*m*.) business; trade; store

cómico, –a comic, comical

comida (*f*.) meal; dinner

comienzo (*m*.) beginning, start

comisión (*f*.) commission

comité (*m*.) committee

como like; as; such as; como si nada as good as new; as if nothing had happened

¿ cómo ? how ?

comodidad (*f*.) convenience; comfort

cómodo, –a convenient; comfortable

compañera (*f*.) companion; partner

compañero (*m*.) companion; partner

compañía (*f*.) company

comparación (*f*.) comparison; comparación de desigualdad (igualdad) comparison of inequality (equality)

comparar to compare

comparativo, –a comparative

compasivo, –a compassionate

competente competent

competir (3) to compete

complemento (*m*.) complement; (*gram*.) object; complemento directo direct object; complemento indirecto indirect object;

pronombre complemento object pronoun

completar to complete

completo, –a complete

complexión (*f*.) complexion; constitution

complicado, –a complicated

complicar to complicate

componer to compose; componerse de to be composed of

composición (*f*.) composition

compra (*f*.) purchase; ir de compras to go shopping

comprar to buy, purchase

comprender to understand; to comprise

comprometer to compromise; comprometerse (con) to become engaged (to)

compuesto, –a composed

común common

comunicar to communicate

con with; con tal (de) que provided that

concebir (3) to conceive

conceder to concede; to grant

concepto (*m*.) concept

concesión (*f*.) concession; grant

concierto (*m*.) concert

conciso, –a concise

concordar (1) to agree

concreto, –a concrete

Concha Connie

condecoración (*f*.) decoration (*medal, etc.*)

condenar to condemn

condición (*f*.) condition; a condición (de) que provided that

condicional conditional; (*gram*.) conditional tense; condicional perfecto conditional perfect

conducir to lead; to drive; to conduct

conferencia (*f*.) lecture; conference

conferenciante (*m*.) lecturer

conferir (2) to confer, bestow
confesar (1) to confess
confesión (*f.*) confession
confianza (*f.*) confidence, trust; **en confianza** confidentially
confiar to confide, entrust
confirmar to confirm
confusión (*f.*) confusion
conjugación (*f.*) conjugation
conjugar to conjugate
conjunción (*f.*) conjunction
conjunto (*m.*) whole, entirety
conjurar to conjure; to plot
conmemorativo, –a commemorative
conmigo with me, with myself
conmover (1) to move, affect
conocer to know; to be acquainted with
conocido (*m.*) acquaintance
conquista (*f.*) conquest
conquistar to conquer, overcome; to win over
consciente conscious
consecuencia (*f.*) consequence
conseguir (3) to obtain, get
consejero (*m.*) counselor, adviser
consejo (*m.*) counsel, advice; council
consentir (2) to consent, allow
conservador, –ora conservative (*political*)
conservar to conserve, keep, maintain
conservativo, –a conserving, preservative
consideración (*f.*) consideration
considerar to consider
consigo with him(self), with her-(self), with you (yourself, yourselves), with them(selves)
consiguiente (*m.*) consequence; **por consiguiente** consequently
consistir to consist; to be comprised

consolidar to consolidate; to put together
consonancia (*f.*) consonance; conformity
consonante (*f.*) consonant
conspirar to conspire
constante constant
constar to be evident, be clear; to consist (of)
construcción (*f.*) construction
construir to construct
cónsul (*m.*) consul
consultar to consult
consultorio (*m.*) clinic, doctor's office
contacto (*m.*) contact; **poner en contacto con** to put in contact with
contar (1) to count; to relate a story, narrate; **contar con** to count on
contemplación (*f.*) contemplation
contemplativo, –a contemplative
contemporáneo, –a contemporary
contener to contain
contentar to content; **contentarse con** + *inf.* to be satisfied with + *verb*
contento, –a glad, contented; satisfied
contestar to answer
contigo (*fam.*) with you (yourself)
continente (*m.*) continent
continuación (*f.*) continuation
continuar to continue
continuo, –a continuous; continual
contra against; **en contra de** against, in opposition to
contracción (*f.*) contraction
contraposición (*f.*) contrast
contrario, –a contrary; opposed
contraste (*m.*) contrast
contrato (*m.*) contract
contribución (*f.*) contribution
contribuir to contribute

convencer to convince
convencional conventional
conveniente convenient; proper
convenir to be suitable, be necessary; to agree
conversación (*f.*) conversation
conversar to converse
converso, –a converted
convertir (2) to convert, change
convidado (*m.*) guest
convidar to invite
cooperación (*f.*) cooperation
copa (*f.*) goblet
copia (*f.*) copy
copiar to copy
copla (*f.*) couplet; ballad
corazón (*m.*) heart; courage
corbata (*f.*) necktie; scarf
coronar to crown
correcto, –a correct
corregir (3) to correct
correlación (*f.*) correlation; **correlación de los tiempos** sequence of tenses
correo (*m.*) mail; post office; **echar al correo** to mail
correr to run
correspondencia (*f.*) correspondence
corresponder to correspond; **corresponder a** to reciprocate
correspondiente corresponding; respective
corriente (*f.*) current; **dejarse llevar de la corriente** to follow the crowd
cortaplumas (*m.*) penknife
cortar to cut; to cut off
corte (*m.*) cut, fit; (*f.*) court, yard
cortés courteous, polite
cortesía (*f.*) courtesy
corto, –a short
cosa (*f.*) thing
coser to sew
costar (1) to cost
costilla (*f.*) rib

costoso, –a expensive, costly
costumbre (*f.*) custom
cotidiano, –a daily
creación (*f.*) creation
creador (*m.*) creator
crear to create
creer to believe, think
crema (*f.*) cream
crepúsculo (*m.*) twilight
criada (*f.*) maid, servant
criar to raise, bring up
crimen (*m.*) crime
cristal (*m.*) crystal
cristianizar to Christianize
cristiano, –a Christian
Cristo Christ
Cristóbal Christopher
criticar to criticize
crítico, –a critical; (*n.m.*) critic; (*n.f.*) criticism
crónica (*f.*) chronicle
cronológico, –a chronological
cruz (*f.*) cross
cruzar to cross
cuaderno (*m.*) notebook
cuadro (*m.*) picture
cual which; who; such; such as
¿cuál? (*pl.* **¿cuáles?**) which?, which one(s)?, what?
cualidad (*f.*) quality
cualquier(a) (*pl.* **cualesquier[a]**) any; anyone; someone; whoever; whichever
cuando when
¿cuándo? when?
cuanto as much as, all that (which); **en cuanto** as soon as; **en cuanto a** with regard to
¿cuánto? how much?; (*pl.*) how many?
cuarto (*m.*) room; quarter; **es la una y cuarto** it is a quarter after one
cubrir to cover
cuchara (*f.*) spoon
cucharita (*f.*) teaspoon

cuchillo (m.) knife
cuello (m.) neck; collar
cuenta (f.) account; bill; **darse cuenta de** to realize
cuento (m.) story
cuerpo (m.) body
cuestión (f.) question; matter
cuidado (m.) care; **con cuidado** carefully; **tener cuidado** to be careful
cuidar to care for, take care of
culpa (f.) fault, blame; **tener la culpa** to be to blame
culto, –a cultured, educated
cultura (f.) culture
cumpleaños (m.) birthday
cumplir to fulfill, execute; **cumplir . . . años** to be . . . years old; **cumplir con su palabra** to keep one's word
cuñada (f.) sister-in-law
cuñado (m.) brother-in-law
cúpula (f.) cupola, dome
cura (m.) priest; (f.) cure
curar to cure
curiosidad (f.) curiosity
curioso, –a curious
cursiva: **en cursiva** in italics
curso (m.) course
cuyo, –a whose, of which

Ch

chal (m.) shawl
champaña (f.) champagne
chanclo (m.) rubber, overshoe
chaqueta (f.) jacket
charca (f.) pool
cheque (m.) check
chico, –a little, small
chimenea (f.) chimney; fireplace, hearth
chinero (m.) china closet
chispeante sparkling
chistoso, –a funny; witty
choque (m.) shock; collision
chuleta (f.) chop

D

dado: **dado que** provided that, as long as
dama (f.) lady
danza (f.) dance
dañar to hurt; to damage
daño (m.) hurt; damage, harm; **hacer daño a** to hurt
dar to give; **dar a (la plaza)** to face (the square); **dar a luz** to give birth to; **dar con** to meet; to find; **dar un paseo** to take a walk; **darle igual a** to be all the same to; **darse cuenta de** to realize; **darse por vencido** to give up; **darse prisa** to hurry
dato (m.) fact; datum
de of; from; about; **de día en día** from day to day
debajo (de) under, underneath, below
deber to owe; **deber** + _inf._ must, should + _verb_; (n.m.) duty
débil weak
debilitar to weaken, debilitate
decano (m.) dean
decente decent, proper
decidir to decide
décimo, –a tenth
decir to say, tell; **es decir** that is to say
decisión (f.) decision
declarar to declare
declarativo, –a declarative
decoración (f.) decoration; (_teat._) scenery
decorativo, –a decorative
decreto (m.) decree
dedicación (f.) dedication
dedicar to dedicate
dedo (m.) finger; toe
deducir to deduce
defecto (m.) defect; lack
defender (1) to defend; to protect
déficit (m.) deficit
definido, –a definite; defined

definir to define

dejar to allow; to leave (*something behind*); **dejar de** + *inf.* to stop + *verb*

delante (de) in front of, before

delgado, -a slender, slim, thin; tenuous

delicado, -a delicate

delicioso, -a delicious

delinear to outline, delineate

delinquir to transgress; to offend

demás (*pron. indef.*) (the) rest, others

demasiado, -a too; too much

democracia (*f.*) democracy

demócrata (*n.m.f.*) democrat

democrático, -a democratic

demorar to delay; to be delayed

demostrar (1) to demonstrate

demostrativo, -a demonstrative

denominar to name, indicate

denotar to denote

dentista (*n.m.f.*) dentist

dentro (de) inside, within; **dentro de poco** shortly

denuncia (*f.*) denunciation

denunciar to denounce

departamento (*m.*) apartment; department

depender (de) to depend (on)

dependienta (*f.*) female clerk

dependiente (*m.*) male clerk

derecho, -a right; straight; **a la derecha** to the right; (*n.m.*) right

derivación (*f.*) derivation

derivar to derive

derrame (*m.*) overflow; **derrame cerebral** stroke

desafiar to challenge, defy

desafortunado, -a unfortunate

desanimar to discourage; **desanimarse** to become discouraged

desaparecer to disappear

desarrollar to develop; to unfold

desarrollo (*m.*) development

desastre (*m.*) disaster

desayunar to breakfast

desayuno (*m.*) breakfast

desbordar to overflow; to lose one's self control

descansar to rest

descanso (*m.*) rest, quiet

descartar to discard, cast aside

descendiente (*m.*) descendant

descomponer to disorganize; to put out of order

descompuesto, -a out of order

desconocido, -a unknown

desconsuelo (*m.*) grief, disconsolateness

descortés discourteous, impolite

describir to describe

descripción (*f.*) description

descriptivo, -a descriptive

descubrir to discover, reveal

descuento (*m.*) discount

descuidado, -a careless, negligent

desde from, since; **desde hoy en adelante** from today on

desdeñar to disdain

desear to desire, wish, want

desencanto (*m.*) disillusionment; disenchantment

desengaño (*m.*) disillusion, undeceiving; disappointment

deseo (*m.*) desire, wish

desequilibrio (*m.*) imbalance; unbalanced mental state

desesperación (*f.*) desperation

desfile (*m.*) parade

desgracia (*f.*) misfortune

desgraciadamente unfortunately

deshacer to undo; to take apart; to right (*wrongs*); **deshacerse de** to get rid of

desigualdad (*f.*) inequality

desilusión (*f.*) disillusion, disillusionment

disilusionar to disillusion; to disappoint

desmayarse to faint

despacio, –a slowly

despedida (*f.*) leave-taking, parting, farewell

despedir (3) to discharge; to see a person off; **despedirse de** to take leave of, say good-by

despertador (*m.*) alarm clock

despertar (1) to awaken; **despertarse** to wake up

despierto, –a lively, wide-awake

despilfarrar to squander, waste

desposeído,–a dispossessed, ousted

despreciar to scorn, despise

desprecio (*m.*) contempt, scorn

después (**de**) after, afterwards; **después de todo** after all

destacado, –a outstanding, distinguished

desterrado, –a exiled

desterrar (1) to exile; to banish

destino (*m.*) destiny, fate; destination

destreza (*f.*) skill

destrucción (*f.*) destruction

destruir to destroy

desviar to divert

detalle (*m.*) detail

detener to stop; to detain; **detenerse** to stop; to tarry

detenido, –a careful, thorough; lengthy

determinación (*f.*) determination

determinado, –a determined, resolute

determinar to determine; to decide

detestar to detest

detrás (**de**) behind, in back of

deuda (*f.*) debt

devoción (*f.*) devotion

devolver (1) to return (*an object*)

devorar to devour

devoto, –a devout; devoted

día (*m.*) day; **al otro día** the other day; **de día en día** from day to day; **día tras día** day after day; **todo el día** all day; **todos los días** every day

diablo (*m.*) devil

diabólico, –a diabolic, diabolical

diálogo (*m.*) dialogue

diamante (*m.*) diamond

diario, –a daily

dibujar to sketch; to design, draw

dibujo (*m.*) sketch; drawing; design

diccionario (*m.*) dictionary

diciembre (*m.*) December

dictar to dictate; to deliver (*a lecture*); to teach (*a course*)

dicho (*m.*) saying, proverb

dicho, –a said, told

Diego James

diente (*m.*) tooth

diestro, –a skilful; right; sly

diferencia (*f.*) difference

diferente different

diferir (2) to differ; to defer, postpone

difícil difficult

dificultad (*f.*) difficulty

difunto, –a deceased

dignidad (*f.*) dignity

digno, –a worthy

dimitir to resign

dinámico, –a dynamic

dinero (*m.*) money

diosa (*f.*) goddess

diplomacia (*f.*) diplomacy

diplomático, –a diplomatic

diptongar to diphthongize

dirección (*f.*) address

directo, –a direct

dirigir to direct; to address; **dirigirse a** to make one's way to; to address oneself to

disciplina (*f.*) discipline

disciplinar to discipline

disco (*m.*) record

discreto, –a discreet

disculparse to excuse oneself

discurso (*m.*) speech
discusión (*f.*) discussion
discutir to discuss; to argue
diseño (*m.*) design, drawing, sketch
disfrutar to enjoy, have the benefit of
disgusto (*m.*) disgust; quarrel
disolver (1) to dissolve
dispensar to pardon; to dispense; to excuse
disponible available
disputa (*f.*) dispute
disputar to dispute, contend
disquisición (*f.*) disquisition
distancia (*f.*) distance
distinguir to distinguish
distinto, –a distinct, different
diversión (*f.*) diversion
diverso, –a diverse, different
divertido, –a amusing, entertaining
divertir (2) to divert, amuse; **divertirse** to have a good time
dividir to divide
divino, –a divine
divisar to perceive, descry
doblar to double, bend, fold; **doblar la esquina** to go around (turn) the corner
docena (*f.*) dozen
doctor, –ora doctor (*medical and nonmedical*)
documento (*m.*) document
dólar (*m.*) dollar
doler (1) to pain, hurt
dolor (*m.*) pain, hurt; **dolor de cabeza** headache
dominar to dominate
domingo (*m.*) Sunday
don (*m.*) gift; natural gift, talent
donaire (*m.*) gracefulness; cleverness
donde where
¿ dónde? where?
donjuanesco, –a *like Don Juan*

donjuanismo (*m.*) Don Juanism
dorador (*m.*) gilder
dormir (2) to sleep; **dormir a pierna suelta** to sleep soundly; **dormirse** to fall asleep
dormitorio (*m.*) dormitory; bedroom
dotado, –a endowed, gifted
dote (*m.*) dowry; (*f.*) endowment, talent
drama (*m.*) drama, play
dramático, –a dramatic
dramaturgo (*m.*) playwright
droga (*f.*) drug
ducado (*m.*) duchy
duda (*f.*) doubt
dudar to doubt
dudoso, –a doubtful
dueña (*f.*) owner; duenna
dueño (*m.*) owner
dulce sweet; **dulce(s)** (*n.m.*) candy
dulcería (*f.*) candy shop
duquesa (*f.*) duchess
duración (*f.*) duration
durante during
durar to last

E

ecléctico, –a eclectic
ecuatoriano, –a Ecuadorian
echar to throw, fling; **echar de menos** to miss
edad (*f.*) age; **Edad Media** Middle Ages
edificio (*m.*) building
Eduardo Edward
educación (*f.*) education
educar to educate
efectivamente really, as a matter of fact
efecto (*m.*) effect; **en efecto** as a matter of fact, in fact
efectuar to effect, carry out
eficiente efficient
ejecutar to execute; to perform
ejemplar (*m.*) copy; model

ejemplo (*m.*) example; **por ejemplo** for example

ejercer to exercise, practice

ejercicio (*m.*) exercise, drill; **ejercicio modelo (extenso)** (extended) pattern drill

el (*m.*) the

él he; him; it

elección (*f.*) election; choice

electricidad (*f.*) electricity

eléctrico, –a electric

elegancia (*f.*) elegance

elegante elegant

elegir (3) to elect

elemento (*m.*) element

Elena Helen

elevar to elevate

elocuente eloquent

ella she; her; it

embargo: **sin embargo** nevertheless

embrujamiento (*m.*) bewitchment

eminente eminent

emoción (*f.*) emotion

empacar to pack

empeñar to pawn; **empeñarse en** + *inf.* to insist on, persist in + *verb*

empeorar to grow worse

emperador (*m.*) emperor

empezar (1) to begin

empleado (*m.*) employee

emplear to employ, use

empleillo (*m.*) insignificant little job

empleo (*m.*) employment, job

empobrecido, –a impoverished; weakened

emprendedor, –ora enterprising

emprender to undertake; to engage in

en in; into; at; on; **en casa** at home; **en contra** against; **en punto** sharp (*time*); **en seguida** at once; **en vez de** instead of

enagua (*f.*) petticoat (*usually used in plural*)

enajenamiento (*m.*) alienation; **enajenamiento mental** mental derangement

enamorado, –a in love, enamoured

enamorar to love; **enamorarse de** to fall in love with

encadenar to chain, put into chains

encaje (*m.*) lace

encantador, –ora charming, enchanting

encantamiento (*m.*) spell, enchantment, charm

encantar to charm; to cast a spell on, enchant

encanto (*m.*) spell; charm

encarcelamiento (*m.*) imprisonment

encarcelar to jail, imprison

encargo (*m.*) charge, responsibility, job

encender (1) to ignite, light

encerrar (1) to enclose; to confine, lock up

enciclopedia (*f.*) encyclopedia

encontrar (1) to meet; find; **encontrarse con** to come across

encuadernar to bind (*a book*)

encuentro (*m.*) meeting, encounter

encurtido (*m.*) pickle

enemigo, –a (*adj. y n.m.f.*) enemy

enero (*m.*) January

enfadar to anger, annoy; **enfadarse** to get angry

énfasis (*n.m.f.*) emphasis

enfermar to get sick, fall ill

enfermedad (*f.*) illness

enfermera (*f.*) nurse

enfermizo, –a sickly

enfermo, –a sick, ill

enfrentar to confront; to face

enfrente in front, opposite

enfurecer to infuriate; **enfurecerse** to become infuriated

engañar to deceive, cheat, fool

engaño (*m.*) deceit, fraud

enhechizo (*m.*) spell, charm

enigma (*m.*) puzzle

enigmático, –a enigmatic

enjuto, –a skinny, lean; austere

enojar to anger, make angry; **enojarse** to become angry

Enrique Henry

enriquecer to enrich; **enriquecerse** to become rich

ensalada (*f.*) salad

ensayar to try; to practice

enseñar to teach

ensuciar to dirty, soil; to defile

entender (1) to understand; to intend

enterar to inform; **enterarse de** to find out about, become aware of

entero, –a whole, entire

enterrar (1) to bury

entierro (*m.*) burial; funeral

entonces then; **desde entonces** from then on

entrada (*f.*) entrance

entrante entering; next, coming; **el año entrante** the coming year, next year

entrar (**en**) to enter (into); come in

entre between; among

entregar to deliver; to hand over

entrelazar to interweave, entwine

entretejer to interweave

entretener to entertain, amuse; **entretenerse** to amuse oneself

entrevista (*f.*) interview

enviar to send

envidia (*f.*) envy

envidiar to envy

envolver (1) to wrap (up); to surround; to involve; to envelop

épico, –a epic, epical

época (*f.*) epoch, age, period

equipaje (*m.*) baggage, luggage

equipo (*m.*) team (*sport*); equipment

equivaler to be equivalent, be equal

equivocar to mistake; **equivocarse** to make a mistake, be mistaken

erección (*f.*) erection; foundation

erigir to erect, build, establish

erótico, –a erotic

erróneo, –a erroneous

erudito, –a erudite, learned; (*n.m.f*) scholar

escalera (*f.*) stairs, stairway; ladder

escalofrío (*m.*) chill

escapar to escape; to flee; **escaparse de** to escape from, run away from (*a jail, etc.*)

escena (*f.*) scene, stage; **poner en escena** to stage

escoba (*f.*) broom

Escocia (*f.*) Scotland

escoger to choose

escolar (*m.*) scholar; pupil

esconder to hide

escribir to write

escritor (*m.*) writer, author

escritorio (*m.*) desk

escrúpulo (*m.*) scruple

escuchar to listen

escudero (*m.*) squire

escuela (*f.*) school

escultor (*m.*) sculptor

ese, esa (*adj. dem.*) that; (*pl.*) those

ése, ésa (*pron. dem.*) that (one); (*pl.*) those

esencia (*f.*) essence

esencial essential

esfuerzo (*m.*) effort; vigor

esgrima (*f.*) fencing

esmero (*m.*) careful attention; neatness; **con esmero** painstakingly

eso (*pron. dem. neutro*) that; **a eso de** about

espacio (*m.*) space

espacioso, –a spacious

espada (*f.*) sword

España (*f.*) Spain

español, –ola Spanish; (*n.m.f.*) Spaniard

esparcir to scatter, spread

especial special

especialidad (*f.*) speciality

específico, –a specific

espejo (*m.*) mirror

esperanza (*f.*) hope

esperar to hope

espina (*f.*) spine; **espina dorsal** spinal column

espíritu (*m.*) spirit; ghost

espiritual spiritual

espiritualizar to spiritualize

espolio (*m.*) spolium

esposa (*f.*) wife, spouse

esposo (*m.*) husband, spouse

esquema (*m.*) scheme, diagram

esquiar to ski

esquina (*f.*) corner

esquisito, –a exquisite

establecer to establish

estación (*f.*) season; station

estacionar to park

estado (*m.*) state

estante (*m.*) shelf

estar to be; **estar a punto de** to be about to; **estar para** to be about to

estatua (*f.*) statue

estatura (*f.*) stature

este, esta (*adj. dem.*) this; (*pl.*) these

éste, ésta (*pron. dem.*) this (one); (*pl.*) these

Esteban Stephen

estético, –a aesthetic

estilo (*m.*) style

estimación (*f.*) esteem, estimation

estimar to esteem, estimate

esto (*pron. dem. neutro*) this; **esto es** that is (to say)

estrago (*m.*) damage, ruin; devastation

estrategia (*f.*) strategy

estrecho, –a narrow; tight (*of clothes*)

estrella (*f.*) star

estropear to damage; to cripple; to ruin

estudiante (*n.m.f.*) student

estudiantil student

estudiar to study

estudio (*m.*) study; studio

estufa (*f.*) stove

estupendo, –a stupendous

estupidez (*f.*) stupidity

eterno, –a eternal

etiqueta (*f.*) etiquette; tag, label

europeo, –a (*adj. y n.*) European

evaluar to evaluate

evento (*m.*) chance event

evidencia (*f.*) evidence

evidente evident

evitar to avoid

evocar to evoke

evolución (*f.*) evolution; change

exacto, –a exact

exageración (*f.*) exaggeration

exagerar to exaggerate

examen (*m.*) examination

examinar to examine

exceder to exceed, excel

excelente excellent

excéntrico, –a eccentric

excepción (*f.*) exception

excepto except

excesivo, –a excessive

exclamación (*f.*) exclamation

exclamar to exclaim

excluir to exclude

exclusivo, –a exclusive

excursión (*f.*) excursion

excusa (*f.*) excuse

excusar to excuse

exigente exacting, demanding

exigir to exact, require
existencia (*f.*) existence
existir to exist
éxito (*m.*) outcome; success; **tener éxito** to be successful
exorbitante exorbitant
experiencia (*f.*) experience
experimentar to experience; to test; to experiment
experimento (*m.*) experiment
explicación (*f.*) explanation
explicar to explain
expresar to express
expresión (*f.*) expression; **expresión impersonal** impersonal expression; **expresión temporal** expression of time
exquisito, –a exquisite
extender (1) to extend
extensión (*f.*) extension
extenso, –a extensive, vast
externo, –a external, outward
extinguir to extinguish, put out
extranjero, –a foreign
extrañar to find strange; to be strange; to miss; **extrañarse** to wonder; to be surprised
extraño, –a foreign; strange
extraordinario, –a extraordinary
extremadamente extremely
extremo, –a extreme; **en extremo** extremely

F

fábrica (*f.*) factory, plant; manufacture
fabricar to manufacture; to devise
fabuloso, –a fabulous
fácil easy
facilidad (*f.*) ease, easiness
facturar to invoice; to check (*luggage*)
falda (*f.*) skirt
falso, –a false
falta (*f.*) lack, want; mistake, fault

faltar to lack; to be lacking
fama (*f.*) fame
familia (*f.*) family
familiar familiar; family (*as an adjective*)
famoso, –a famous
fantástico, –a fantastic
farmacia (*f.*) pharmacy, drugstore
fascinación (*f.*) fascination
fascinar to fascinate; to bewitch
fase (*f.*) phase
fatiga (*f.*) fatigue
favor (*m.*) favor; **en favor de** in favor of; **por favor** please
favorito, –a favorite
fe (*f.*) faith
febrero (*m.*) February
fecha (*f.*) date (*day of the week*)
felicitar to congratulate
feligrés (*m.*) parishioner
Felipe Philip
feliz happy
femenino, –a feminine
fenomenal phenomenal
fenómeno (*m.*) phenomenon
feo, –a ugly
féretro (*m.*) coffin, bier
Fernando Ferdinand
ferrocarril (*m.*) railroad
ferviente fervent
ficción (*f.*) fiction
fichero (*m.*) filing cabinet; card index
fiel faithful
fiesta (*f.*) feast; celebration, festival
figura (*f.*) figure; face
figurar to figure, depict; **figurarse** to imagine
fijar to fix; to fasten; **fijarse en** to notice
fijo, –a fixed; sure
fila (*f.*) line, row
filigrana (*f.*) filigree
filosofía (*f.*) philosophy

filosófico, -a philosophic, philosophical

filósofo (*m.*) philosopher

fin (*m.*) end; **a fin (de) que** in order that, so that; **al fin** finally; **al fin y al cabo** at last; **a fines de** at the end of; **por fin** finally

final final; (*n.m.*) end

financiero, -a financial

finca (*f.*) property; farm

fingir to feign, pretend

fino, -a fine; courteous

finura (*f.*) fineness; courtesy

firma (*f.*) signature

firmar to sign

firmeza (*f.*) firmness

físico, -a physical; (*n.f.*) physics

flan (*m.*) custard

flor (*f.*) flower

flota (*f.*) fleet

folklórico, -a folkloric

forma (*f.*) form; way

formación (*f.*) formation

formar to form; to educate

fórmula (*f.*) formula

fortaleza (*f.*) fortress, stronghold; fortitude

fortificar to fortify

fortuna (*f.*) fortune; **por fortuna** fortunately

fósforo (*m.*) match

foto (*f.*) photo

fotografía (*f.*) photograph

fracasar to fail

fracaso (*m.*) failure

fragmento (*m.*) fragment

fraile (*m.*) friar

francés, -esa (*adj. y n.*) French

franco, -a frank

franco-gótico, -a Franco-Gothic

frasco (*m.*) bottle, flask

frase (*f.*) phrase; sentence

frecuencia (*f.*) frequency; **con frecuencia** frequently

frecuentar to frequent

frecuentemente frequently

fregar (1) to scrub, scour

frente (*n.m.*) front; (*n.f.*) forehead, brow; **frente a** facing, opposite

fresa (*f.*) strawberry

fresco, -a fresh

frío, -a cold; **hacer frío** to be cold (*of weather*); **tener frío** to be cold (*of people*)

frisar con to border on

frito, -a fried

frontera (*f.*) frontier

fronterizo, -a bordering; frontier

frustración (*f.*) frustration

frustrar to frustrate

fruta (*f.*) fruit

fruto (*m.*) fruit (*result*)

fuego (*m.*) fire

fuente (*f.*) fountain

fuera (de) outside (of); **estar fuera de sí** to be beside oneself

fuerza (*f.*) strength

fugaz fleeting, transitory

función (*f.*) function; performance (*of a play, etc.*)

funcionar to function; to work

fundador (*m.*) founder

fundar to found; to base

furioso, -a furious

fusión (*f.*) fusion

fútbol (*m.*) football

futuro, -a future; (*gram.*) **futuro perfecto** future perfect; **tiempo futuro** future tense

G

gabinete (*m.*) boudoir; private parlor

gafas (*n.f.pl.*) eyeglasses, spectacles

galán (*m.*) gallant, suitor; fine-looking man

galeote (*m.*) galley slave

galera (*f.*) galley

galón (*m.*) gallon

gallardía (*f.*) gracefulness; gallantry

gallego, –a (*adj. y n.*) Galician
galleta (*f.*) cookie, cracker
gana (*f.*) desire; **tener ganas de** to feel like
ganado (*m.*) cattle, livestock
ganancia (*f.*) profit, gain
ganar to gain, earn, win; **ganar la vida** to earn one's living; **ganarle a uno** to beat (someone)
garaje (*m.*) garage
gasolina (*f.*) gasoline
gastar to spend (*money*); to waste
gasto (*m.*) cost, expense
gato (*m.*) cat
gemelo, –a (*adj. y n.*) twin
generación (*f.*) generation
general general; **en general (por lo general)** generally; (*n.m.*) general (*a military title*)
genérico, –a generic
género (*m.*) gender; genre; kind; **género chico** (*teat.*) one-act comedy
generoso, –a generous
genial genial; pleasant
genio (*m.*) genius; temperament, nature
gente (*f.*) people
gentilicio: adjetivo gentilicio (*gram.*) adjective denoting nationality
genuino, –a genuine
geografía (*f.*) geography
gerente (*m.*) manager
gerundio (*m.*) gerund
gigante (*m.*) giant
gloria (*f.*) glory
gobernador (*m.*) governor
gobernar (1) to govern, rule
gobierno (*m.*) government
golpe (*m.*) blow, slap; **dar golpes** to hit, strike
gordo, –a fat
gorra (*f.*) cap
gótico, –a Gothic

gozar (de) to enjoy
gozo (*m.*) joy, pleasure
grabado (*m.*) engraving; picture
grabador (*m.*) engraver
gracia (*f.*) grace; wit; **gracias** thanks
Graciela *version of Grace*
grado (*m.*) step; degree, grade; degree (*academic*)
graduación (*f.*) graduation; standing
graduar to graduate; to grade; **graduarse** to graduate; **graduarse de** to receive the degree of
gramática (*f.*) grammar
gramatical grammatical
granadino, –a *pertaining to or native of Granada*
grande big; (*before a noun*) great
grandilocuente grandiloquent
grano (*m.*) grain; cereal
grave serious, grave
gravedad (*f.*) gravity, seriousness
Grecia (*f.*) Greece
Gregorio Gregory
griego, –a (*adj. y n.*) Greek
gripe (*f.*) influenza, grippe; cold
gris gray
gritar to shout, cry out
grito (*m.*) shout, cry
grueso, –a thick, heavy
grupo (*m.*) group
guante (*m.*) glove
guapo, –a handsome
guardar to guard; to keep; to protect; **guardar cama** to stay in bed; **guardar silencio** to keep silent
guerra (*f.*) war
guiar to guide, lead
Guillermo William
guisante (*m.*) pea
guitarra (*f.*) guitar
gustar to like; to be pleasing; to taste

gusto (*m.*) pleasure; taste; **cuanto gusto en** + *inf.* what a pleasure to + *verb*

H

haber to have (*auxiliary verb*); **haber de** + *inf.* to be (supposed) to + *verb*

habilidad (*f.*) ability; skill

habitación (*f.*) room

habitante (*n.m.f.*) inhabitant

habitar to inhabit, live in

habla (*f.*) speech; language

hablador, –ora talkative

hablar to speak, talk

haca (*f.*) pony

hacer to do; to make; **hacerle falta** to be necessary; **hacerse** to become

hacia toward

hacienda (*f.*) farm; ranch; estate; **Ministerio de Hacienda** Treasury Department

hacha (*f.*) hachet, axe

halcón (*m.*) falcon

hallar to find

hambre (*f.*) hunger; **tener hambre** to be hungry

harén (*m.*) harem

harina (*f.*) flour

hasta up to, as far as; until; even

hay there is, there are

hazaña (*f.*) deed, feat

hechizo (*m.*) charm, spell; sorcery

hecho (*m.*) fact; deed; event; **de hecho** in fact

hedonista (*n.m.f.*) hedonist

helado (*m.*) ice cream

heredar to inherit

herejía (*f.*) heresy

herir (2) to wound, hurt

hermana (*f.*) sister

hermanastro (*m.*) stepbrother

hermano (*m.*) brother

hermoso, –a beautiful

hermosura (*f.*) beauty

Hernán Herman

héroe (*m.*) hero

herramienta (*f.*) tool

heterogéneo, –a heterogeneous

hidalgo (*m.*) nobleman

hierba (*f.*) grass; herb

hierro (*m.*) iron

hija (*f.*) daughter

hijastra (*f.*) stepdaughter

hijastro (*m.*) stepson

hijo (*m.*) son; (*pl.*) sons; children

hilo (*m.*) thread; yarn

Hispanoamérica (*f.*) Spanish America

hispanoamericano, –a (*adj. y n.*) Spanish American

histeria (*f.*) hysteria

historia (*f.*) history; story

historiador (*m.*) historian

histórico, –a historic, historical

hoja (*f.*) leaf; sheet of paper

¡hola! hello!, hey!

holandés, · –esa (*adj. y n.*) Dutch

holgazán, –ana lazy

hombre (*m.*) man

hombro (*m.*) shoulder

honor (*m.*) honor; honesty

honra (*f.*) honor; dignity

honrar to honor

hora (*f.*) hour; time

horario (*m.*) schedule; timetable

hospitalidad (*f.*) hospitality

hoy today; **hoy mismo** this very day

huelga (*f.*) strike

huérfano (*m.*) orphan

huevo (*m.*) egg; **huevos duros** hard-boiled eggs; **huevos fritos** fried eggs; **huevos revueltos** scrambled eggs

Hugo Hugh

huir to flee, run away

humano, –a human

humildad (*f.*) humility

humo (*m.*) smoke
humor (*m.*) humor, mood; **estar de buen humor** to be in a good humor
hundir to sink; to plunge
huracán (*m.*) hurricane

I

ibérico, –a (*adj. y n.*) Iberian
Iberoamérica (*f.*) Ibero-America
idealista (*adj.*) idealistic; (*n.m.f.*) idealist
idéntico, –a identical
identidad (*f.*) identity
identificar to identify
idioma (*m.*) language
idiomático, –a idiomatic
idiosincrasia (*f.*) idiosyncrasy
iglesia (*f.*) church
ignorante ignorant
ignorar to be ignorant of, not to know; to ignore
igual alike, same, equal; even; **al igual que** as; like
igualdad (*f.*) equality, sameness
ilustrar to illustrate
ilustre illustrious
imaginar to imagine; **imaginarse** to imagine, suppose
imitación (*f.*) imitation
imitar to imitate
impaciente impatient
impedir (3) to prevent; to hinder
impeler to impel; to urge
imperativo (*m.*) imperative, command; **imperativo directo** direct command; **imperativo indirecto** indirect command
imperfecto, –a imperfect
impermeable (*m.*) raincoat
impetuoso, –a impetuous
impío, –a impious, irreligious
implicar to imply; to implicate
implícito, –a implicit, implied
importancia (*f.*) importance
importante important

importar to be important; to matter; to import
imposibilitar to make impossible; to make unable
imposible impossible
imprescindible essential, indispensable
impresión (*f.*) impression
impresionante impressive
impreso, –a printed
imprimir to print; to imprint
improvisación (*f.*) improvisation
impuesto (*m.*) tax
impulsar to impel
inalcanzable unattainable
incendio (*m.*) fire
incierto, –a uncertain
inclemente inclement
inclinación (*f.*) inclination
incluir to include
incluso even, including
indagar to investigate
indefinido, –a indefinite
independencia (*f.*) independence
independiente independent
indeterminado, –a indeterminate, indefinite
indicar to indicate
indicativo (*m.*) indicative (mood)
indiferente indifferent
indirecto, –a indirect
indiscutible unquestionable, indisputable
indispuesto, –a indisposed
individualidad (*f.*) individuality
individualismo (*m.*) individualism
individuo (*m.*) individual
índole (*f.*) disposition, temper
industria (*f.*) industry; effort
industrioso, –a industrious
Inés Agnes
inesperado, –a unexpected
inexistente nonexistent
infeliz unhappy
inferir (2) to infer

infidelidad (*f.*) infidelity, un-
faithfulness
infiel unfaithful
infinidad (*f.*) infinite number,
infinity
infinitivo (*m.*) infinitive
infinito (*m.*) infinite
influencia (*f.*) influence
información (*f.*) information
informar to inform
informe (*m.*) report
infortunio (*m.*) misfortune
infundir to instil; to infuse
ingeniero (*m.*) engineer
ingenio (*m.*) talent; cleverness;
talented person
ingenioso, -a ingenious
ingenuo, -a ingenuous
Inglaterra (*f.*) England
inglés, -esa (*adj. y n.*) English
ingresar to enter, become a member of
inherente inherent
inicial initial
iniciar to initiate, start
injusticia (*f.*) injustice
inmediato, -a immediate
inocente innocent
inolvidable unforgettable
inquietarse to get upset, worry
inquirir to inquire, investigate
Inquisición (*f.*) Inquisition
insignificante insignificant
inspiración (*f.*) inspiration
inspirador, -ora inspiring
inspirar to inspire
instalar to install; **instalarse** to
establish oneself
instancia (*f.*) instance; **a instancias de** at the request of
institución (*f.*) institution
instituto (*m.*) institute
instrucción (*f.*) instruction; **instrucciones teatrales** stage
directions
insultar to insult

íntegro, -a entire, whole, integral
intelectual intellectual
inteligencia (*f.*) intelligence
inteligente intelligent
intención (*f.*) intention
intensidad (*f.*) intensity
intenso, -a intense
intentar to try, attempt; to intend
intento (*m.*) intent, purpose
interacción (*f.*) interaction
intercalar to intercalate, insert
intercambiable interchangeable
intercambiar to interchange
interés (*m.*) interest
interesante interesting
interesar to interest
interpretar to interpret
interrogativo, -a interrogative
interrumpir to interrupt
intervención (*f.*) intervention
intervenir to intercede
íntimo, -a intimate
intolerancia (*f.*) intolerance
intriga (*f.*) intrigue
intrigar to intrigue
intrincado, -a intricate
intrínseco, -a intrinsic
introducir to introduce
intuitivo, -a intuitive
invencible invincible
inventar to invent
invertir (2) to invest; to invert
investigador (*m.*) investigator
invierno (*m.*) winter
invitación (*f.*) invitation
invitar to invite
ir to go; **ir a casa** to go home;
ir al centro to go downtown;
ir al cine to go to the movies;
irse to go away
irlandés, -esa (*adj. y n.*) Irish
irreal non-realistic, unreal
irregularidad (*f.*) irregularity
irresponsabilidad (*f.*) irresponsi-
bility
Isabel Elizabeth

isla (*f.*) island
italiano, -a (*adj. y n.*) Italian
ítem (*m.*) item, article
izquierdo, -a left

J

jabón (*m.*) soap
jaca (*f.*) nag, pony
Jaime James
jamás never; ever
jamón (*m.*) ham
japonés, -esa (*adj. y n.*) Japanese
jardín (*m.*) garden
jardinero (*m.*) gardener
jarro (*m.*) pitcher
jarrón (*m.*) vase
jaspe (*m.*) jasper
jefe (*m.*) chief, boss
jinete (*m.*) horseman, rider
Joaquina *feminine of Joachim*
jonrón (*m.*) home run
Jorge George
José Joseph
Josefina Josephine
jota (*f.*) iota, jot; jota (*Spanish dance and tune*)
joven young
joya (*f.*) jewel
Juan John
Juana Jane, Joan
jubilar to retire; to pension off
juego (*m.*) game; play; set; hacer juego con to match
jueves (*m.*) Thursday
jugar to play (*games*)
jugo (*m.*) juice
juguete (*m.*) toy; trinket
juicio (*m.*) judgment; wisdom; perder el juicio to lose one's mind
julio (*m.*) July
junio (*m.*) June
juntamente jointly
juntar to join; to gather together
junto, -a joined; (*pl.*) together
junto (*adv.*) near; junto a next to

jurar to swear
justicia (*f.*) justice
justificado, -a justified; right
justo, -a just
juventud (*f.*) youth
juzgar to judge

L

la (*art. def.*) the; (*pron. pers.*) her; it; you
labio (*m.*) lip
labor (*f.*) labor, work; needlework
laboratorio (*m.*) laboratory
labrar to work, fashion; to carve
lado (*m.*) side; al lado de beside
ladrillo (*m.*) brick
ladrón (*m.*) thief
lámpara (*f.*) lamp
lana (*f.*) wool
lanzar to throw, hurl; to cast (*a glance*)
lapicero (*m.*) mechanical pencil; pencil case
lápida (*f.*) tablet (*of stone, etc.*)
lápiz (*m.*) pencil
largo, -a long; a lo largo de along
lástima (*f.*) pity; es lástima it is a pity
latín (*m.*) Latin (*language*)
latino, -a (*adj. y n.*) Latin
Latinoamérica (*f.*) Latin America
latinoamericano, -a (*adj. y n.*) Latin American
lavandera (*f.*) laundress
lavandería (*f.*) laundry
lavar to wash; lavarse to wash oneself
lealtad (*f.*) loyalty; devotion
lección (*f.*) lesson
lector (*m.*) reader
lectura (*f.*) reading
leche (*f.*) milk
lechera (*f.*) milkmaid
lechuga (*f.*) lettuce
leer to read

legalidad (*f.*) legality
legalizar to legalize
legar to bequeath
legendario, –a legendary
legítimo, –a legitimate; fair; genuine
lejano, –a distant, far
lejos far, far away; **a lo lejos** in the distance
lengua (*f.*) tongue; language
lento, –a slow
León Leo
león lion
letra (*f.*) letter (*of the alphabet*); handwriting
levantar to lift; to raise; **levantarse** to get up
levante (*m.*) Levant (*Mediterranean coast of Spain*)
ley (*f.*) law, rule
leyenda (*f.*) legend
liberar to free
libertad (*f.*) liberty
libidinoso, –a libidinous
libra (*f.*) pound
librar to free; to save
libre free; **al aire libre** in the open air, outdoors
librería (*f.*) bookstore
librero (*m.*) bookseller
libro (*m.*) book
licencia (*f.*) license
licenciarse to receive the degree of (in)
licor (*m.*) liquor
líder (*m.*) leader
lienzo (*m.*) linen; canvas
ligero, –a light
limitar to limit
límite (*m.*) limit
limón (*m.*) lemon
limosna (*f.*) alms; **pedir limosna** to beg, ask for alms
limpiar to clean
limpio, –a clean
linaje (*m.*) lineage; class

lindo, –a pretty
línea (*f.*) line
linear to line; to outline; (*adj.*) linear
lingüístico, –a linguistic
lírico, –a lyric, lyrical
lirismo (*m.*) lyricism
lisonjear to flatter
lista (*f.*) list; menu
listo, –a ready, prepared; clever
literario, –a literary
literatura (*f.*) literature
localidad (*f.*) locality; (*teat.*) seat
loco, –a crazy, mad
lodo (*m.*) mud
lógico, –a logical
lograr to obtain; **lograr** + *inf.* to succeed in + *verb*
logro (*m.*) accomplishment; gain, profit
Londres London
longitud (*f.*) length
Lorenzo Laurence, Lawrence
lotería (*f.*) lottery
lozano, –a luxuriant; spirited, proud
Lucila Lucille
lucir to illuminate; to display
lucha (*f.*) struggle; fight
luchar to struggle; to fight
luego then; **hasta luego** see you again (later), good-by; **luego que** as soon as, therefore
lugar (*m.*) place, position; site; **tener lugar** to take place
lugarteniente (*m.*) lieutenant
Luis Louis
Luisa Louise
lujo (*m.*) luxury
lujoso, –a luxurious
luna (*f.*) moon
lunes (*m.*) Monday
Lupe *feminine name*
luterano, –a Lutheran
luz (*f.*) light; **luz eléctrica** electric light

Ll

llamar to call; **llamarse** to be called
llano, –a smooth, level; simple
llanta (*f.*) tire
llave (*f.*) key
llegada (*f.*) arrival
llegar to arrive; **llegar a ser** to become
llenar (de) to fill (with)
lleno, –a full
llevar to carry, take, lead; **llevar a cabo** to carry out, accomplish
llorar to cry, weep
llover (1) to rain
lluvia (*f.*) rain

M

madera (*f.*) wood
madrastra (*f.*) stepmother
madre (*f.*) mother
madrina (*f.*) godmother
madrugar to get up early
maestra (*f.*) teacher
maestría (*f.*) mastery
maestro (*m.*) teacher, master
magia (*f.*) magic
mágico, –a magic, magical
magnífico, –a magnificent, splendid
Mahoma (*m.*) Mohammed
maja (*f.*) belle
majestuoso, –a majestic
mal badly, poorly; (*n.m.*) evil
maleta (*f.*) suitcase; **hacer la maleta** to pack one's suitcase
malo, –a bad, evil; sick
manada (*f.*) flock, herd
manco, –a one-handed; armless
mancha (*f.*) spot, stain
mandar to order; to command; to send
mandato (*m.*) order, command, mandate
manera (*f.*) manner; way; **de manera que** so that; **de ninguna manera** by no means

mano (*f.*) hand; **a mano** by hand; **a manos de** at the hands of
manta (*f.*) blanket
mantel (*m.*) tablecloth
mantener to maintain; to support
mantequilla (*f.*) butter
manto (*m.*) cloak, mantel; robe
Manuel Emmanuel
Manuela Emma
manuscrito (*m.*) manuscript
manzana (*f.*) apple
mañana tomorrow; **pasado mañana** the day after tomorrow
mañana (*f.*) morning
mapa (*m.*) map
máquina (*f.*) machine; **máquina de escribir** typewriter
mar (*n.m.f.*) sea
maravilla (*f.*) marvel
maravillar to astonish; **maravillarse** to wonder, marvel
maravilloso, –a marvelous
marca (*f.*) mark; brand
marcado, –a marked, pronounced
marcar to mark; to stamp; to brand
marco (*m.*) frame; mark
Marcos Mark
marchar to march; to go; **marcharse** to go away
mareado, –a nauseated, seasick
Margarita Margaret
María Mary
marido (*m.*) husband
Mario Marius
maritornes (*f.*) wench, ugly maid
mármol (*m.*) marble
marrueco, –a (*adj. y n.*) Moroccan
Marruecos Morocco
Marta Martha
martes (*m.*) Tuesday
Martín Martin
marzo (*m.*) March
más more; most; **más bien** rather; **no . . . más que** only
masculino, –a masculine

matar to kill

matemáticas (*n.f.pl.*) mathematics

materia (*f.*) matter; material; subject

material material; (*n.m.*) material; equipment

matricular(se) to register, enroll

matrimonio (*m.*) matrimony; marriage; married couple

mayo (*m.*) May

mayor larger; greater; older; **calle mayor** main street

mayordomo (*m.*) majordomo, manager, butler

mayoría (*f.*) majority

me me, to me; myself, to myself

Meca Mecca

mecánico (*m.*) mechanic

mecer to stir, shake; to swing

mediano, –a moderate; middling; average

medianoche (*f.*) midnight

medicina (*f.*) medicine

médico (*m.*) doctor; **médico de casa** family doctor

medida (*f.*) measurement; **a medida que** at the same time as; in proportion as

medio, –a half; middle; medium; mid

medio (*m.*) center, middle; (*pl.*) means; **por medio de** by means of

mediodía (*m.*) noon

medir (3) to measure

Mediterráneo, –a Mediterranean

mejicano, –a (*adj. y n.*) Mexican

mejillón (*m.*) mussel

mejor better; best; **mejor dicho** rather

melancolía (*f.*) melancholy

melancólico, –a melancholy, melancholic, sad

melódico, –a melodic

memoria (*f.*) memory; **aprender de memoria** to memorize

mencionar to mention

menester (*m.*) want; need; occupation; **es menester** it is necessary

menor lesser; younger; smaller

menos less; fewer; least; except; **a menos que** unless; **echar de menos** to miss; **por lo menos** at least

mensajero (*m.*) messenger

mensual monthly

mentir (2) to lie

mentira (*f.*) lie, falsehood; **parece mentira** it seems incredible

mentiroso (*m.*) liar

menú (*m.*) menu

mercado (*m.*) market

merecer to deserve; to be worth; **merecer la pena** to be worthwhile

mero, –a mere

mes (*m.*) month

mesa (*f.*) table

meta (*f.*) goal

metáfora (*f.*) metaphor

meter to put in, insert, place; **meterse con** to pick a quarrel with

metido, –a close, tight; abounding; **estar metido en** to be involved in

método (*m.*) method

mi my

mí me (*object of preposition*)

micrófono (*m.*) microphone

microscopio (*m.*) microscope

miedo (*m.*) fear; **tener miedo de** to be afraid of

miembro (*m.*) member

mientras while, meanwhile; **mientras que** while; whereas

miércoles (*m.*) Wednesday

Miguel Michael

mil (*adj. y n.m.*) thousand, a (one) thousand

milagro (*m.*) miracle

milagroso, -a miraculous

militar military; (n.m.) soldier, military man

milla (f.) mile

millón (m.) million

millonario (m.) millionaire

mimado, -a spoiled (of people)

ministro (m.) minister

minuto (m.) minute

mío, -a (of) mine

mirada (f.) glance, look

mirar to look at; to consider

misa (f.) Mass

mísero, -a miserable, wretched; miserly

mismo, -a same; self; very; lo mismo que the same as

misterio (m.) mystery

misterioso, -a mysterious

místico, -a mystic, mystical

mitad (f.) half; middle

mitin (m.) meeting

moción (f.) motion, movement

modelo (m.) model; pattern; style; ejercicio modelo (extenso) (extended) pattern drill

moderación (f.) moderation

moderno, -a modern

modesto, -a modest

modificación (f.) modification, change

modificante (m.) modifier

modificar to modify

modismo (m.) idiom

modo (m.) manner, way; (gram.) mood; de modo que so that; de todos modos at any rate

molestar to annoy, bother

molino (m.) mill; molino de viento windmill

momento (m.) moment

mona (f.) female monkey; drunkenness

monarca (m.) monarch

monasterio (m.) monastery

moneda (f.) coin; money

monstruo (m.) monster; monstrosity

monta (f.) amount, total; value, worth; de poca monta of little account

montaña (f.) mountain

montar to mount; to ride (a horse, etc.)

monumento (m.) monument

morir (2) to die

morisco, -a Moorish

moro (m.) Moor

mosaico (m.) mosaic

mostrar (1) to show

motivación (f.) motivation

motivar to motivate

motivo (m.) motive, reason; motif

mover (1) to move

movimiento (m.) movement

moza (f.) girl; maid

mozo (m.) youth; porter; waiter

muchacha (f.) girl

muchacho (m.) boy

mucho, -a much, a lot of

mudanza (f.) change; inconstancy

mudar to move; to change; mudarse de to change (one's clothing, opinion, location)

muebles (n.m.pl.) furniture

muerte (f.) death; dar muerte a to put to death

muestra (f.) sample; specimen; sign; dar muestras de to show signs of

mujer (f.) woman; wife

multa (f.) fine

múltiplo (m.) multiple

mundo (m.) world; todo el mundo everybody

muñeca (f.) doll; wrist

muralla (f.) wall

muro (m.) wall

musa (f.) muse

museo (m.) museum

música (f.) music

musulmán, –ana (*adj. y n.*) Mussulman

muy very; too

N

nacer to be born

nacimiento (*m.*) birth

nación (*f.*) nation; **las Naciones Unidas** the United Nations

nacional national

nacionalidad (*f.*) nationality

nacionalismo (*m.*) nationalism

nada nothing; **de nada** you're welcome; **nada de particular** nothing special

nadar to swim

nadie no one, nobody

naipe (*m.*) playing card; **jugar a los naipes** to play cards

Nápoles Naples

naranja (*f.*) orange

naranjo (*m.*) orange tree

nariz (*f.*) nose; nostril

narrativo, –a narrative

nativo, –a native; innate

natural natural; **hijo natural** illegitimate son

naturaleza (*f.*) nature; temperament

naufragio (*m.*) shipwreck

navideño, –a (of) Christmas

necesario, –a necessary

necesidad (*f.*) necessity

necesitar to need, be in need of; to require

negación (*f.*) negation

negar (1) to deny; to disown; **negarse a** to refuse

negativo, –a negative

negocio (*m.*) business; affair

negro, –a black

nervioso, –a nervous

neto, –a neat, pure, clean

neutro, –a neuter

nevera (*f.*) refrigerator

ni neither, nor; **ni . . . ni** neither . . . nor; **ni . . . siquiera** not even

Nicolás Nicholas

niebla (*f.*) fog, mist

nieta (*f.*) granddaughter

nieto (*m.*) grandson

nieve (*f.*) snow

ninguno (ningún), –a no, not any; (*pron.*) no one, none; neither; **de ninguna manera** by no means

niña (*f.*) girl

niñez (*f.*) childhood

niño (*m.*) boy

no no; not

nobleza (*f.*) nobility

noción (*f.*) notion

noche (*f.*) night; **de noche** at night; **esta noche** tonight

nochebuena (*f.*) Christmas Eve

nombramiento (*m.*) appointment; naming

nombrar to name; to appoint

nombre (*m.*) name; fame; noun; **nombre de pila** first name

nominal nominal; noun

nominativo, –a nominative

norma (*f.*) norm, standard; method

norte north

Norteamérica (*f.*) North America

norteamericano, –a (*adj. y n.*) North American

nos (to) us; (to) ourselves; (to) each other

nota (*f.*) mark, grade; footnote

notar to note, notice

noticia (*f.*) notice, news (*generally used in the plural*)

noticiario (*m.*) newscast

novedad (*f.*) novelty; surprise

novela (*f.*) novel

novelista (*n.m.f.*) novelist

noveno, –a ninth

novia (*f.*) fiancée, sweetheart

novicio (*m.*) novice, apprentice

noviembre (*m.*) November
novio (*m.*) fiancé, sweetheart
nube (*f.*) cloud
nublado, –a cloudy
nuera (*f.*) daughter-in-law
nuestro, –a our; (of) ours
nuevo, –a new; de nuevo again; Nueva York New York
nuez (*f.*) nut
numérico, –a numerical
número (*m.*) number; size (*of clothing*); número cardinal cardinal number; número ordinal ordinal number
nunca never
nutrir to nourish; nutrirse to be enriched

O

o or
obedecer to obey
obispo (*m.*) bishop
objeción (*f.*) objection
objetivo, –a objective
objeto (*m.*) object
obligación (*f.*) obligation
obligar to obligate; to compel
obra (*f.*) work; obra maestra masterpiece
obscuro, –a dark; obscure
observar to observe
obstante: no obstante nevertheless, in spite of
obtener to obtain
ocasión (*f.*) occasion, opportunity
octavo, –a eighth
octubre (*m.*) October
ocultar to hide
oculto, –a hidden
ocupación (*f.*) occupation
ocupar to occupy; ocuparse con to be busy with
ocurrir to occur, happen
odiar to hate
odio (*m.*) hatred
ofender to offend

oficial (*m.*) official, officer
oficina (*f.*) office
ofrecer to offer
oído (*m.*) hearing
oír to hear
ojalá (que) would that, I wish (hope) that
ojo (*m.*) eye
olvidar to forget
omitir to omit
ópera (*f.*) opera
operación (*f.*) operation
opereta (*f.*) operetta
opinar to judge; to be of the opinion
opinión (*f.*) opinion; cambiar de opinión to change one's mind
oponer to oppose; oponerse a to object to; to be against
oportunidad (*f.*) opportunity
optimismo (*m.*) optimism
oración (*f.*) sentence; prayer
oral oral, vocal
orden (*m.*) order (*arrangement*); class
orden (*f.*) order (*command; religious order, etc.*); a sus órdenes at your service
ordenar to order; to ordain
oreja (*f.*) ear
organización (*f.*) organization
organizador, –ora organizing
organizar to organize
orgullo (*m.*) pride
orgulloso, –a proud
origen (*m.*) origin
oro (*m.*) gold
orquesta (*f.*) orchestra
ortográfico, –a orthographic
osar to dare
oscuro, –a (*variación de* obscuro)
ostentar to boast; to make a show of, display
otoño (*m.*) autumn, fall
otorgar to grant, confer
otro, –a other, another

P

Pablo Paul
Paca Fran
paciencia (*f.*) patience
Paco Frank
pacto (*m.*) pact
padecer to suffer; to endure
padrastro (*m.*) stepfather
padre (*m.*) father; priest; (*pl.*) parents
paella (*f.*) *Spanish dish consisting of meat, shellfish, rice, and vegetables*
pagano, –a pagan
pagar to pay; to pay for
página (*f.*) page
país (*m.*) country (*political division*)
paisaje (*m.*) landscape
Países Bajos (*m. pl.*) the Low Countries; the Netherlands
paja (*f.*) straw
pájaro (*m.*) bird
paje (*m.*) page; valet
palabra (*f.*) word
palacio (*m.*) palace
palco (*m.*) (*teat.*) box
pálido, –a pale
pan (*m.*) bread
Pancho Frank, Frankie
panecillo (*m.*) roll
pañuelo (*m.*) handkerchief
papa (*f.*) potato
Papa (*m.*) pope
papá (*m.*) father, daddy
papel (*m.*) paper
paquete (*m.*) package
Paquito Frankie
par (*adj.*) equal; (*n.m.*) pair, couple
para for; in order to; towards; **para que** in order that
paradoja (*f.*) paradox
paraguas (*m.*) umbrella
paraíso (*m.*) paradise
parar to stop
parecer to seem; **parecerse a** to resemble

pared (*f.*) wall
pareja (*f.*) pair, couple
parentesco (*m.*) relationship
paréntesis (*m.*) parenthesis
pariente (*m.*) relative
párrafo (*m.*) paragraph
parrilla (*f.*) grill
párroco (*m.*) parson
parte (*f.*) part; direction; **la mayor parte** the majority; **por todas partes** everywhere
participar to participate; to inform
participio (*m.*) participle; **participio pasado** past participle; **participio presente** present participle
particular particular; private
partido (*m.*) game, match
partir to leave; to divide, share
pasado, –a past
pasaje (*m.*) passage, fare; journey
pasaporte (*m.*) passport
pasar to pass; to happen; to overlook; to spend; **¿ Qué pasa?** What is the matter?
pasear to walk; **pasearse** to take a walk
paseo (*m.*) walk; ride; **dar un paseo** to take a walk (ride)
pasión (*f.*) passion
pasivo, –a passive
paso (*m.*) step; pace; **dar un paso** to take a step
pastel (*m.*) pie; pastry
pastilla (*f.*) tablet, lozenge
pastor (*m.*) shepherd
patata (*f.*) potato
patinar to skate
patio (*m.*) patio, yard
patria (*f.*) country, native land
patrimonio (*m.*) inheritance
pavimento (*m.*) pavement
paz (*f.*) peace
pecado (*m.*) sin
peculiaridad (*f.*) peculiarity

pedantesco, –a pedantic

pedir (3) to ask (for); **pedir prestado** to borrow

Pedro Peter

pegar to stick; to attach; to hit, slap

peinar to comb; **peinarse** to comb one's hair

película (*f.*) film

peligro (*m.*) danger, risk

pelo (*m.*) hair

pelota (*f.*) ball

pena (*f.*) pain; trouble; sorrow; **vale la pena** it's worthwhile

penetrante penetrating

península (*f.*) peninsula

pensamiento (*m.*) thought

pensar (1) to think; to intend; **pensar de** to think of (*have an opinion*); **pensar en** to think of (*recall, have in mind*)

penúltimo, –a next to the last

peor worse, worst

Pepa Josie

Pepe Joe

pequeño, –a small, little

pera (*f.*) pear

percepción (*f.*) perception

percibir to perceive

perder (1) to lose; to miss (*a train, etc.*)

perdón (*m.*) pardon

perdonar to pardon, excuse

perdurable lasting, long-lasting

perdurar to last, survive

peregrinación (*f.*) pilgrimage

peregrino (*m.*) pilgrim

perezoso, –a lazy

perfecto, –a perfect

perfumera (*f.*) perfumer

periódico (*m.*) newspaper

periodista (*m.*) newspaperman

período (*m.*) period

perla (*f.*) pearl

permanecer to remain, stay

permanente permanent

permiso (*m.*) permission

permitir to permit, allow

pero but, yet

perplejo, –a perplexed

perrito (*m.*) puppy

perro (*m.*) dog

perseguir (3) to pursue

persistir to persist

persona (*f.*) person

personaje (*m.*) character (*in a play, etc.*)

personalidad (*f.*) personality

personificación (*f.*) personification

personificar to personify

perspicaz discerning, perspicacious; clear-sighted

persuadir to persuade

pertenecer to belong; to pertain

perturbar to perturb; to disturb

peruano, –a (*adj. y n.*) Peruvian

pesado, –a boring, tiresome

pésame (*m.*) condolence

pesar (*m.*) sorrow, regret; **a pesar de** in spite of

peseta (*f.*) peseta (*Spanish monetary unit*)

peso (*m.*) weight; balance; peso (*monetary unit of several Spanish American countries*)

petición (*f.*) petition

pianista (*n.m.f.*) pianist

pícaro (*m.*) rogue, rascal

pico (*m.*) beak, bill; top, peak; **a las cinco y pico** a few minutes past five

pie (*m.*) foot; **a pie** on foot; **de pie** standing

piedra (*f.*) stone

piel (*f.*) skin; fur; leather; **abrigo de piel** fur coat

pierna (*f.*) leg

pieza (*f.*) piece; play; piece of music; room

Pilar *feminine name*

piloto (*m.*) pilot

pintar to paint
pintor (m.) painter (artist)
pintoresco, -a picturesque
pintura (f.) painting; paint
piña (f.) pineapple
pipa (f.) pipe
piso (m.) floor, story; apartment
pista (f.) trail, trace; clue
pizarra (f.) blackboard
placer to please; (n.m.) pleasure
plancha (f.) iron
planchar to iron
planear to plan
plantar to plant
plata (f.) silver
plato (m.) plate
playa (f.) beach, shore
plaza (f.) square (of a town);
place, seat
plazo (m.) term, time
pleno, -a full, complete
pluma (f.) pen
plumafuente (f.) fountain pen
pluscuamperfecto (m.) pluperfect
(tense)
pobre poor
poco, -a little; (pl.) few; dentro
de poco shortly; poco a poco
little by little; por poco almost
poder to be able, can; (n.m.)
power
poderoso, -a powerful
poema (m.) poem
poesía (f.) poetry
poeta (m.) poet
policía (f.) police; (m.) policeman
policíaco, -a (pertaining to) police;
detective (story, etc.)
política (f.) politics; policy
político, -a political; (n.m.f.)
politician
polvo (m.) dust
pollo (m.) chicken
ponderar to ponder; to consider,
weigh
poner to put, place; ponerse to

put on (an article of clothing);
ponerse + adj. to become +
adj.; poner de manifiesto to
make manifest; poner la mesa
to set the table
popularidad (f.) popularity
por for; through; by; por ciento
percent; por dentro y por
fuera inside and outside; por
escrito in writing; por lo visto
apparently; por siempre forever
porcelana (f.) china, porcelain
porque because; in order that
porqué (m.) reason, why, motive
¿ por qué? why?
portapapeles (m.) briefcase
portar to carry; portarse to be-
have, act
portero (m.) porter, doorman;
janitor
pórtico (m.) portico, porch
portugués, -esa (adj. y n.) Portu-
guese
pos: en pos de after; in pursuit of
poseedor (m.) possessor
poseer to possess
poseído, -a possessed
posesionarse to take possession
posesivo, -a possessive
posibilidad (f.) possibility
posible possible
posición (f.) position
positivo, -a positive
postergar to postpone, delay
postre (m.) dessert
postrero, -a last
practicar to practice
práctico, -a practical
preceder to precede
preciar to value, appraise
precio (m.) price
precipitar to precipitate; to rush
precisar to fix; to specify; to
compel
preciso, -a necessary; precise

precocidad (*f.*) precociousness
predicado (*m.*) predicate
predominar to predominate
preferible preferable
preferir (2) to prefer
pregunta (*f.*) question; **hacer una pregunta** to ask a question
preguntar to ask, question
preguntón, -ona inquisitive
premio (*m.*) prize; reward
preocupación (*f.*) preoccupation, worry
preocupar to preoccupy; **preocuparse** to be worried
preparación (*f.*) preparation
preparar to prepare
preposición (*f.*) preposition
preposicional prepositional
presbiteriano, -a Presbyterian
presencia (*f.*) presence
presenciar to witness, see
presentación (*f.*) presentation; introduction
presentar to present, introduce
presente (*adj. y n.m.*) present; **presente de indicativo** present indicative; **presente de subjuntivo** present subjunctive; **tiempo presente** present tense
presentir (2) to have a presentiment of
presidente (*m.*) president
presidir to preside
preso, -a imprisoned
prestar to lend, loan
presto, -a quick, prompt; (*adv.*) right away
pretender to pretend, claim
pretérito (*m.*) preterit (tense); **pretérito anterior** preterit perfect; **pretérito perfecto** present perfect
prima (*f.*) cousin
primario, -a primary
primavera (*f.*) spring
primero, -a first

primo (*m.*) cousin
princesa (*f.*) princess
príncipe (*m.*) prince
principio (*m.*) beginning; principle; **al principio** at the beginning; **a principios de** around the beginning of
prisa (*f.*) hurry, haste; **darse prisa** to hurry; **tener prisa** to be in a hurry
privado, -a private
privar to deprive; to forbid
privilegio (*m.*) privilege
probabilidad (*f.*) probability
probar (1) to prove; to test; to try on
problema (*m.*) problem
proceder to proceed, arise, emanate
procedimiento (*m.*) procedure; process
proceso (*m.*) process
proclamación (*f.*) proclamation
proclamar to proclaim
prodigioso, -a prodigious
producción (*f.*) production
producir to produce
producto (*m.*) product
proeza (*f.*) prowess; feat
profesar to profess
profesión (*f.*) profession
profesional professional
profesor (*m.*) teacher; professor
profesora (*f.*) teacher; professor
profesorado (*m.*) faculty; teaching staff
profundizar to deepen; to fathom
profundo, -a deep; profound
programa (*m.*) program
progresivo, -a progressive
progreso (*m.*) progress
prohibir to prohibit
prójimo (*m.*) neighbor, fellow man
prolificación (*f.*) prolificacy
prolongar to prolong, extend
prometer to promise

prominente prominent

pronombre (*m.*) pronoun; **pronombre complemento** object pronoun; **pronombre demostrativo** demonstrative pronoun; **pronombre indefinido** indefinite pronoun; **pronombre personal sujeto** subject pronoun; **pronombre posesivo** possessive pronoun; **pronombre preposicional** prepositional pronoun; **pronombre reflexivo** reflexive pronoun; **pronombre relativo** relative pronoun

pronto quick; soon; **tan pronto como** as soon as

pronunciar to pronounce; to utter

propicio, -a propitious, favorable

propio, -a proper; one's own; appropriate

proponer to propose

proporcionado, -a proportionate; proportioned

proporcionar to proportion, supply, provide

propósito (*m.*) purpose, aim; **a propósito** by the way

propuesta (*f.*) proposal

prosa (*f.*) prose

prosista (*n.m.f.*) prose writer

próspero, -a prosperous

protagonista (*n.m.f.*) protagonist

proteger to protect

protesta (*f.*) protest

protestar to protest

provincia (*f.*) province

próximo, -a next; neighboring

proyectar to project; to plan

proyecto (*m.*) project

prueba (*f.*) proof; test; sample

pseudónimo (*m.*) pseudonym

psicología (*f.*) psychology

psicológico, -a psychological

publicación (*f.*) publication

publicar to publish

público (*m.*) public

pudor (*m.*) modesty; virtue

pueblecito (*m.*) small town

pueblo (*m.*) town; people

puente (*m.*) bridge

puerta (*f.*) door

puerto (*m.*) port

pues then, well

puesta (*f.*) setting; **puesta en escena** stage setting

puesto (*m.*) place; **puesto que** since

pulsera (*f.*) bracelet

punto (*m.*) point; moment; **en punto** on the dot (*time*), sharp; **punto de vista** point of view

puntual punctual

puro, -a pure

Q

que that, what, which, who, whom; than; **¿A que no sabes...?** I bet you don't know...

¿qué? what? which?

quebrar to break

quedar to remain; to be left; **quedarse** to remain, stay

quejar to complain; **quejarse de** to complain of

quemar to burn

querella (*f.*) quarrel

querer to want, wish; to like; **querer decir** to mean

querido, -a dear

queso (*m.*) cheese

quien who, whom; he who, she who

quienquiera anyone; **quienquiera que** whoever, whomever

quieto, -a quiet, calm

quilate (*m.*) carat; **subir en quilates** to become more valuable

química (*f.*) chemistry

químico, -a chemical; (*n.m.*) chemist

quince fifteen
quinto, –a fifth
quitar to take away; to remove;
  quitarse to take off (*clothing*)
quizá(s) perhaps

R

radiador (*m.*) radiator
radical (*m.*) (*gram.*) root of a word
Rafael Ralph
raíz (*f.*) (*gram.*) root, stem (*of verbs*)
rama (*f.*) branch, limb
ramera (*f.*) harlot, prostitute
Ramón Raymond
rápido, –a rapid
Raquel Rachel
raro, –a rare
rascacielos (*m.*) skyscraper
rato (*m.*) while, short time
ratón (*m.*) mouse
Raúl Raoul
rayo (*m.*) ray, beam; lightning
raza (*f.*) race; lineage
razón (*f.*) reason; right; tener
  razón to be right
real real; royal
realidad (*f.*) reality
realismo (*m.*) realism
realista (*adj.*) realistic; (*n.m.f.*)
  realist
realizar to realize; to fulfil
rebelar to revolt, rebel
rebosar to overflow with, burst
  with
recaer to fall back; to relapse;
  recaer sobre to devolve upon
recepción (*f.*) reception
receta (*f.*) recipe
recetar to prescribe
recibir to receive; to welcome
recibo (*m.*) receipt
recién newly; recién llegado
  newly arrived
recio, –a strong, vigorous
recíproco, –a reciprocal

recitar to recite
recluir to shut up, seclude
recobrar to recover
recoger to pick up; to gather;
  recogerse to take refuge *or*
  shelter
recomendación (*f.*) recommenda-
  tion
recomendar (1) to recommend
reconocer to recognize
reconocimiento (*m.*) recognition
recordar (1) to recall, remember
recuerdo (*m.*) remembrance,
  memory; keepsake
recurrir to resort, have recourse
rechazar to repel; to reject
redondo, –a round
reducir to reduce
redundante redundant
reemplazar to replace
reemplazo (*m.*) replacement
referencia (*f.*) reference
referente referring
referir (2) to refer
reflejar to reflect
reflejo (*m.*) reflection
reflexión (*f.*) reflection
reflexivo, –a reflexive; pronombre reflexivo reflexive pronoun; verbo reflexivo reflexive
  verb
reformar to reform
refrán (*m.*) proverb
refrescante refreshing
refrigerador (*m.*) refrigerator
refutar to refute
regalar to present, give as a present
regalo (*m.*) gift; pleasure; comfort
regar (1) to water; to irrigate
régimen (*m.*) regime
región (*f.*) region
regir (3) to govern, rule; to prevail
regla (*f.*) rule
regocijado, –a merry, joyful, glad
regordete, –eta chubby, plump

regresar to return
regular regular; fair
rehusar to refuse
reina (*f.*) queen
reinar to reign
reino (*m.*) kingdom
reír to laugh; **reírse de** to laugh at
relación (*f.*) relation; report; **con relación a** with regard to
relatar to relate, tell; to report
relatividad (*f.*) relativity
relativo, –a relative
relato (*m.*) story, account
religión (*f.*) religion
religioso, –a religious
reloj (*m.*) watch
reluciente shining
remedio (*m.*) remedy; recourse
remordimiento (*m.*) remorse
remoto, –a remote
renacentista (*pertaining to the*) Renaissance
Renacimiento (*m.*) Renaissance
rendir (3) to subdue; to surrender, give up; **rendirse** to become exhausted; to surrender
renta (*f.*) income; rental, rent
renunciar to renounce; to waive
reñir (3) to quarrel; to scold; to fight
reparar to repair, mend; **reparar en** to notice
repartir to distribute, divide, allot
repasar to revise; to review
repente (*m.*) sudden movement; **de repente** suddenly
repentino, –a sudden
repetir (3) to repeat
reposar to rest
reposo (*m.*) rest, repose
representación (*f.*) representation; performance
representante (*m.*) representative
representar to represent; to perform, present (*a play, etc.*)

república (*f.*) republic
republicano, –a republican
requerir (2) to require; to request
reserva (*f.*) reservation
resfriado (*m.*) cold
resfriar to cool; **resfriarse** to catch cold
residencia (*f.*) residence
residir to reside
resistir to resist, hold out
resolver (1) to resolve; to solve; to decide
respectivo, –a respective
respecto (*m.*) respect; reference; **respecto a** with respect (regard) to
respetar to respect
respeto (*m.*) respect; consideration
responder to answer
responsabilidad (*f.*) responsibility
respuesta (*f.*) answer, reply
restar to deduct, take away
restaurante (*m.*) restaurant
resto (*m.*) rest; (*pl.*) remains, leftovers
resultado (*m.*) result
resultar to result; to turn out to be
resumir to sum up, summarize
retener to retain, keep
retirar to retire, withdraw
retiro (*m.*) retreat; retirement
retrato (*m.*) picture; portrait
reunión (*f.*) meeting, reunion
reunir to gather, bring together; **reunirse a** to join, assemble
revelar to reveal
reverso (*m.*) back, reverse (*of a coin*)
revisar to revise, review
revisión (*f.*) revision, review
revista (*f.*) magazine
revolucionario, –a revolutionary; (*n.m.f.*) revolutionist
rey (*m.*) king
Reyes *masculine name*

Ricardo Richard
rico, -a rich
rigoroso, -a rigorous
rima (*f.*) rhyme; (*pl.*) poems, poetry
rincón (*m.*) corner
río (*m.*) river
riqueza (*f.*) riches, wealth
rizado, -a curly
robar to rob, steal
Roberto Robert
rocín (*m.*) nag
rodear to surround
rodilla (*f.*) knee; **de rodillas** kneeling
rogar (1) to beg; to pray
rojo, -a red
Roma Rome
romano, -a Roman
romántico, -a romantic
romero, -a (*n.m.f.*) pilgrim
romper to break
ropa (*f.*) clothes, clothing
rosa (*f.*) rose
rosal (*m.*) rosebush
rosbif (*m.*) roast beef
rostro (*m.*) face
rubí (*m.*) ruby
rubio, -a blond; fair
ruido (*m.*) noise
rumbo (*m.*) direction, bearing; **rumbo a** in the direction of, bound for
ruso, -a (*adj. y n.*) Russian
ruta (*f.*) route

S

sábado (*m.*) Saturday
saber to know; **saber + inf.** to know how to, be able to + *verb*
sabio, -a wise, learned; (*n.m.f.*) scholar, wise person
sabor (*m.*) taste, flavor
sabroso, -a tasty, delicious; delightful
sacar to bring out; to extract; to take out; **sacar una foto** to take a picture
sacrificar to sacrifice
sacrificio (*m.*) sacrifice
sacrilegio (*m.*) sacrilege
sacristía (*f.*) sacristy
sacudir to shake; to throw off
sagrado, -a sacred
sal (*f.*) salt; wit, charm
sala (*f.*) hall; room, drawing room; **sala de espera** waiting room
salado, -a salty
salario (*m.*) salary
salida (*f.*) departure; start
salir to go out; to leave, go away; **salir bien en** to pass (*an examination, class, etc.*); **salir mal en** to fail (*an examination, a course*)
salón (*m.*) salon, living room; **salón de belleza** beauty parlor; **salón de té** tea shop
saltar to jump, leap
salud (*f.*) health
saludable healthful
saludar to greet, salute
sandía (*f.*) watermelon
sándwich (*m.*) sandwich
sangre (*f.*) blood
sanitario, -a sanitary
sano, -a healthy; sound
santo(san), -a saint, holy
Santos *masculine name*
santuario (*m.*) sanctuary
saqueo (*m.*) plunder, sacking
Sara Sarah
sastre (*m.*) tailor
satisfacción (*f.*) satisfaction
satisfacer to satisfy
satisfecho, -a satisfied, content
se (to) himself; (to) herself; (to) itself; (to) yourself, (to) yourselves; (to) themselves; (to) oneself; (to) each other
sección (*f.*) section
seco, -a dry; dried up, withered

secretario, –a (*n.m.f.*) secretary
secreto, –a a secret
sed (*f.*) thirst; **tener sed** to be
thirsty
seda (*f.*) silk
sede (*f.*) seat; headquarters
seducción (*f.*) seduction; temptation
seducir to seduce; to tempt
seguida (*f.*) series; **en seguida**
at once
seguir (3) to follow; to continue,
keep on; to take (*a course*)
según according to
segundo, –a second
seguridad (*f.*) surety, certainty
seguro, –a secure; sure, certain;
estar seguro de to be sure of
selva (*f.*) forest; jungle
sellado, –a sealed; stamped
sello (*m.*) seal; stamp
semana (*f.*) week; **la semana
pasada** last week; **la semana
próxima** next week
sembrar (1) to sow
semejante similar, like
semejanza (*f.*) similarity, likeness
semestre (*m.*) semester
sencillo, –a simple, plain
sensibilidad (*f.*) sensitivity; sensi-
bility
sensible sensitive; sensible
sentar (1) to seat; **sentarse** to sit
down
sentido (*m.*) sense; meaning
sentimiento (*m.*) feeling; senti-
ment
sentir (2) to feel; to feel sorry, regret; **sentirse** to be moved, be
affected
sentir (*m.*) feeling; opinion
señal (*f.*) sign, mark; trace
señalar to mark; to point out; to
indicate
señor (*m.*) gentleman; sir; Mr.
señora (*f.*) lady; wife; Mrs.

señorita (*f.*) young lady; Miss
separación (*f.*) separation
separar to separate
septiembre (*m.*) September
séptimo, –a seventh
sepulcro (*m.*) sepulcher, tomb
sepultura (*f.*) interment; tomb,
grave; **dar sepultura a** to bury
ser to be
ser (*m.*) existence, life, being
serie (*f.*) series
seriedad (*f.*) seriousness
serio, –a serious; **en serio** seriously
servicio (*m.*) service
servidor (*m.*) servant
servir (3) to serve; to wait on;
servir de to act as; **servir para**
to be used as
severo, –a severe; strict
sevillano, –a (*adj. y n.*) Sevillian
sexo (*m.*) sex
sexto, –a sixth
si if; whether
sí (*adv.*) yes; indeed; (*pron. reflex.*) himself, herself, etc.; **de
por sí** apart, by itself
siempre always; **para siempre**
forever
siglo (*m.*) century
significación (*f.*) significance,
meaning
significado (*m.*) meaning
significar to mean, signify
significativo, –a significant
siguiente following
sílaba (*f.*) syllable
silencio (*m.*) silence; **guardar
silencio** to keep silent
silla (*f.*) chair
sillón (*m.*) armchair, easy chair
simbolizar to symbolize
simpatía (*f.*) sympathy; liking
simpático, –a charming, likeable;
sympathetic
sin without; **sin que** without
sinceridad (*f.*) sincerity

sincero, –a sincere

sinfonía (*f.*) symphony

sinnúmero (*m.*) great number, great many

sino but, except

sino (*m.*) fate, destiny

síntesis (*f.*) synthesis

siquiera: ni siquiera not even

sirviente (*m.*) servant

sistema (*m.*) system

sitiar to besiege, surround, siege

sitio (*m.*) place; site

situación (*f.*) situation

situar to situate, place

soberbia (*f.*) arrogance; pride, haughtiness

sobrar to exceed; to be more than enough; to be left

sobre on, on top of, upon; **sobre todo** especially, above all

sobre (*m.*) envelope

sobreentender to understand; **sobreentenderse** to be understood, implied

sobremencionado, –a abovementioned

sobrenatural supernatural

sobresaliente outstanding

sobresalir to stand out, excel

sobretodo (*m.*) overcoat

sobrevivir to survive

sobrina (*f.*) niece

sobrino (*m.*) nephew

socarronería (*f.*) cunning, slyness

socialista (*n.m.f.*) socialist

sociedad (*f.*) society

sofá (*m.*) sofa

Sofía Sophia

sol (*m.*) sun; **pasearse al sol** to take a walk in the sun; **tomar el sol** to sunbathe, bask in the sun

solamente only

solas: a solas all alone

solaz (*m.*) solace, comfort; enjoyment

soldado (*m.*) soldier

soler (1) to be usual; to be accustomed to

solicitud (*f.*) application; solicitude

solitario, –a solitary

solo, –a only; alone

sólo only, merely

solterón (*m.*) old bachelor

solución (*f.*) solution

solucionar to solve

sollozo (*m.*) sob

sombra (*f.*) shade; shadow

sombrero (*m.*) hat

sonar (1) to sound, ring

sonido (*m.*) sound

sonoro, –a sonorous; clear, loud

sonreír to smile

sonrisa (*f.*) smile

soñador (*m.*) dreamer

soñar (1) to dream; **soñar con** to dream of

sopa (*f.*) soup

sorprender to surprise

sorpresa (*f.*) surprise

sospecha (*f.*) suspicion

sostener to support, sustain

sostenimiento (*m.*) support, maintenance

su his, her, its, your, their, one's

suave suave, smooth, soft, delicate

subir to come up, go up; to get into (*a car, plane, etc.*)

subjuntivo, –a subjunctive; (*n.m.*) subjunctive mood; **imperfecto de subjuntivo** imperfect subjunctive; **presente de subjuntivo** present subjunctive

subordinado, –a subordinate

subsiguiente subsequent

suceder to happen; to follow, succeed

sucesión (*f.*) succession

suceso (*m.*) happening, event

sucesor (*m.*) successor

sucio, –a dirty

sucre (*m.*) *Ecuadorian monetary unit*
sudeste (*m.*) southeast
suegra (*f.*) mother-in-law
suegro (*m.*) father-in-law
sueldo (*m.*) salary
suelo (*m.*) floor; ground
sueño (*m.*) dream; sleep; **tener sueño** to be sleepy
suerte (*f.*) luck, fortune; fate
suéter (*m.*) sweater
sufijo (*m.*) suffix
sufrir to suffer
sugerencia (*f.*) suggestion
sugerir (2) to suggest
suicidio (*m.*) suicide
sujeto, –a subject; (*n.m.*) subject
sultán (*m.*) sultan
sumamente exceedingly, extremely
sumar to add, sum; to amount to
suntuoso, –a sumptuous
superlativo, –a superlative; (*n.m.*) superlative
suplementario, –a supplementary
suprimir to suppress, eliminate
supuesto, –a supposed; (*n.m.*) assumption; **por supuesto** of course
sur (*m.*) south
surgir to arise; to come forth; to spring up
Susana Susan
suspender to suspend; to fail (*someone in a class or test*)
suspenso (*m.*) failing grade
suspiro (*m.*) sigh
sustantivo (*m.*) noun; **sustantivo complemento** noun object
sustitución (*f.*) substitution
sustituir to substitute
susurro (*m.*) murmur, whisper, rustle
sutil subtle; keen; acute
suyo, –a (of) his, hers, yours, its, theirs, one's

T

tabaco (*m.*) tobacco
tabla (*f.*) tablet; table (*of contents, etc.*); board; (*pl.*) stage
taciturno, –a taciturn
táctico, –a tactical
tal such, such a; **con tal (de) que** provided that; **¿qué tal?** hello!, what's up?, how goes it?
talento (*m.*) talent
tallar to carve; to cut; to engrave
taller (*m.*) shop; studio
tamaño (*m.*) size
también too, also
tampoco not, neither, not either
tan so; **tan . . . como** as . . . as; **tan pronto como** as soon as
tanto, –a so much; as much; **tanto . . . como** as much as
tapete (*m.*) drapery; small rug
tapia (*f.*) wall, adobe wall
taquígrafa (*f.*) stenographer
taquigrafía (*f.*) shorthand, stenography
tardar to delay; to be long; **tardar en** + *inf.* to be late in + *verb*; to be long in + *verb*
tarde late
tarde (*f.*) afternoon
tarea (*f.*) task; work
tarjeta (*f.*) card; **tarjeta postal** postcard
taza (*f.*) cup
té (*m.*) tea
teatral theatrical
teatro (*m.*) theater
técnica (*f.*) technique
técnico, –a technical; (*n.m.*) technician
techo (*m.*) roof; ceiling
tejer to weave
telefonear to phone
teléfono (*m.*) telephone
telegrama (*m.*) telegram
televisión (*f.*) television
tema (*m.*) theme

temer to fear; to be afraid
temible dreadful, terrible
temor (*m.*) fear
temperamento (*m.*) temperament
templete (*m.*) small temple; shrine
templo (*m.*) temple
temporal temporal; time; temporary
temporáneo, –a temporary
temprano, –a early
tenedor (*m.*) fork
tener to have; **aquí tiene Vd.** here is; **tener calor** to be warm; **tener en cuenta** to bear in mind; **tener frío** to be cold; **tener hambre** to be hungry; **tener prisa** to be in a hurry; **tener que** + *inf.* to have to, must + *verb;* **tener sed** to be thirsty; **tener sueño** to be sleepy
teniente (*m.*) lieutenant
tenis (*m.*) tennis
tentación (*f.*) temptation
tenue tenuous; delicate; faint
teología (*f.*) theology
teoría (*f.*) theory
terapéutica (*f.*) therapeutics
tercero, –a third
terminación (*f.*) ending; (*gram.*) ending (of verbs)
terminar to end, finish
término (*m.*) term; end; boundary
terreno (*m.*) field; ground
tertulia (*f.*) party
tesis (*f.*) thesis
tesoro (*m.*) treasure
testamento (*m.*) will, testament
tetera (*f.*) teakettle, teapot
texto (*m.*) text
tía (*f.*) aunt
tiempo (*m.*) time; weather; tense; **tiempo compuesto** compound tense; **tiempo futuro** future tense; **tiempo pasado** past tense; **tiempo presente** present tense

tienda (*f.*) shop; store; **ir de tiendas** to go shopping
tierno, –a tender
tierra (*f.*) earth; land
tijeras (*n.f.pl.*) scissors
tímido, –a timid
tinta (*f.*) ink
tío (*m.*) uncle
típico, –a typical
tipo (*m.*) type; kind, sort; shape; guy
tirar to throw; to shoot; to pull
titulado, –a titled
título (*m.*) title; university degree
toalla (*f.*) towel
tobillo (*m.*) ankle
tocadiscos (*m.*) record player
tocar to touch; to play (*a musical instrument*); **tocarle a uno** to be up to one; to behoove one; to be one's turn
tocino (*m.*) bacon
todavía still, yet
todo, –a all, every; **todo el día** all day; **todos los días** every day
tolerar to tolerate
tomar to take; to seize; *to eat or drink something*
Tomás Thomas
tomate (*m.*) tomato
tomo (*m.*) volume
tono (*m.*) tone
tontería (*f.*) nonsense
tonto, –a stupid, foolish
Toño Tony
torero (*m.*) torero, bullfighter
torneo (*m.*) tournament, match
toro (*m.*) bull
torre (*f.*) tower
tostada (*f.*) toast
trabajar to work; **trabajar de día y de noche** to work night and day
trabajo (*m.*) work, task
tracería (*f.*) tracery

tradición (*f.*) tradition
tradicional traditional
traducción (*f.*) translation
traducir to translate
traer to bring; to attract; to bring about
tráfico (*m.*) traffic
tragedia (*f.*) tragedy
trágico, –a tragic, tragical
traicionar to betray
traje (*m.*) suit; costume
trama (*f.*) plot
trampería (*f.*) trickery, chicanery
tranquilidad (*f.*) tranquillity
tranquilo, –a tranquil
transcurrir to pass, elapse
transferir (2) to transfer; to convey
tránsito (*m.*) traffic
transparente transparent
transportar to transport; to transfer
tranvía (*m.*) trolley, streetcar
trasladar to move, transfer; **trasladarse** to move (*to another location*)
tratado (*m.*) treaty
tratar to treat; **tratar de** to try to; **tratarse de** to be about, be a question of
trato (*m.*) treatment; usage; manner, behavior; **tener buen trato** to be pleasant
través: a través de through, across
trazar to trace; to design, plan
treinta thirty
tren (*m.*) train
triste sad
tristeza (*f.*) sadness
triunfo (*m.*) triumph
trocar (1) to change; to exchange
trompeta (*f.*) trumpet
tronar (1) to thunder
tropa (*f.*) troop
tropezar con (1) to meet, run into

tu (*fam.*) your
Tula Gertie
túnel (*m.*) tunnel
Túnez Tunis (*capital of Tunisia*)
turbulento, –a turbulent
turco, –a (*adj. y n.*) Turk
turista (*n.m.f.*) tourist
tuyo, –a (*fam.*) (of) yours

U

último, –a last, ultimate
un, una a, an; one
único, –a only; unique
unidad (*f.*) unity; unit
unión (*f.*) union
unir to unite
universalismo (*m.*) universalism
universidad (*f.*) university
universitario, –a university; (*n.m.f.*) university student
uno, una one; (*pl.*) some, a few; **el uno al otro** (**uno a otro**) each other, one another
urgente urgent
usar to use; to wear
uso (*m.*) use
utensilio (*m.*) utensil; tool
útil useful
utilizar to utilize
utópico, –a utopian
uva (*f.*) grape

V

vacación (*f.*) (*sing. y pl.*) vacation
vacante vacant
vacilar to hesitate; to waver
vacío, –a empty
valer to be worth; **valerse de** to avail oneself of, make use of; **más vale** it is better
valor (*m.*) value, merit
vals (*m.*) waltz
vano, –a vain; **en vano** in vain
vapor (*m.*) steam; steamship
variar to vary
vario, –a various; (*pl.*) several

vasco, –a (*adj. y n.*) Basque

Vascongadas: las Vascongadas *the three Basque provinces*

vaso (*m.*) glass

Vaticano (*m.*) Vatican

vecino, –a neighboring; (*n.m.f.*) neighbor

vega (*f.*) plain, lowland

vehemencia (*f.*) vehemence

vela (*f.*) candle

vena (*f.*) vein

vencer to win, conquer

vendedor, –ora selling; (*n.m.f.*) salesperson

vender to sell

venidero, –a coming, future; en lo venidero in the future

venir to come

venta (*f.*) sale; inn

ventana (*f.*) window

ventero (*m.*) innkeeper

ver to see; a ver let's see; tener que ver con to have to do with

verano (*m.*) summer

verbo (*m.*) verb; verbo auxiliar auxiliary verb; verbo de percepción verb of perception; verbos que diptongan la vocal de la raíz radical-changing verbs; verbo subordinado subordinate verb

verdad (*f.*) truth

verdadero, –a true

verde green

vergüenza (*f.*) shame; shyness; tener vergüenza to be ashamed

verídico, –a truthful, veridical

verso (*m.*) verse

vestido (*m.*) dress

vestir (3) to dress; vestirse to dress oneself

vez (*f.*) time; a la vez at the same time; a veces at times; dos veces twice; en vez de instead of; muchas veces many times; por primera vez for the first time; tal vez perhaps; una vez once

vía (*f.*) way, road

viajar to travel

viaje (*m.*) trip

viajero (*m.*) traveler

Vicente Vincent

vicio (*m.*) vice; defect

vicisitud (*f.*) vicissitude

víctima (*f.*) victim

victoria (*f.*) victory

victorioso, –a victorious

vida (*f.*) life

viejo, –a old; (*n.m.f.*) old man, old woman

viento (*m.*) wind

viernes (*m.*) Friday; Viernes Santo Good Friday

vigoroso, –a vigorous

villano (*m.*) peasant; villain

vinagre (*m.*) vinegar

vino (*m.*) wine; vino tinto red wine

violación (*f.*) violation

violín (*m.*) violin

violinista (*n.m.f.*) violinist

virtud (*f.*) virtue

visión (*f.*) vision; view

visita (*f.*) visit; estar de visita to be visiting; ir de visita to go visiting

visitar to visit

vista (*f.*) sight; glance; view; perder de vista to lose sight of

viuda (*f.*) widow

viudo (*m.*) widower

vivaracho, –a lively, vivacious

vivir to live

vivo, –a alive; lively

vocabulario (*m.*) vocabulary

vocal (*f.*) vowel

volición (*f.*) volition

volitivo, –a volitional

volumen (*m.*) volume

voluntad (*f.*) will

volver (1) to return; to turn;

volver a + *inf.* to . . . again;
volverse loco to become crazy
votar to vote
voto (*m.*) vote; vow
voz (*f.*) voice; **en alta voz** aloud;
(*gram.*) **voz activa** active voice;
voz pasiva passive voice
vuelo (*m.*) flight
vuelta (*f.*) turn; return; **dar una
vuelta** to take a walk; **de
vuelta** on returning; **estar de
vuelta** to be back
vuestro, –a (*fam.*) (of) your, yours

Y

y and
ya already; now
yelmo (*m.*) helmet
yerno (*m.*) son-in-law
yeso (*m.*) plaster

Z

zapatero (*m.*) shoemaker
zapato (*m.*) shoe
zoología (*f.*) zoology
zozobra (*f.*) worry, anxiety

Inglés–Español

A

a, an un, una
abandon abandonar
able capaz
about de; sobre; acerca de; a eso de; **to be about to** + *verb* estar para + *inf*.
above sobre; arriba; **above all** sobre todo
accept aceptar
according: according to según
action acción (*f*.)
admit admitir
advance avanzar; adelantar
advise aconsejar; avisar
afraid: to be afraid (of) tener miedo (de *or* a)
after después; después de; al cabo de; **after all** después de todo
afternoon tarde (*f*.); **in the afternoon** por la tarde; (*when time is expressed*) de la tarde
again otra vez, de nuevo
against contra; en contra de
age edad (*f*.)
ago hace; **a week ago** hace una semana
agree estar de acuerdo, concordar (1)
Albert Alberto
alive vivo, –a (*used with* estar)
all todo, –a; **all day** todo el día
almost casi; por poco
alone solo, –a; a solas
along por
already ya
also también
although aunque
always siempre
and y (*becomes* e *before words beginning with* i *or* hi)

Ann(e) Ana
another otro, –a
answer respuesta (*f*.); contestar, responder
Anthony Antonio
any alguno (algún), –a, cualquier(a); **any longer** ya no
anybody (anyone) alguien, alguno; cualquiera; quienquiera
anything algo, alguna cosa; cualquier cosa
apartment piso (*m*.), apartamiento (*m*.), departamento (*m*.)
appear aparecer
appointment cita (*f*.)
approve aprobar (1)
April abril (*m*.)
architect arquitecto (*m*.)
argue disputar; querellar
arm brazo (*m*.)
armchair sillón (*m*.)
arrive llegar
as como; tan; mientras; **as if** como si; **as ... many as** tantos, –as ... como; **as ... much as** tanto, –a ... como; **as soon as** tan pronto como
ask pedir (3); preguntar; **ask a question** hacer una pregunta
asleep dormido, –a; **to fall asleep** dormirse (2)
at a; en; **at home** en casa; **at three o'clock** a las tres
attend asistir (a); cuidar
attention atención (*f*.); **to pay attention** prestar atención
August agosto (*m*.)
aunt tía (*f*.)
autumn otoño (*m*.)
avenue avenida (*f*.)
avoid evitar
awaken despertar (1)

B

bad malo, –a
bank banco (*m.*)
baseball béisbol (*m.*)
basketball básquetbol (*m.*)
be estar; ser; **to be careful** tener cuidado; **to be successful** tener éxito; **to be to** haber de
beach playa (*f.*)
beautiful hermoso, –a, bello, –a
beauty belleza (*f.*)
because porque
become + *noun* hacerse, llegar a ser; + *adj.* ponerse
bed cama (*f.*); **to go to bed** acostarse (1); **to put to bed** acostar (1); **to stay in bed** guardar cama
bedroom alcoba (*f.*), dormitorio (*m.*)
beefsteak biftec (*m.*)
before ante; antes (de); delante de
begin comenzar (1), empezar (1); ponerse a
behind detrás (de)
believe creer
beside al lado de, junto a
besides además de
better mejor; **better than ever** mejor que nunca
between entre
big grande
bill cuenta (*f.*)
birthday cumpleaños (*m.*)
black negro, –a
blond(e) rubio, –a
blouse blusa (*f.*)
blue azul
boast jactarse (de), ostentar
boat barco (*m.*); buque (*m.*); vapor (*m.*)
body cuerpo (*m.*)
book libro (*m.*)
bookcase estante (para libros) (*m.*)
bore aburrir
boring, boresome aburrido, –a

born: to be born nacer
both ambos, –as; ambos
bother molestar
box caja (*f.*)
boy niño (*m.*), muchacho (*m.*)
bread pan (*m.*)
break romper
breakfast desayuno (*m.*); **to have breakfast** desayunarse
brick ladrillo (*m.*)
bring llevar; traer
brother hermano (*m.*)
build construir
building edificio (*m.*)
bush arbusto (*m.*)
business asunto (*m.*); negocio (*m.*); **that business of** lo de . . .
but pero, mas; sino (que)
buy comprar
by por; al lado de

C

call llamar; **to be called** llamarse
can poder
candy bombón (*m.*), dulce (*m.*); **candy shop** dulcería (*f.*)
cap gorra (*f.*)
capable capaz
capital capital (*city*) (*f.*); capital (*money*) (*m.*)
car auto (*m.*), coche (*m.*)
card tarjeta (*f.*); **playing card** naipe (*m.*); **postcard** tarjeta postal
career carrera (*f.*)
careful cuidadoso, –a; **to be careful** tener cuidado
carefully con cuidado
careless sin cuidado; descuidado, –a
carry llevar
cause causa (*f.*); causar
cent centavo (*m.*)
certain cierto, –a; **to be certain** estar seguro, –a
chair silla (*f.*)

change cambio (*m.*); cambiar; mudar

character carácter (*m.*); personaje (*m.*)

Charles Carlos

charming encantador, –ora, simpático, –a

cheap barato, –a

cheat engañar, defraudar

check cheque (*m.*)

chief jefe (*m.*)

child niño (*m.*)

children niños (*n.m.pl.*)

choose escoger, elegir (3)

Christmas Navidad (*f.*); navideño, –a

city ciudad (*f.*)

class clase (*f.*)

clean limpio, –a; limpiar

clear claro, –a; **it is clear** es evidente

clever listo, –a (*used with* ser)

client cliente (*m.*)

climate clima (*m.*)

clock reloj (*m.*); **alarm clock** despertador (*m.*)

close cerrar (1)

clothes ropa (*f.*)

cloudy nublado, –a

coat abrigo (*m.*)

coffee café (*m.*)

coin moneda (*f.*)

cold frío (*m.*); frío, –a; **to be cold** hacer frío (*of weather*); **to be cold** tener frío (*of people*)

colleague colega (*m.*)

collect cobrar

collection colección (*f.*)

come venir; **to come across** tropezar con (1); **to come back** volver (1); **to come in** entrar en; **to come up** subir

common común

company compañía (*f.*)

complain quejarse (de)

complete completo, –a; completar

completely completamente

complicated complicado, –a

concert concierto (*m.*)

condition condición (*f.*)

confirm confirmar

consider considerar

contemporary contemporáneo, –a

continue continuar, seguir

contract contrato (*m.*)

contrary contrario, –a

cook cocinero (*m.*), cocinera (*f.*); cocinar

copy copia (*f.*), ejemplar (*m.*); copiar

cost costar (1)

cottage casita (*f.*)

count contar (1)

country campo (*m.*); país (*m.*)

courteous cortés

cousin primo (*m.*), prima (*f.*)

criticism crítica (*f.*)

criticize criticar

cry llorar

cup taza (*f.*); **cup of tea** taza de té; **teacup** taza para té

cure cura (*f.*); curar

customer cliente (*m.*)

cut cortar

D

dance baile (*m.*); bailar

dare atreverse a; osar

date fecha (*f.*)

daughter hija (*f.*)

day día (*m.*); **day after day** día tras día; **day after tomorrow** pasado mañana; **day before yesterday** anteayer

death muerte (*f.*)

deceive engañar

December diciembre (*m.*)

decide decidir

defend defender (1)

deficit déficit (*m.*)

delay tardar

demonstrate demostrar (1)

deny negar (1)
deserve merecer
desk escritorio (*m.*)
dessert postre (*m.*)
destroy destruir
dictionary diccionario (*m.*)
die morir (2)
different diferente, distinto, –a
difficult difícil
difficulty dificultad (*f.*)
direct dirigir
disappear desaparecer
discover descubrir
dissolve disolver (1)
distance distancia (*f.*); **in the distance** a lo lejos
distinguish distinguir
do hacer
doctor médico (*m.*); doctor (*m.*)
dollar dólar (*m.*)
door puerta (*f.*)
doubt duda (*f.*); dudar
down abajo; **downstairs** abajo
dream sueño (*m.*); soñar (1); **to dream of** soñar con
dress vestido (*m.*); vestir(se) (3)
drink beber
during durante

E

each cada; **each one** cada uno
early temprano
earn ganar
earring arete (*m.*)
easy fácil
eat comer
egg huevo (*m.*)
eight ocho
eighty ochenta
elect elegir (3)
Elizabeth Isabel
employ emplear
empty vacío, –a
end fin (*m*); acabar, terminar
enemy enemigo (*m.*)
England Inglaterra (*f.*)

English inglés, –esa
enjoy gozar (de)
enough bastante; **to be enough** bastar
enter entrar (en)
entrance entrada (*f.*)
envelope sobre (*m.*)
establish establecer
even aun; **even if** aunque; **to be even with** estar al nivel con
ever alguna vez; jamás
every todo, –a, todos los (todas las); cada; **every day** todos los días; **everyone** todos, todo el mundo; **everything** todo
examination examen (*m.*)
except menos
exercise ejercicio (*m.*)
expensive caro, –a
explain explicar
eye ojo (*m.*)
eyeglasses lentes (*n.m.pl.*), gafas (*n.f.pl.*)

F

face cara (*f.*), rostro (*m.*); **to face** dar a
fact hecho (*m.*); **in fact** de hecho, en efecto
failure fracaso (*m.*)
faith fe (*f.*)
family familia (*f.*)
famous famoso, –a
father padre (*m.*)
favorite favorito, –a
fear miedo (*m.*); temer
February febrero (*m.*)
feel sentir (2)
few pocos, –as
fifty cincuenta
fight lucha (*f.*); luchar
film película (*f.*)
find encontrar (1), hallar; **to find out** enterarse de
fine fino, –a; excelente; **to be fine weather** hacer buen tiempo

finger dedo (*m.*)
finish acabar, terminar
first primero, –a
fit caerle a uno (*of clothes*); convenir
fitting propio, –a, digno, –a
five cinco
fix arreglar
flower flor (*f.*)
follow seguir (3)
foot pie (*m.*)
for para; por; porque
forbid prohibir
forever para siempre
forget olvidar
fork tenedor (*m.*)
former aquél, aquélla
forty cuarenta
four cuatro
Frances Francisca
Frank Francisco
French francés, –esa
Friday viernes; **Good Friday** Viernes Santo
friend amigo (*m.*), amiga (*f.*)
from de
full lleno, –a

G

game juego (*m.*); partido (*m.*)
garden jardín (*m.*)
generally en general, por lo general, generalmente
George Jorge
German alemán, –ana
get conseguir (3), obtener; **to get** (**receive**) tener (*pret.*); **to get on** (*a vehicle*) subir; **to get to a place** llegar; **to get up** levantarse
gift regalo (*m.*)
girl muchacha (*f.*), niña (*f.*)
give dar
glad alegre, contento, –a
glass vaso (*m.*)
glove guante (*m.*)

go ir; **to go away** irse, marcharse; **to go home** ir a casa; **to go out** salir; **to go to bed** acostarse (1)
gold oro (*m.*)
good bueno, –a
good-by adiós; **to say good-by** despedirse de (3)
goods mercancías (*n.f.pl.*), bienes (*n.m.pl.*)
grandfather abuelo (*m.*)
grandmother abuela (*f.*)
great (gran) grande
green verde
group grupo (*m.*)

H

half mitad (*f.*); medio, –a
hand mano (*f.*); **to hand over** entregar
handsome guapo, –a; de buen ver
happen tener lugar, pasar, suceder, ocurrir
happy alegre, feliz
hardly apenas
hat sombrero (*m.*)
hate odio (*m.*); odiar
have tener; **to have a good time** divertirse (2); **to have just +** *p.p.* acabar de + *inf.*; **to have left** quedarle a uno; **to have to** tener que
he él
head cabeza (*f.*)
hear oír
heat calor (*m.*); calentar (1)
help ayuda (*f.*); ayudar; **not to be able to help** no poder menos de + *inf.*
her la; su; ella
here acá; aquí; **here I am** aquí me tiene; **here it is** aquí lo tiene
hers el suyo, la suya
him le, lo; él
his su; el suyo, la suya
historical histórico, –a

holiday fiesta (*f.*)
home casa (*f.*); **at home** en casa
hope esperanza (*f.*); esperar
hot caliente; **to be hot** hacer calor (*of the weather*); **to be hot** tener calor (*of people*)
hour hora (*f.*)
house casa (*f.*)
how cómo, ¿ cómo ? **how many?** ¿ cuántos, –as ? **how much?** ¿ cuánto, –a ?
hundred (cien) ciento
hurricane huracán (*m.*)
hurry prisa (*f.*); **to be in a hurry** tener prisa
hurt doler (1)
husband esposo (*m.*), marido (*m.*)

I

if si
ignore no hacer caso de
ill malo, –a, enfermo, –a
illness enfermedad (*f.*)
immediately inmediatamente
impolite descortés; incivil
important importante; **it is important** es importante, importa
impossible imposible
in en, de (*after a superlative*); **in order to** para; a fin de que; **in spite of** a pesar de; **in time** a tiempo
inconsiderate desconsiderado, –a
inhabitant habitante (*n.m.f.*)
insist insistir (en)
instead of en vez de
intelligence inteligencia (*f.*)
intelligent inteligente
intend pensar (1), intentar
intention intención (*f.*)
interest interés (*m.*); afición (*f.*); interesar
interesting interesante
introduce presentar
invitation invitación (*f.*)
invite invitar

it lo (*m.*), la (*f.*); (*after prep.*) él, ella

J

James Diego, Jaime
Jane Juana
January enero (*m.*)
Joan Juana
John Juan
judge juez (*m.*); juzgar
July julio (*m.*)
June junio (*m.*)
just justo, –a; **to have just** + *p.p.* acabar de + *inf.*

K

keep guardar; **to keep on** seguir (3); continuar
king rey (*m.*)
kitchen cocina (*f.*)
know conocer; saber; **know how to** + *verb* saber + *inf.*

L

lack faltar; **to be lacking** faltarle a uno
lady señora
lamp lámpara (*f.*)
language idioma (*m.*), lengua (*f.*)
last último, –a; durar
late tarde; **to be late in (arriving)** tardar en (llegar)
latter éste, ésta
laugh reír; **to laugh at** reírse de
learn aprender; **to learn by heart** aprender de memoria
leave salir, partir; dejar; **to leave something behind** dejar; **to take leave of** despedirse de (3)
lecture conferencia (*f.*)
left izquierdo, –a; **to be left (over)** quedar; **to have left** quedarle a uno
leg pierna (*f.*)
lend prestar
less menos

lesson lección (*f.*)
let dejar, permitir
letter carta (*f.*); letra (*f.*)
lie mentira (*f.*); mentir (2)
life vida (*f.*)
light luz (*f.*); ligero, –a; alumbrar
like como; igual; semejante; gustar, querer
lip labio (*m.*)
little pequeño, –a; poco, –a; **a little** un poco
live vivir
lively vivo, –a (*used with* ser)
London Londres
long largo, –a
look: look at mirar; **to look for** buscar; **to look like** parecerse a
lose perder (1)
Louise Luisa
love amor (*m.*); amar, querer
low bajo, –a

M

machine máquina (*f.*)
magazine revista (*f.*)
maid criada (*f.*)
mail correo (*m.*); **to mail** echar al correo
maintain mantener
make hacer
man hombre (*m.*)
many muchos, –as
March marzo (*m.*)
Margaret Margarita
marry casar; **to get married to** casarse con
Martha Marta
Mary María
mathematics matemáticas (*n.f.pl.*)
matter: no matter how much por mucho que
May mayo (*m.*)
maybe quizá(s), tal vez
me me; mí
meal comida (*f.*)
meat carne (*f.*)

mechanic mecánico (*m.*)
medicine medicina (*f.*)
meet encontrar (1); **to meet for the first time** (*preterit of*) conocer
meeting reunión (*f.*), mitin (*m.*)
Mexico Méjico (*m.*)
mine el mío, la mía
miss perder (1); echar de menos
mistake error (*m.*); falta (*f.*)
Monday lunes (*m.*)
money dinero (*m.*)
month mes (*m.*)
more más
morning mañana (*f.*)
mother madre (*f.*), mamá (*f.*)
mouth boca (*f.*)
move mover (1)
movie(s) cine (*m.*); **to go to the movies** ir al cine
much mucho, –a
must deber
my mi

N

name nombre (*m.*); **my name is** me llamo
near cerca (de)
necessary necesario, –a; **to be necessary** ser necesario, ser preciso
need necesidad (*f.*); necesitar; hacerle falta a uno
neighbor vecino (*m.*)
neither ni; **neither . . . nor** ni . . . ni
nephew sobrino (*m.*)
never nunca, jamás
nevertheless sin embargo
new nuevo, –a
newspaper periódico (*m.*)
next próximo, –a
night noche (*f.*); **last night** anoche; **tomorrow night** mañana por la noche; **tonight** esta noche
nine nueve

ninety noventa
no no; **no matter how much** por
  mucho que
none ninguno, –a
noon mediodía (*m.*)
nor ni
north norte (*m.*)
not no; **not only . . . but also** no
  sólo . . . sino que(también)
note nota (*f.*); notar
notebook cuaderno (*m.*)
nothing nada
November noviembre (*m.*)
now ahora; **right now** ahora
  mismo
number número (*m.*)

O

October octubre (*m.*)
office oficina (*f.*)
offend ofender
old viejo, –a
older mayor
on en, sobre; **on** + *verb* al + *inf.*;
  on time a la hora debida; **on
  top of** encima de
once una vez; **at once** en seguida
one uno, –a
only (*adj.*) solo, –a, único, –a;
  (*adv.*) sólo, solamente
open abrir
or o, u (*before a word beginning with
  o or* ho)
orange naranja (*f.*)
other otro, –a
our nuestro, –a
ours el nuestro, la nuestra
outside fuera (de)
over sobre, (por) encima de
overcoat sobretodo (*m.*)
owe deber
own propio, –a; poseer

P

package paquete (*m.*)
page página (*f.*)

painter pintor (*m.*)
palace palacio (*m.*)
paper papel (*m.*)
parade desfile (*m.*)
parents padres (*n.m.pl.*)
park parque (*m.*); estacionar
part parte (*f.*)
party fiesta (*f.*), tertulia (*f.*)
pass pasar (*time*); salir bien en (*to
  pass a class or a subject*); **to pass
  by** pasar por
patience paciencia (*f.*)
Paul Pablo
pay pagar; **to pay a visit** hacer
  una visita
peace paz (*f.*)
pencil lápiz (*m.*)
penknife cortaplumas (*m.*)
people gente (*f.*), personas (*n.f.pl.*)
perfect perfecto, –a
perhaps quizá(s), tal vez
person persona (*f.*)
personally personalmente
Peter Pedro
pity lástima (*f.*); **it is a pity** es
  lástima
place lugar (*m.*), sitio (*m.*); **to take
  place** tener lugar
plan plan (*m.*), proyecto (*m.*);
  pensar (1)
plane avión (*m.*)
plate plato (*m.*)
play drama (*m.*), comedia (*f.*);
  jugar (*games*); tocar (*a musical
  instrument*)
pleasant agradable
please agradar; por favor
plot trama (*f.*), argumento (*m.*)
police policía (*f.*)
policeman policía (*m.*)
poor pobre
possible posible
postcard tarjeta postal (*f.*)
post office casa de correos (*f.*)
prefer preferir (2)
preparation preparación (*f.*)

prepare preparar
present regalo (*m.*); actual
present presentar
president presidente (*m.*)
pretend fingir
pretty bonito, –a, lindo, –a
price precio (*m.*)
probably probablemente
problem problema (*m.*)
procedure procedimiento (*m.*)
professional profesional
prohibit prohibir
project proyecto (*m.*)
promise promesa (*f.*); prometer
proposal propuesta (*f.*)
provided (that) con tal (de) que
pure puro, –a
put poner; to put on ponerse; to
   put out (*a light, etc.*) apagar; to
   put to bed acostar (1)

Q
quarrel querella (*f.*), disputa (*f.*);
   reñir (3)
queen reina (*f.*)
question pregunta (*f.*), cuestión
   (*f.*); to ask a question hacer una
   pregunta

R
rain lluvia (*f.*); llover (1)
raise aumento (*m.*)
rapid rápido, –a
rather más bien
read leer
realize darse cuenta de
reason razón (*f.*)
receipt recibo (*m.*)
receive recibir
recognize reconocer
red rojo, –a
refuse rehusar
regret pena (*f.*), remordimiento
   (*m.*); sentir (2)
remain permanecer, quedarse
remember recordar (1), acordarse
   de (1)

repeat repetir (3)
report informe (*m.*)
resemble parecerse a
resist resistir
respect respeto (*m.*); respetar
rest descansar; the rest los demás
result resultado (*m.*); resultar; as
   a result of de resultas de
return volver (1), regresar; to return something devolver (1)
rich rico, –a
Richard Ricardo
right derecho (*m.*); derecho, –a;
   right now ahora mismo; to be
   right tener razón; to the right
   a la derecha
ring anillo (*m.*); sonar (1)
road camino (*m.*)
Robert Roberto
Rome Roma
room cuarto (*m.*)
rose rosa (*f.*)
Rose Rosa
round redondo, –a
run correr; to run away escaparse
Russian ruso, –a

S
sad triste
salad ensalada (*f.*)
salary sueldo (*m.*)
salt sal (*f.*)
same mismo, –a
Saturday sábado (*m.*)
say decir
school escuela (*f.*)
secretary secretaria (*f.*)
see ver
seem parecer
sell vender
send enviar, mandar
September septiembre (*m.*)
serve servir (3)
set poner, colocar; to set the
   table poner la mesa
seven siete

seventy setenta
several varios, –as
sharp en punto (*with time*)
she ella
shore playa (*f.*)
short corto, –a
sick enfermo, –a, malo, –a
side lado (*m.*)
sign firmar
silence silencio (*m.*)
silk seda (*f.*)
silver plata (*f.*)
since desde (que); puesto que
sincere sincero, –a
sister hermana (*f.*)
sit (down) sentarse (1)
sitting sentado, –a
situation situación (*f.*)
six seis
sixty sesenta
sleep sueño (*m.*); dormir (2); **to
fall asleep** dormirse (2)
small pequeño, –a
snow nieve (*f.*); nevar (1)
so así; tan; **so much (so many)**
tanto, –a, –os, –as; **so that** de
manera que, de modo que, para
que, con tal de que
soldier soldado (*m.*)
solution solución (*f.*)
some alguno (algún), –a, –os, –as;
unos, –as (*adj. y pron. indef.*)
somebody (someone) alguien
something algo
son hijo (*m.*)
song canción (*f.*)
soon pronto; **as soon as possible**
lo más pronto posible
soul alma (*f.*)
Spanish español, –ola
speak hablar
spend gastar (*money*); pasar (*time*)
spite: in spite of a pesar de
spoon cuchara (*f.*)
spring primavera (*f.*)
square plaza (*f.*)

stamp sello (*m.*); estampilla (*f.*)
stay quedar(se)
still todavía, aún
stone piedra (*f.*)
storm tempestad (*f.*), tormenta (*f.*)
story cuento (*m.*); piso (*m.*)
street calle (*f.*)
student estudiante (*n.m.f.*)
studies estudios (*n.m.pl.*)
study estudiar
succeed: to succeed in lograr
success éxito (*m.*)
successful próspero, –a; **to be
successful** tener éxito
such tal; **such a** tal
suddenly de repente
suffer sufrir
suggest sugerir (2)
suitcase maleta (*f.*)
summer verano (*m.*)
sun sol (*m.*)
Sunday domingo (*m.*)
sunny de sol, asoleado, –a; **to be
sunny** hacer sol
surround rodear
sweet dulce
swim nadar

T

table mesa (*f.*)
take tomar; llevar; **to take a walk**
dar un paseo, pasearse; **to take
away from** quitar; **to take off**
quitarse; **to take place** tener
lugar
talent talento (*m.*)
talk hablar
tall alto, –a
tea té (*m.*); **teacup** taza para
té (*f.*); **teapot** tetera (*f.*)
teach enseñar
teacher maestro (*m.*), maestra (*f.*);
profesor (*m.*), profesora (*f.*)
telegram telegrama (*m.*)
telephone teléfono (*m.*); telefonear

television televisión (f.)
tell decir
ten diez
than que; de
that que (conj.); ése, aquél, eso, aquello (pron. dem.); ese, aquel (adj. dem.)
their su
theirs el suyo, la suya
them los, las; ellos, ellas
theme tema (m.)
then entonces; pues; from then on desde entonces
there allá, allí, ahí; there is (are) hay
thesis tesis (f.)
they ellos, ellas
thief ladrón (m.)
thing cosa (f.)
think pensar (1); creer
thirty treinta
this éste, esto (pron. dem.); este (adj. dem.)
Thomas Tomás
thought pensamiento (m.)
thousand mil
three tres
through por, a través de
Thursday jueves (m.)
ticket billete (m.)
time tiempo (m.); hora (f.); vez (f.); plazo (m.); at what time? ¿a qué hora? in time a tiempo; to be on time ser puntual
tired cansado, –a; to get tired cansarse
to a, para
today hoy
together juntos, –as
tomorrow mañana
too demasiado, –a; también
tool herramienta (f.)
tourist turista (n.m.f.)
toward hacia
tower torre (f.)
town pueblo (m.)

toy juguete (m.)
traffic tráfico (m.), tránsito (m.)
train tren (m.)
travel viajar
trip viaje (m.); to take a trip hacer un viaje
true verdadero, –a; is it true that ...? ¿ es verdad que ...?
truth verdad (f.)
try tratar (de)
Tuesday martes (m.)
turn volver (1); doblar; dar vueltas; to turn off (the light) apagar (la luz)
twenty veinte
twice dos veces
twin gemelo (m.), gemela (f.)
two dos

U

ugly feo, –a
uncle tío (m.)
under debajo de; bajo
understand comprender, entender (1)
understood: to be understood sobreentenderse (1)
university universidad (f.); universitario, –a
unless a menos que, a no ser que
until hasta, hasta que
us nos; nosotros, –as
use uso (m.); usar

V

vacation vacaciones (n.f.pl.)
very muy
victim víctima (f.)
view vista (f.)
virtue virtud (f.)
visit visita (f.); visitar
volume tomo (m.), volumen (m.)
vote voto (m.); votar

W

wait esperar
walk paseo (m.); andar; to take a walk dar un paseo, pasearse

want desear, querer
warm caliente; **to be warm** hacer calor (*of weather*); **to be warm** tener calor (*of people*)
warmth calor (*m.*)
wash lavar; **to wash oneself** lavarse
waste gastar; perder (1)
watch reloj (*m.*); mirar
water agua (*f.*)
way manera (*f.*), modo (*m.*)
weather tiempo (*m.*)
Wednesday miércoles (*m.*)
weed mala hierba (*f.*)
week semana (*f.*); **last week** la semana pasada; **next week** la semana próxima (que viene)
well bien
what ¿ qué ? ¿ cuál ?
whatever cualquiera, cualquier cosa que
when cuando, ¿ cuándo ?
whenever cuando quiera que
where donde, adonde, de donde, en donde; ¿ dónde ?
whether si
which que, cual; lo que, lo cual; ¿ qué ? ¿ cuál ?
while rato (*m.*); mientras (que)
white blanco, –a
who que, quien, el que, la que, el cual, la cual; ¿ quién ?
whom quien, a quien; al que; ¿ quién ? ¿ a quién ?
whose cuyo, –a; de quien; ¿ de quién ?
why por que; ¿ por qué ?

wife mujer (*f.*), esposa (*f.*)
win ganar
wind viento (*m.*)
window ventana (*f.*)
wine vino (*m.*)
winter invierno (*m.*)
wise sabio, –a
wish deseo (*m.*); desear
with con; de
within dentro de
without sin
woman mujer (*f.*)
work trabajo (*m.*); obra (*f.*); trabajar
worse peor
worth valor (*m.*); **to be worth** valer; **to be worthwhile** valer la pena
write escribir
wrong: to be wrong tener la culpa; no tener razón

Y

year año (*m.*); **last year** el año pasado; **next year** el año próximo; **to be . . . years old** tener . . . años
yes sí
yesterday ayer
yet todavía
you tú, vosotros, –as; Vd., Vds.; le, lo, la, los, las; te, os
young joven
your su, tu, vuestro, –a
yours el suyo, la suya; el tuyo, la tuya; el vuestro, la vuestra
youth juventud (*f.*); joven (*n.m.f.*)

ÍNDICE

a: con el objeto directo, 14; + el, 32, 33; verbos que suelen seguirse por la preposición a, 209 nota, 272

abreviaturas, 297

acabar de, 101–102

adjetivo: apócope, 41–42, 263, 264, 264 nota; comparación, 44–45; concordancia del adjetivo y sustantivo, 40; demostrativo, 55, 58; indefinido, 85, 227, 231; interrogativo, 240; plural, 31; posesivo, 46 nota, 50, 54; posición, 40; relativo, 255, 259–260; usado con estar y ser, 113

adverbio: indefinido, 85, 88, 227, 231; interrogativo, 240; terminado en mente, 89

al + el infinitivo, 211

ante, antes de, 265

artículo: contracción del definido, 32–33; definido, 24, 27 nota, 28; indefinido, 24, 28; el masculino con sustantivo femenino, 32; neutro, 24, 29; se omite, 28, 54

cien(to), 264

cláusula: adjetiva, 171; adverbial, 175–176; condicional, 187

como si + el subjuntivo, 188

comparación: de desigualdad, 42, 44; de igualdad, 42, 46; formas irregulares, 45

condicional: de probabilidad, 84; formación, 80–81; frases condicionales, 187; perfecto, 98

correlación de los tiempos, 188–189

¿ cuál ?: comparado con que, 245

dar: usos idiomáticos, 248

de: después del superlativo, 46; + el, 32–33; en vez de que en comparaciones de desigualdad, 44; frases con, 40; para expresar la posesión, 54, 55; usado con la voz pasiva, 197

delante de, 265

demostrativo: adjetivo, 55, 58; aquél . . . éste, 58; concordancia del adjetivo, 58; diferencia entre

ese y aquel, 55 nota; neutro, 59; posición, 58; pronombre, 58; el pronombre expresado por el artículo definido, 58

¿ dónde ? 240, 245, 245 nota 2

e por y, 232–233

estar: cambia el significado del adjetivo, 113; comparado con ser, 112–113; conjugación, 109

futuro: de probabilidad, 84; expresado por ir a, 84–85; formación, 80, 81; futuro perfecto, 98

gustar (y verbos semejantes), 215

haber: para formar los tiempos compuestos, 98, 101; usos idiomáticos, 103

hacer: en expresiones de tiempo, 132–133; en expresiones temporales, 147, 148

hacer una pregunta, 248–249

hora, 113, 114, 198

imperativos, 158

imperfecto: comparado con el pretérito, 74; formación, 70

infinitivo: como complemento del verbo, 211 nota; como sustantivo, 211; después de los verbos de movimiento, 209 nota; en vez del gerundio, 209, 211; que toman la preposición, 209 nota, 272

interrogativo: adjetivo, 240, 244–245; adverbio, 240, 245; posición, 244; pronombre, 240, 244–245

ir a, 84–85

llevar, 201

menos: para traducir but, 232 nota

negación: con expresiones negativas, 85, 88; después de expresiones impersonales de sentido negativo, 88 nota; en comparaciones, 88

números: cardinales, 260, 263, 264; ordinales, 261, 264 nota, 265

para: en modismos, 225 nota; usos preposicionales, 225

participio pasado: con haber para formar los tiempos compuestos, 98, 101; con la voz pasiva, 197,

201; con verbos que indican movimiento, 97; concordancia, 97, 101; formación, 94; usado como adjetivo, como sustantivo y para denotar tiempo o manera, 97

participio presente: en vez de la cláusula adverbial, 147; formación, 140; para expresar la forma progresiva del verbo, 144; para traducir el inglés *by* más el gerundio, 147

pasiva: la voz pasiva expresada con **estar** y **se,** 201; la voz pasiva formada con **ser,** 197

pedir, 248–249

pero, 232

plazo, 198

pluscuamperfecto (de indicativo): formación, 98, 275; usos, 101; (de subjuntivo): formación, 275–276; usos, 187, 188–189

por: en la voz pasiva, 197; en modismos, 227 nota 1; usos preposicionales, 227

por + adjetivo (o adverbio) + **que,** 172

posesión, 54–55

posesivo: adjetivo, 46 nota, 50, 54; concordancia, 54; expresado con **de,** 54; pronombre, 54

preguntar, preguntar por, 248–249

presente de indicativo: formación, 66; usos, 70

pretérito: comparado con el imperfecto, 74; formación, 70; usos, 74

pretérito anterior, 98 nota

pretérito perfecto: formación, 98, 274–275; usos, 101

probabilidad: condicional, futuro, 84

progresivo: formado con **estar,** 144; formado con otros verbos, 144

pronombre: complemento directo, 11, 14; complemento indirecto, 15, 18, 19; demostrativo, 58; indefinido, 85, 88, 227, 231; interrogativo, 240, 244–245; personal sujeto, 2; posesivo, 54; preposicional, 5, 7; reflexivo, 115, 119; relativo, 255, 259–260

que: imperativo indirecto, 158; pronombre relativo, 255, 259–260

quisiera, 185 nota

quitar, 201

quizás, 184

relativo: adjetivo, 255, 259–260; neutro, 255, 260; pronombre, 255, 259–260

se: con el verbo reflexivo, 115, 119; con la voz pasiva, 201; en vez de **le** o **les,** 19

ser: cambia el significado del adjetivo, 113; comparado con **estar,** 112–113; conjugación, 109; en expresiones impersonales, 113 nota

sino, sino que, 232

subjuntivo: comparado con el indicativo, 162; con **por . . . que,** 172; correlación de los tiempos, 188–189; después de expresiones impersonales, 162–163; en cláusulas adjetivas, 171; en cláusulas adverbiales, 175–176; en cláusulas nominales, 162; en frases condicionales, 187; formación del imperfecto, 180, 274; formación del presente, 153, 154, 274; tiempos compuestos, 275–276; usos específicos del imperfecto, 180 nota 2, 184, 185 nota

superlativo, 46

sustantivo: el género determina el significado, 41; el plural masculino que incluye el femenino, 32; plural, 31

tal vez, 184

tener: para traducir *to be,* 215–216

tiempo, 198

tomar, 201

u por o, 232–233

verbos: impersonales, 162–163, 201 nota; irregulares, 276; que diptongan la vocal de la raíz, 124–125, 128–129, 287; que sufren cambios ortográficos, 129, 132, 291; que toman la preposición, 209 nota, 272; recíprocos, 119; reflexivos, 115, 119; regulares 273

vez, 198

This book is the property of someone and was secured
from the following place or person.

LSUNO

I hereby certify that all information given by me
is correct and that if the information is found
to be false, I am subject to serious disciplinary
action.

Roger Esneault   58128

_____Signature_____   _____Student #_____